LE FANTÔME DE LA PLAGE

Frances Fyfield

LE FANTÔME DE LA PLAGE

FRANCE LOISIRS
123, boulevard de Grenelle, Paris

Titre original : *Perfectly Pure and Good*
Traduit par Philippe Rouard

Une édition du Club France Loisirs, Paris,
réalisée avec l'autorisation des Presses de la Cité

© Frances Fyfield, 1994
© Presses de la Cité, 1996, pour la traduction française

ISBN : 2-7441-0719-0

A l'estimé
Charles William Fyfield Obe
— dit l'oncle qui enrichit la vie —
de la part d'une de ses nièces,
avec amour.

Prologue

C'était un endroit banal. On y vivait, on y mourait. Le dimanche matin, en été, les hommes qui habitaient à proximité du quai s'y réunissaient pour bavarder. La nouvelle d'un décès appelait un minimum de commentaires et les échanges de vues sur la vie se cantonnaient aux banalités. Pour la plupart, y compris le nouveau père du jeune Stonewall, qui ne fréquentait pas les pubs à moins d'y être poussé par une querelle plus bruyante qu'à l'accoutumée, ces rencontres — que tous faisaient semblant de mettre sur le compte du hasard — étaient une sorte de soulagement ambigu. Quand ils se séparaient, ils ne se donnaient jamais rendez-vous, même heure, même endroit. C'eût été reconnaître qu'ils avaient besoin les uns des autres. Ce qui était le cas, mais ne pouvait être dit.

Le village de Merton-sur-Mer s'enorgueillissait d'une population de huit mille habitants, qui doublait en été. La rue principale, trop étroite pour la benne à ordures, montait depuis le quai à travers un dédale de cottages disparates jusqu'à une place presque élégante nantie d'une pelouse verdoyante en son centre. C'est là que les marchands de laine et de grain avaient habité un siècle plus tôt et les maisons étaient grandes et cossues. C'est là aussi que trônait le Crown, l'unique hôtel de Merton.

Le village et les résidences secondaires qui l'entouraient formaient sur cette terre plate et dépeuplée de la côte Est une véritable petite ville dont les derniers cottages, au-delà des logements sociaux et de l'église, se perdaient dans la riche plaine agricole.

Le village de Merton avait prospéré avec le commerce et la pêche, puis, après une éclipse, avait de nouveau fleuri dans une douce anarchie plutôt que dans le souci de préserver le site. Le visiteur en gardait une impression d'obstination plutôt que de beauté, de charme dû au hasard plus que de style. Si Merton avait des aspirations, elles étaient modestes : un désir de tranquillité plutôt que de changement, une fierté discrète doublée de méfiance envers toute modernité, un sens de l'ordre qui interdirait toujours le chaos, enfin la satisfaction de se suffire à lui-même, rendue vitale de par son isolement. Le bon sens animait ses habitants. Ils étaient gens à tenir leurs pro-messes, s'occupaient de leurs propres affaires et se contentaient d'estamper gentiment les vacanciers. Ils ne remarquaient même pas à quel point la vulgarité tapa-geuse du front de mer contrastait avec la splendeur vic-torienne de la vieille ville. Ceux de Merton aimaient les lieux tels qu'ils étaient.

Il en allait de même des touristes et des propriétaires de résidences secondaires. Ceux qui avaient moins de chance ou moins d'argent, rebutés par la forêt de pan-cartes des bed-and-breakfast tenus par des dames du pays qui ne faisaient aucune concession aux habitudes étran-gères, s'en allaient louer une caravane sur le camping situé à deux kilomètres de la ville. On pouvait s'y rendre à pied par un sentier qui longeait d'abord les digues puis la rive du large bras de mer, pour mener enfin à la grande plage publique, au poste de sauvetage maritime, aux bois de pins et aux kilomètres de sable vierge qui s'étendaient à l'ouest. Les cabanons en bordure des pins étaient pour la plupart délabrés. Parfois, à l'embouchure du bras de mer, on voyait des phoques s'ébattre.

A marée haute, Merton reprenait sa vocation maritime. Le bras se remplissait d'assez d'eau pour permettre le mouillage de petits vapeurs, de chalutiers et d'un nombre croissant de bateaux de plaisance — des voiliers ordinaires pour la plupart, conformément au manque de style inhérent à Merton. A marée basse, le paysage changeait radicalement. Depuis la galerie de jeux, sur le front de mer, il n'y avait rien à voir au-delà du parking, sinon des embarcations gîtant dans la vase et des bancs de sable coiffés d'une végétation marine d'un brun-vert sale se fondant dans la brume de mer. Les gens garaient leur voiture sur le parking du quai, regardaient les bateaux penchés, portaient leur regard vers la platitude sableuse et mangeaient un hamburger ou un « fish and chips » à l'un des trois fast-food. En juillet, c'était un « must ». Les attractions de Merton n'étaient pas plus sophistiquées que cela.

Les hommes qui se retrouvaient le dimanche matin sur le quai ne le faisaient qu'en été, la rigueur de l'hiver interdisant toute réunion en plein air. Ils bavardaient avec bien plus de retenue que les femmes et seuls les plus jeunes osaient risquer une remarque au passage des filles, ne réservant les moqueries qu'aux seuls étrangers. Le beau-père de Stonewall ne se sentait jamais très à l'aise quand il se tenait là, au bord de l'eau, surtout si la marée était basse et que la vue s'étendait sur l'entrelacs des chenaux envasés menant à la mer. Et cette gêne, il la devait au secret qu'il gardait. Quand l'un des jeunes gars sifflait doucement une fille venant à passer, il frissonnait d'embarras et pensait à la femme ivre et apeurée qu'il avait observée, deux ans plus tôt, s'en allant d'un pas incertain en direction des criques. Non, à vrai dire, c'était le garçon qui était avec lui, le petit Stonewall, qui l'avait vue et montrée du doigt en ricanant avant de recevoir une tape sur la nuque pour sa grossièreté. Ils l'avaient regardée descendre la rue principale, passer devant le centre médical vers lequel elle avait tourné la tête en ralentissant le pas comme si elle avait l'intention d'y entrer, puis ils l'avaient vue sourire au cruel reflet de son visage défiguré, d'abord dans les vitrines des magasins, puis dans l'eau. L'homme ressentait une certaine nervosité lorsqu'il y repensait, frémissait au souvenir de ce qui s'était passé ensuite, après qu'ils furent partis en bateau. Le pauvre Stonewall détestait l'eau et il fallait le forcer à s'y habituer, parce que personne vivant au bord de la mer ne pouvait se permettre d'en avoir peur.

« Belle journée pour ça », disait toujours l'un des hommes, sans jamais préciser plus avant et sans qu'on le lui demande, tandis que le beau-père de Stonewall espérait que la mer monterait et effacerait la vision gravée dans sa mémoire. D'abord, celle de cette femme avec son nuage de cheveux roux — Mme Tysall, avait-il appris plus tard — paraissant si ivre et si lasse, titubant dans le sable vaseux en escarpins, une vraie citadine ; et puis la même femme, pieds nus et sans vie, gisant les mains prises dans la bruyère marine tout au bout de l'une des criques, la bouche remplie de sable, sa chevelure rousse trempée et toute boueuse et l'odeur qui commençait à monter d'elle, une odeur encore dominée par celle de la mer, qui lui rappelait celle du sexe. La voir vivante un jour, et morte le lendemain alors qu'il sortait avec Stonewall, ce fardeau rachitique et asthmatique qui allait avec la belle veuve qu'il avait épousée et à qui il fallait apprendre la mer et ses marées.

Stonewall hurlait dès que son beau-père l'installait dans la barque et ramait vers les criques, où l'eau formait des bassins calmes et peu profonds ; mais une fois là, l'enfant cessait de pleurer et se calmait, prêt à jouer et à chantonner pendant des heures, laissant l'homme qu'il n'appelait pas encore papa libre de chercher des vers pour la pêche. Le beau-père éprouvait toujours un immense soulagement quand cessaient les pleurs. Cette longue plainte entrecoupée de sanglots le rendait littéralement malade. Il savait que son mariage finirait par sombrer s'il ne parvenait pas à dresser le garçon. Aussi s'était-il réjoui une fois de plus du bonheur de Stonewall retrouvant sa crique comme on accueille le soleil après l'orage.

Jusqu'au moment où, en se tournant, il avait vu cette espèce de rouquine avec ses longues jambes écartées et sa robe toute couverte de boue. Deux années de dimanches étaient passées et il pouvait encore ressentir la panique qui l'avait saisi, le faisant suffoquer plus sûrement qu'une tasse d'eau de mer. Il se souvenait d'avoir pensé : La salope, comment peut-elle faire ça à un enfant ? Vautrée là, obscène dans la mort, la tête à moitié enfouie dans le sable, les mains agrippées à la bruyère comme à une ancre, attendant qu'un gosse la découvre et passe ensuite ses nuits à cauchemarder en hurlant. Un natif de Merton n'allait jamais sur l'eau sans outils et de plus, il était venu chercher des vers. En moins de quinze minutes, maniant furieusement la pelle et fermant ses oreilles au bruit des pelletées de sable détrempé sur le corps, il l'avait ensevelie le plus profondément possible, juste avant que le garçon ne revienne de sa vasque. Il n'avait eu nulle mauvaise intention, n'avait voulu que le bien. Que quelqu'un d'autre la découvre ; quelqu'un qui n'avait pas à charge un enfant fragile et une épouse enceinte jusqu'aux yeux. Que la marée cache cette rousse jusqu'au lendemain, quand il serait au travail et l'enfant en sécurité. Qu'elle la cache, et de préférence à jamais.

Depuis ce jour, toutefois, Stonewall avait cessé de pleurer et l'accompagnait dans les criques avec la joie d'un canard. Il semblait que quelque dieu, quelque part, approuvât.

— On a découvert un autre corps, ouais, à ce qu'on m'a dit, là-bas, à Stookey, disait l'un des hommes, comblant un trou dans la conversation tandis qu'une mince volute de fumée montait de sa cigarette.

Le beau-père de Stonewall joua avec les pièces dans sa poche pour dissimuler son embarras. Chaque année, trois ou quatre cadavres étaient rejetés sur la côte. Le plus souvent des hommes, tombés d'un cargo, des hommes rarement identifiés, les sans-abri de la mer. De telles découvertes faisaient toujours l'objet de commentaires, mais jamais devant les enfants. Parfois il était difficile de dire combien de temps un homme avait séjourné dans l'eau ou pourri dans le sable, où on l'avait trouvé. Mme Charles Tysall avait mis une année pour refaire surface, pour autant qu'on en savait. A la différence des marins inconnus, elle avait été identifiée et sa mort, tout comme son étrange réapparition, nourrissait les conversations au pub ou chez le barbier. Le beau-père de Stonewall n'avait jamais rien dit, soit par prudence, soit trop choqué pour cela. Un cadavre était un cadavre. Et il avait à veiller sur les siens.

Son sentiment de culpabilité ne réapparaissait que le dimanche, quand il pensait au mari de cette femme venu à Merton à l'annonce de la découverte du corps. Un homme frappé par la douleur, qui s'était promené là où elle avait été retrouvée. Elle avait dû être belle avant d'avoir ce visage horriblement lacéré. Quelqu'un avait dû l'aimer, souffrir pour elle, avait dû l'attendre tout au long de cette année où elle gisait enterrée sous le sable avant qu'une tempête ne vienne la libérer.

Que Charles Tysall l'eût en effet aimée à sa manière, vile et possessive, sa femme Elisabeth n'en avait jamais douté, mais la nature de cet amour avait été aussi cruelle que la marée, exigeant la même possession absolue, punissant l'insoumission avec violence. Elle avait joué de son charme pour le séduire, s'était méprise sur la nature de sa folie, avait paradé avec ses cheveux de feu et la perfection de son corps. Aussi, en accord avec sa propre logique, Charles Tysall avait trouvé légitime de la battre pour la soumettre, et de commencer par le visage.

Les hommes sur le quai ne savaient rien de tout cela. Ils ne savaient pas non plus ce qu'Elisabeth avait pensé, effondrée sur le banc de sable, les mains plongées dans la bruyère, attendant que les pilules et le gin fassent leur effet, espérant ainsi se venger de lui et puis songeant, trop tard, qu'elle avait tort de mourir comme ça, sans une plainte, sans avertir celle qui tôt ou tard prendrait sa suite. Elle qui n'avait jamais eu de femmes pour amies, se sentait soudain solidaire envers elles et mesurait avec une terrible certitude les conséquences de son acte. Elle disparue, Charles allait trouver simplement une nouvelle proie, une autre tête rousse à tourmenter. Elisabeth pria pour la prochaine victime puis, laissant ses pensées dériver, ferma les yeux et attendit la mer et l'oubli qu'elle appelait de ses vœux depuis des jours. Elle ne sentit jamais la marée monter ; elle était morte bien avant.

Un cadavre était un cadavre, pensa de nouveau l'homme sur le quai. Depuis que cette femme était morte et que son corps avait réapparu, comme pour le punir, il était père de jumeaux et sa femme attendait un autre enfant. C'est parce qu'il aimait passionnément sa femme qu'il s'était senti coupable envers le mari de la morte. Bien inutilement, mais comment l'aurait-il su ? Pendant que la mer recouvrait la tombe grossière d'Elisabeth Tysall, son époux, Charles, allongé sur un divan dans leur extravagant appartement londonien, lisait Browning, son poète préféré, en se souvenant de sa femme à l'époque où elle était parfaitement pure, obéissante et douce.

> *... Heureux et fier ; enfin je savais*
> *Que Porphyria m'adorait : et de*
> *Surprise, mon cœur se gonflait...*

Je t'aime, ma Porphyria, s'était-il dit. Le savais-tu ?
Reviens, avant que j'en trouve une autre.

Une mort altère tout et rien. Tandis que la chevelure
d'Elisabeth ondulait sous les eaux, le propriétaire de sa
résidence de vacances ressentait les premiers signes de la
mortalité de l'homme. Dans une grande maison à moins
d'un kilomètre de l'extrémité du quai, dans la direction
opposée à la plage municipale, M. Henry Pardoe, entre-
preneur, self-made man aux habitudes frugales et aux
prétentions tapageuses, jouait au scrabble avec sa timide
épouse et découvrait, à son grand étonnement, qu'il
aimait ça. Elle le laissait gagner, bien sûr, ce dont il n'était
dupe qu'en partie. Il se massa la poitrine, là où une légère
mais réelle douleur lui rappelait si souvent de ne pas tarder davantage à faire son testament. Il n'avait jamais
considéré la mort comme un simple concept et n'entendait pas payer à ce vieux gredin d'Ernest Matthewson ses
honoraires prohibitifs, comme il l'avait toujours fait dans
le passé. C'était du vol qualifié. Mouse l'aiderait à rédiger
un testament. Il la regarda avec affection. Elle avait une
beauté de rose fanée.

La vie continua au rythme des marées remontant les
chenaux et recouvrant les terres, modifiant le littoral au
fur et à mesure des saisons. Rien ne changea, donc, quels
que soient les décès et les naissances.
Les hommes sur le quai se séparèrent sur de laconiques
adieux, et s'en furent chez eux partager le plaisir innocent
du repas dominical.

1

Malcom Cook, avocat de la Couronne, défenseur loyal mais cynique de la justice, était brun, mince, âgé de trente-cinq ans. Sa seule surcharge pondérale était un excès de savoir. Il en savait plus sur la cruauté de l'homme envers l'homme que sur l'harmonie conjugale. Alors que son travail lui révélait surtout le reflet de la perfidie humaine, son propre reflet était une chose qu'il préférait éviter. Son aversion pour les miroirs lui valait souvent de sortir avec des chaussettes dépareillées.

Ce matin-là, en se rasant, il ne put ignorer son image et, comme d'habitude, ne put réprimer un tressaillement. Un miroir était un objet cruel. Le contraste entre l'obèse qu'il avait été et la silhouette de coureur de marathon qu'il s'était forgée était une vision qui l'amusait de temps à autre. Il secouait alors la tête en souriant, s'attendant à voir réapparaître l'ancien gros, conscient que son apparence actuelle n'était jamais qu'une création, et le qualificatif de bel homme lui semblait usurpé. Ces derniers temps, le contraste qu'il décelait dans ses expressions le frappait davantage : il semblait vieilli et inquiet, comme son père adoptif en proie à la maladie. Et sous la douche, ce n'était plus le même homme qui chantait : il avait maintenant la sale impression de perdre l'estime fragile qu'il avait de lui-même, l'impression de perdre ses dents.

— Couchée, idiote, murmura-t-il sans détourner son regard du miroir.

Au moins la chienne, ombre rousse et soyeuse, mue par son besoin constant d'être proche de lui, lui témoignait-elle une affection à toute épreuve, le suivant où qu'il aille. Cela ne servait à rien de comparer cette créature à Sarah ni d'espérer que la gratitude de l'une inspirerait la même dévotion à l'autre, mais il n'en fit pas moins la comparaison tout en se le reprochant. Après tout, il les avait sauvées toutes les deux. Une paire de beautés flamboyantes, chacune en quête d'un champion.

Qui veille sur moi ? pensa Malcolm, pris d'une soudaine pitié envers lui-même, un sentiment qu'il s'empressa d'étouffer en voyant avec horreur ses yeux s'emplir de larmes dans l'intimité de la salle de bains. Quelle idée judicieuse de fuir les miroirs : il avait toujours été trop émotif pour un homme, même pour un gros. C'est son beau-père, Ernest Matthewson, qui l'avait dit. Ernest ne s'était plus gêné pour dire tout ce qu'il pensait sitôt qu'il avait épousé la mère de Malcolm et avait commencé d'exercer sur ce dernier sa douce mais tyrannique influence. Etrange comme les rôles s'interchangeaient dès qu'on n'y prenait garde, et qui veillait sur qui était une question dépassée. Ernest Matthewson, senior partner d'un cabinet d'avocats, homme de vieux principes et d'une excessive loyauté envers ses clients, aussi monstrueux soient-ils, était également l'employeur indulgent de Sarah — la Sarah de Malcolm ; or, durant les douze derniers mois, l'intransigeance du patriarche avait fait place à une légère irascibilité. Toute personne travaillant pour un client comme Charles Tysall avait le droit de tomber malade.

Malcolm grogna. Il n'avait rien à envier à la carrière

de son père adoptif. Ernest avait un bureau somptueux et le salaire correspondant, mais Malcolm sentait qu'il avait un certain avantage moral, sans qu'il y ait pour autant matière à oublier la bonne opinion de son beau-père à son égard. Malcolm aimait Ernest, Ernest aimait Malcolm ; une affection qui les soudait, en dépit de leurs incessantes querelles pour dissimuler un attachement qui tenait de la fatalité ou du destin.

Ernest peut toujours mépriser ma pauvreté, pensa Malcolm, mais au moins je m'autorise le droit de dire la vérité. Au moins puis-je amener mon chien dans mon bureau sans craindre pour le mobilier.

Pas plus qu'il n'avait à s'inquiéter de son retard aujourd'hui comme hier. La laisse de la chienne était introuvable. Elle devait traîner chez Sarah qui avait été la dernière à la promener. Malcolm caressa la tête soyeuse de l'épagneule, sentit la douce chaleur derrière les oreilles, le battement de la queue contre sa jambe. Au moins y avait-il une chose de palpable dans sa vie.

Flanqué de sa chienne, il descendit de son vaste grenier aménagé et, passant par l'immense terrasse victorienne, gagna la porte d'entrée principale, ouvrit avec sa clé et monta un étage. La petite plaque de cuivre sur la porte annonçait : « Sarah Fortune ». L'année précédente, ils avaient vécu entre les deux logements, plus souvent dans le sien, surtout au début, durant la période où l'on remettait en ordre, pour employer un euphémisme, l'appartement de Sarah. Le contraste entre cette époque et maintenant le frappa de nouveau quand il ouvrit la porte. Il y avait un nouveau miroir, qui lui faisait de l'œil au fond du couloir, un nouveau tapis et des tableaux aux murs, le tout légèrement poussiéreux. Il ne pourrait jamais oublier ce qui s'était passé là, même par une belle matinée comme celle-ci, quand le soleil lui rafraîchissait la mémoire.

La confiance de la chienne était infinie. A la différence de Malcolm, elle ne grondait jamais en franchissant le seuil. Elle aurait dû au moins gémir, se disait-il, lui en voulant presque ; elle avait été sévèrement blessée ici, mais n'avait aucune raison d'en avoir honte. Elle ne refoulait pas ses souvenirs, oubliait tout, simplement, hormis le prochain repas. C'était une chose que Sarah aussi devrait apprendre.

Il y avait quelques taches récentes sur la peinture neuve, près de la porte de la cuisine. Des éclaboussures de café, dues à l'insouciance ménagère de Sarah, qui contrastait avec son aptitude à embellir les choses, à transformer n'importe quelle camelote en objet d'art. Des taches de café ou de vin, pas des traces de sang. Malcolm commençait à comprendre qu'il ne se déferait jamais du souvenir du sang, quels que soient ses efforts pour l'oublier. A chaque fois qu'il venait ici, il avait l'impression de revivre sa course, suivant la chienne jusqu'à cet appartement où elle l'avait entraîné douze mois plus tôt, poussée par sa curiosité espiègle. L'animal désobéissant avait filé ventre à terre à l'issue d'une promenade nocturne, se précipitant quatre à quatre dans l'escalier, ne lui laissant d'autre choix que de le suivre en le maudissant.

Non, n'y pense pas. Les souvenirs sont pour les hommes âgés. Les accidents et les horreurs passés, il est impossible de les oublier, bien sûr, mais il faut les remiser au fond de la mémoire afin que la vie reprenne son cours le plus tôt possible. Se perdre en analyses ne pouvait qu'accroître le poids du fardeau, déjà très lourd, qu'il partageait avec Sarah. Malcolm soupira, se plia à un rituel mental. D'accord, repasse-toi le film sans censurer ce qui te gêne personnellement, comme si tu voulais le montrer à un étranger, et puis range-le de nouveau sur l'étagère qu'il n'aurait pas dû quitter. Comme ceci. Charles Tysall, beau salaud richissime, client de papa, s'entiche de Sarah dont il fait la connaissance au cabinet. Non, pas s'entiche, se prend d'obsession. L'homme faisait une fixation sur les rousses. Sarah le bat froid, alors une nuit il pénètre par effraction chez elle et l'attend. Il y a lutte, au cours de laquelle un grand miroir est cassé. Sarah tombe sur les bris de verre, récolte cent coupures mais, miracle, pas une seule au visage. Entraîné par ce chien stupide, lui, Malcolm, intervient et poursuit l'agresseur qui s'enfuit dans le parc. C'est là le moment qui répugne le plus à sa mémoire. Il saute sur l'homme comme un Rottweiler sur du bétail, le cogne plus fort et plus longtemps qu'il n'est nécessaire mais, surtout, en y prenant un plaisir certain. Jusque-là, Malcolm avait toujours détesté la violence et voilà qu'il découvrait qu'elle l'habitait aussi.

Drôle de façon d'entrer dans la vie de Sarah, concédait-il, mais comme il l'aimait de chaque parcelle de son corps de coureur de fond, la fin justifiait à ses yeux les moyens sauvages qu'il avait utilisés.

La laisse de la chienne était dans la cuisine. Malcolm la prit puis fit un rapide tour des pièces avec un sentiment de culpabilité, cherchant des signes négatifs, ceux indiquant par exemple qu'elle était en train de faire ses valises dans l'intention de s'en aller d'ici. Elle ne pouvait pas faire ça maintenant, pas avec les secrets qui les liaient l'un l'autre. Des secrets concernant Charles Tysall, qui n'était pas seulement cet homme d'affaires sans scrupules que Malcolm s'était efforcé en vain de poursuivre en justice bien avant que Sarah ne découvre, à ses dépens, que Tysall était encore pire que cela. Au diable le passé. C'est l'avenir qui intéressait Malcolm.

La chienne se figea contre la jambe de Malcolm, abandonnant quelques poils roux de plus sur le tissu de son pantalon. Un bruit de pas, là-haut, dans l'appartement du dessus, des pas tranquilles. Bête et homme se détendirent. La première s'ébroua, et le second souhaita pouvoir l'imiter. Les chiens vivent au présent et tout le monde devrait en faire autant. Charles Tysall était mort. Même s'il avait mutilé puis poussé son épouse au suicide avant de tourner son attention vers Sarah, à présent il était mort. Mort et flasque comme une vieille frite.

C'était bien ainsi. Peut-être Sarah et lui avaient-ils seulement besoin de vacances. D'air marin, ce genre de choses...

Je suis un homme simple, se dit Malcolm. Un homme simple qui s'efforce d'être honnête et juste. Je ne devrais pas entretenir de tels souvenirs, ils me compliquent la vie. Je veux seulement aimer et être aimé.

Il sortit, retrouva le soleil de l'été et, tout en traversant le parc, essaya en vain de penser à l'air marin. La mémoire, une fois réveillée, contaminait tout le reste, comme de l'huile de cuisine rance. Il ne pouvait évoquer la plage, le soleil et la mer sans ressusciter Charles, et se demander comment cet homme qui incarnait le mal pouvait encore être aussi présent, même dans la mort. Seul Charles Tysall, la malveillance incarnée, pouvait choisir délibérément de polluer un paisible petit port de pêche en s'y donnant la mort, tout comme l'avait fait sa femme. L'homme n'avait-il donc jamais entendu parler de la préservation du littoral ?

La vie, pensa Malcolm, est une saloperie. S'il avait pu en penser autant de Sarah, il aurait eu la tâche plus facile.

Tout en suivant la chienne qui gambadait çà et là, il rit en s'imaginant en train de présenter Sarah à ses relations. Mon épouse, Sarah. Nous avons fait connaissance sous le miroir, à la suite d'un concours de circonstances que vous auriez du mal à croire, et moi aussi.

Le mot « épouse » lui restait dans la gorge comme une arête de poisson. Il désirait être un mari ; prendre cette merveilleuse créature et en faire une femme honnête. Il cessa de rire. Oh oui, se dit-il, on peut emmener un rêve jusqu'au bord de l'eau, mais on ne peut pas le faire boire.

Sa mère avait appris à Sarah Fortune à ne jamais se plaindre. On l'avait également avertie qu'il y avait un rien d'indécence dans sa nature, que son énergie était une nuisance et que la destinée d'une femme n'était pas d'être heureuse. L'ambition parentale se ramenait à une sorte de calvinisme, où la carrière devait prévaloir sur la frivolité et dicter à Sarah de travailler sans relâche, ses cheveux de feu emprisonnés dans de vilaines tresses, jusqu'au jour où elle saurait gagner sa vie. La mère de Sarah avait désiré que ses filles soient mariées, et le plus tôt possible, qu'elles soient à la fois libres et enchaînées, intelligentes et stupides, indépendantes et dociles. Par de tièdes éloges, elle avait nourri en Sarah un sentiment profond de nullité qui garantissait sa parfaite soumission à tout ce qu'on attendait d'elle. C'est ainsi qu'elle avait passé ses examens, était devenue avocate, avait pris un mari, et tout sembla parfait jusqu'au jour où ce dernier mourut au volant de sa voiture, la tête ailleurs à la suite de la partie de jambes en l'air à laquelle il venait de se livrer, non pas avec Sarah mais avec la sœur de celle-ci. Dénué de scrupules, il n'était pas homme à rater une occasion. D'un seul coup, Sarah perdit sa confiance en elle, un mari, une sœur et toutes les valeurs de sa mère, en même temps que le fœtus de son premier enfant.

Après une période de convalescence durant laquelle elle resta, comme toujours, une professionnelle à la fois détachée et efficace, elle se mit à se débarrasser de son carcan moral avec autant de facilité qu'elle ôtait ses vêtements, un exercice qu'elle accomplissait avec une efficacité remarquable. Mlle Fortune ne reconnaissait désormais d'autres principes moraux que le devoir d'amabilité et le refus de se laisser aller à ses instincts les moins élevés ; elle n'avait plus qu'une certitude : les hommes finissaient toujours par vous abandonner.

Elle continua de se sous-estimer et mit toutes ses infortunes sur le compte de sa médiocrité. Sarah ne pouvait concevoir qu'on pût l'aimer sincèrement. Elle considérait les rapports sexuels comme une nécessité agréable, l'amour comme une variante de la claustrophobie, une belle déception, un piège. Elle était chaude comme le feu, généreuse à l'excès, à l'occasion froide comme la glace. Enfin, pour elle rien n'allait de soi.

A trente-trois ans, Mlle Fortune s'apprêtait à vivre le redoutable moment de faire ses adieux à Malcolm Cook, et ce pour un certain nombre de raisons qui étaient plus convaincantes au milieu de la nuit qu'à la lumière vive d'un matin de juillet. Il l'avait aimée de loin pendant deux ans, de plus près pendant toute une année, lui avait sauvé la vie et avait continué de lui témoigner la même dévotion obstinée que lui-même recevait de sa chienne. Ses qualités naturelles étaient immenses, et cela faisait plus que distraire Sarah. Un, elle savait qu'elle n'en était pas digne ; deux, elle ne pouvait accepter ce qu'elle ne pouvait donner ; trois, il se porterait mieux sans elle ; quatre, elle s'était déjà trop rapprochée de la famille de Malcolm ; cinq, elle avait l'impression d'être prisonnière et n'était pas de celles qui font les bonnes épouses.

Jamais elle n'aurait dû récapituler tous ces motifs, alors qu'elle reculait dans le garage avec sa voiture : l'aile arrière frotta durement contre le mur. Chacune de ces raisons contenait une part de vérité. Malcolm les démolirait comme une rangée de quilles, argumenterait avec la force de ses sentiments et de sa compassion éclairée. A la fin, il la menacerait de lui léguer sa chienne. En entendant le bruit exquis de la tôle froissée, Sarah se détendit et retrouva son sens de l'humour. Peut-être était-ce tout ce qu'elle désirait depuis le début : un chien, à la place d'un amant habitant la même maison et dont le père était son employeur.

La voiture était de loin l'objet le plus flamboyant que Sarah possédait, un cadeau du cabinet destiné à la rendre heureuse. Le moteur partait au quart de tour, comme Malcolm. De l'extérieur, Sarah présentait tous les signes de la réussite. Les succès lui étaient littéralement tombés dessus durant toute cette dernière année, se déversant comme d'une corne d'abondance. Jusqu'à l'absurde.

Ernest Matthewson, au seuil de la retraite, occupait un gigantesque bureau décoré par sa femme, ce qui lui valait de devoir contempler la myriade de tous ces oiseaux voletants qui avaient envahi rideaux, papier peint et tissu des fauteuils, et censés lui procurer le même sentiment de confort qu'à la maison. Douillettement installé, dorloté par une femme aimante qui s'occupait de son cœur défaillant et de son ulcère vivace en alternant gavage et diète, Ernest resplendissait comme un pacha sur son trône. Il songeait à ses rêves de jeunesse, faits de luxe, de pouvoir, de comptes clients, d'ordinateurs, de diplomatie et d'éloquence. Sarah Fortune avait été son choix : il l'avait embauchée dès leur premier entretien des années auparavant, alors qu'elle venait de perdre son mari. Elle n'était peut-être pas du bois dont on fait les associés loyaux, mais elle était l'épouse dont Mme Matthewson rêvait pour Malcolm.

— Il n'en est pas question ! dit-il tout haut, en frappant du poing sur son bureau.

Ce rêve, il ne le partageait pas. Sarah aurait fort bien pu transformer son beau-fils en un semblant d'être humain et le ramener au bercail, mais il suffisait de regarder cette fille pour comprendre que cette liaison serait une catastrophe. Les femmes étaient jalouses, les jeunes minaudaient, les clients salivaient à la vue de Sarah et, même si Ernest, eu égard à son âge et à sa santé fragile, s'épargnait de tels états, il considérait sa protégée comme une pierre précieuse, enfermée pour plus de sûreté dans une châsse. Il l'aimait avec tendresse, et cependant il lui arrivait de souhaiter sournoisement son départ, alors même qu'il pouvait broyer du noir toute une journée si le matin, en arrivant, elle ne prenait pas le temps de lui dire bonjour. Ayant dit ce qu'il pensait à la pièce vide, Ernest tendit l'oreille.

Elle trébuchait toujours au bas des marches, juste en face du bureau d'Ernest, là où le tapis d'escalier, usé jusqu'à la corde, venait buter sur la somptueuse moquette que foulaient les clients importants. Le pli brisait net son élan, qu'elle eût ou non les bras chargés de fleurs pour son appartement. A chaque fois qu'elle trébuchait ainsi, elle lâchait une bordée de jurons qui secouait de rire Ernest.

— Fait chier, c'putain de tapis !

Elle avait une voix si basse et si musicale qu'on eût cru qu'elle récitait de la poésie.

Ernest ouvrit sa porte, feignant la contrariété, alors qu'il redoutait qu'elle ait déjà grimpé l'escalier.

— Ça vous arrive tous les jours que Dieu fait et à chaque fois, ça ne fait pas un pli, il faut que vous juriez comme un charretier !

— Ce qui fait un pli, c'est votre tapis minable. Je viens d'érafler l'aile de la voiture, et pas contre un tiers mais contre une saloperie de mur.

Elle se tenait là, souriant comme un chat qui vient de dévorer une portée d'oisillons, chaque once de sa personne incompatible avec une charge d'avocat à la cour suprême — son vocabulaire l'apparentant davantage au monde des voyous et des videurs — mais cependant la

26

féminité incarnée, avec un teint lumineux qui lui venait de ses taches de rousseur et de ses cheveux couleur de miel roux. Avec son impeccable tailleur tabac blond, personne n'aurait pu dire qu'elle s'habillait comme une pin-up sauf que le large ceinturon de peau chamoisée la rendait aussi appétissante que le sandwich au bacon, enveloppé dans un papier gras, qu'elle lui tendait avec son sourire carnassier.

— Pour vous, dit-elle. Comment ça va ?

Ernest se détendit. Sa panse grogna et se relâcha comme un parachute à l'atterrissage. Sarah avait le don de faire rentrer son ventre à tout homme qui la voyait, avant qu'il ne le détende, ensuite, délicieusement.

— Affreusement mal, répondit-il. Vraiment, atroce. Entrez. J'ai une affaire pour vous. Qui vous permettrait de quitter Londres pour l'été. Mais entrez.

Les mots sortirent de sa bouche avant qu'il ne puisse les arrêter et il lui tourna vivement le dos, médusé d'exprimer enfin l'idée diabolique qui avait incubé pendant des jours. Impression de délivrer un enfant aux forceps. Tristesse, aussi, à la pensée de ce désir instinctif de vouloir l'éloigner alors qu'il savait qu'elle lui manquerait. Il ne pouvait jamais oublier l'effet qu'elle avait eu sur leur dernier client, Charles Tysall — sans parler de celui exercé sur son beau-fils —, cette capacité qu'elle avait de transformer les hommes forts en pâte à modeler, ce mélange d'amour et de méfiance qui émanait d'elle...

— Seulement si ça vous convient, s'empressa-t-il d'ajouter en mordant avec voracité dans le sandwich. Disons que je vous invite à partir quelque temps, afin de me sauver de ma gourmandise, ajouta-t-il, la bouche pleine, en sentant la graisse du bacon couler sur son menton. Vous bousillez mon régime.

— C'est du pain complet riche en fibres, répliqua Sarah, comme si cela faisait toute la différence.

Elle n'avait jamais cru à la diététique, et mangeait n'importe quoi pourvu que ce ne fût pas vivant. Elle le regardait avec cette totale acceptation qu'elle manifestait à l'égard de la race humaine. Il n'avait jamais osé demander ce qu'elle cachait derrière ces grands yeux, de crainte de l'apprendre. Consciente de la nervosité d'Ernest, elle pensait de son côté qu'ils avaient bien fait, Malcolm, son adorable mère et elle-même, de toujours contrôler le courrier arrivant au cabinet et d'épargner ainsi à Ernest certaines requêtes indignes ou d'horribles révélations concernant ses clients. Comme lorsque, avec Malcolm, elle s'était inventé un accident de voiture pour justifier une assez longue absence l'année précédente. Elle faisait une excellente menteuse. Arracher à Ernest des Oh ! et des Ah ! en lui contant l'horreur d'un pare-brise qui explose était moins néfaste à son cœur fragile et à son ulcère persistant que de lui dire la vérité sur le dénommé Charles Tysall. Ce salopard avait causé assez de dommages comme ça, et pour la plupart, irréparables. Certains avocats exigeaient la vérité. D'autres préféraient croire que leurs clients étaient de braves gens. Ernest appartenait à cette dernière catégorie. Il n'en avait pas toujours fait partie mais, aujourd'hui, cela valait mieux pour sa santé.

— Parlez-moi de cette affaire. J'ai besoin qu'on me distraie un peu.

— Un client très important, marmonna Ernest.

— Impossible, sinon vous ne me le confieriez pas.

Ernest soupira.

— Important selon mes critères, pas ceux du cabinet. Des clients que j'ai depuis longtemps.

Il parlait de personnes incapables d'exciter ses jeunes associés du sexe masculin, qui coudoyaient uniquement des banquiers, des capitaines d'industrie et des membres des cabinets ministériels, buvaient de l'eau minérale au déjeuner et ne comptaient pas un seul être humain parmi eux. Ernest était très conscient d'être assez anachronique parmi cette nouvelle génération d'hommes de loi, et qu'on ne le gardait qu'en raison de son âge et du nombre de vilains secrets qu'il détenait, mais Sarah, elle, n'avait aucune chance. On la tolérait pour traiter les petits litiges peu lucratifs pour le cabinet, parce qu'il fallait bien que quelqu'un s'en charge, ce quelqu'un étant de préférence une femme sans ambition. Son absence pendant l'été ne risquerait donc pas de créer un vide. Pas un, cependant, parmi les autres associés, ne se doutait qu'elle était une excellente professionnelle.

— Dans ce cas, si c'est un client important pour vous, il le sera pour moi. Mais pourquoi hors de Londres ? Quand dois-je partir ? Et quel mauvais tour devrai-je jouer à je ne sais qui ?

Ernest, qui ne s'attendait pas à une réaction aussi directe, manqua en tomber de son siège. Certes, Sarah n'était jamais fermée aux propositions mais sa passivité cachait un entêtement de mule, tout comme son sourire voilait un abîme de désespoir. Ernest se souvenait maintenant de Charles Tysall et de l'endroit où il était mort. Mais il s'en souvenait trop tard.

— Des biens de famille qu'il faut répartir de la meilleure façon, dit-il. La propriété est située sur la côte. Vous répétez sans cesse que vous aimez la mer...

— Je n'entends rien aux successions, dit-elle. A la mer non plus, d'ailleurs.

— Ecoutez, il s'agit seulement d'une famille qui a besoin de mettre de l'ordre dans ses affaires. Contentez-vous de les écouter, de voir quelles sont les exigences de chacun et de faire en sorte qu'ils trouvent un accord à l'amiable... la cour de protection fera le reste.

Sarah épousseta les miettes de sa robe. Ernest admirait la façon qu'elle avait de manger, comme un loup délicat.

— Je ne comprends rien à ce que vous me dites. Vous voulez bien vous expliquer ? demanda-t-elle.

Il prit une profonde inspiration, prêt à mêler un peu de fiction à la réalité afin de rendre la perspective plus alléchante.

— Une grande propriété à la campagne, d'accord ? Pas une fortune ancestrale, non, mais beaucoup de terres et... non, je ne vais pas vous dire pourquoi les biens sont tellement importants. Je vous laisse le plaisir de le découvrir par vous-même. Il faut aborder l'affaire avec l'esprit libre, aussi moins vous en saurez mieux ça vaudra. La famille, maintenant : deux fils, une fille, de dix-huit à trente-quatre ans, je crois, qui se détestent cordialement. Pourquoi ? Le père est mort il y a deux ans, laissant tout à sa femme, pour la vie, et...

Il farfouilla sur son bureau, saisit quelques pages photocopiées et lut :

— « Je lègue à mes enfants ce que ma femme jugera bon de leur léguer. » Bref, un testament empoisonné comme j'en ai rarement vu. Il aurait pu me demander de le rédiger, l'ingrat. Moi qui ai tant fait pour lui. Il devait avoir perdu l'esprit quand il a fait ça.

— C'était le cas ?

— Sait-on jamais ? Par contre, sa femme l'a perdu pour de bon, elle. Elle a complètement disjoncté, la pauvre, et n'est plus en état de faire un testament valide. Et si elle meurt intestat, c'est une catastrophe pour les enfants. A cause des énormes droits de succession. Les enfants, je l'ai dit, sont en guerre, mais pour le moment ils sont armés de polochons ou de poignées de sable. Ils n'ont pas encore sorti les couteaux ; ils ont seulement besoin de quelqu'un qui leur fasse entendre raison et les aide à se mettre d'accord sur qui aura quoi et quand. Ils pourront ensuite mener une vie plus tranquille jusqu'à

30

ce que la vieille dame rejoigne son cher disparu et qu'ils touchent leur part du gâteau.

Sarah se leva avec grâce.

— C'est un planificateur de successions qu'il vous faut, pas moi, dit-elle.

— J'ai besoin d'un expert en litiges qui sache s'y prendre pour les éviter. Il faut que vous soyez sur place, sinon c'est sans espoir. Ils vous logeront — ils ont toujours un cottage de libre, ils les louent —, ainsi vous aurez moins de frais.

Il débordait d'admiration pour lui-même : tous les éléments s'imbriquaient si parfaitement qu'il n'avait même pas besoin de réfléchir, un exercice, d'ailleurs, auquel il se livrait rarement.

Elle se pencha soudain au-dessus du bureau et lui pinça la joue.

— Réveillez-vous, Ernest, voulez-vous ? C'est moi, Sarah. Vous devez les détester, ces clients, sinon vous ne me lâcheriez pas sur eux pour le seul plaisir de me savoir à quelques centaines de kilomètres de Malcolm.

— Sarah, jamais il ne m'est venu...

Il rougissait comme un collégien pris en train de fumer dans les toilettes et elle lui souriait comme une maîtresse indulgente, prête à lui pardonner.

— Que oui, cette pensée vous est venue, mon cher Ernest. Ne vous tracassez pas à ce propos, je vous en prie, mais ne me prenez pas pour une idiote. Je ne vaux peut-être pas beaucoup, mais certainement mieux que ça. Bien sûr, vous avez raison de penser que je ne suis pas faite pour Malcolm, tout au moins pour le long cours. Je le sais. Pas lui. Il finira par le comprendre. Alors, est-ce que nous nous comprenons, maintenant ?

Il en aurait pleuré. Elle se rassit.

— Ne vous faites pas de bile, oncle Ernest. C'est pire pour votre ulcère qu'un sandwich au bacon. (Elle jeta un coup d'œil à la photocopie du testament.) Mais est-ce que ça fait partie de votre plan magistral de m'envoyer précisément dans ce village de la côte Est ? C'est à cet endroit même que Charles Tysall est allé se noyer, tout comme l'avait fait sa femme un an plus tôt. Vous voulez me punir ou quoi ?

— Non, non, je vous assure... Sarah, je vous jure que non !

— Vous m'avez toujours dit qu'il ne fallait pas jurer. Je vous crois, mais si vous me pardonnez l'expression, j'ai pensé que vous aviez peut-être envie que j'aille baiser son fantôme.

Contrairement à son beau-père, Malcolm Cook n'avait pas un sens aigu des affaires. En vérité, il s'en fichait, et préférait s'enrichir l'esprit plutôt que le porte-monnaie. Son obésité lui avait valu une certaine solitude mais, loin d'en concevoir de l'amertume, il y avait puisé un esprit de tolérance et de compassion. Etre passé de l'état clownesque de « gros » à celui d'athlétique coureur de fond avait fait de lui un optimiste invétéré. Cet optimisme, toutefois, avait flanché ce soir-là. « Tu ne connais rien aux femmes », lui avait lancé Ernest quelques heures plus tôt. Un truisme d'ordinaire appliqué à l'ensemble de la gent masculine mais qui, dans le cas de Malcolm, n'était pas tout à fait juste. Le handicap pondéral de Malcolm l'avait peut-être contraint un temps au célibat, mais pas à l'innocence. Et si sa pratique des femmes s'était bornée aux confidences, il avait appris à les connaître. En conséquence, aussi éperdument amoureux de Sarah fût-il, il savait fort bien que son amour prenait le chemin des illusions perdues.

Il était vain de revenir sur le passé pour essayer de savoir à qui incombait la faute ; de discuter et de proférer

32

des « Si seulement je n'avais pas... et si toi, de ton côté... ». Il savait qu'on ne pouvait pas plus forcer quelqu'un à rester qu'on ne pouvait faire d'un tigre un animal domestique, analogie qui seyait à Sarah, grand félin à qui il ne manquait que l'aptitude à feuler et griffer. Mais le nondit avait jusqu'ici prévalu et, après qu'il l'eut sauvée de l'obsession de Charles Tysall, ils avaient passé un été à soigner les blessures, un hiver à boire des grogs, à rire et à s'aimer sous les couvertures, et il avait pensé qu'elle était à lui pour la vie.

Il aurait dû savoir qu'aucun homme ne devait jamais être sûr de rien. Au printemps, il sentit qu'elle tirait sur la laisse, comme la chienne quand il la retenait d'aller piétiner les parterres de fleurs. Quand il commença à ressentir l'étrange engourdissement du sentiment de perte, il tenta en vain de s'armer lui-même. Il ne devait surtout pas la blâmer, il ne devait pas se lamenter. Jamais il ne pourrait revenir en arrière et, s'il l'aimait, il devait la laisser partir avec élégance, se taire et se faire tout petit sans se plaindre.

— Où diable étais-tu passée ? demanda-t-il d'un ton assez agressif, quand elle arriva à huit heures, ce soir-là.

Autant pour l'élégance. L'élégance est une vertu, la vertu est une grâce, et Grace est une petite malpropre qui ne se lave jamais la figure.

— Ton père nous a fait porter du vin, dit-elle, humblement. Nous sommes sortis boire un verre ensemble.

Il y eut une pause quand tous deux vaquèrent à leur occupation immédiate, elle, pour ôter sa veste de tailleur et caresser la chienne qui lui faisait fête, lui, pour retourner à la cuisson du riz, l'un et l'autre se demandant avec angoisse s'ils pourraient passer une soirée de plus ensemble en faisant comme si rien n'avait changé entre eux. Prêts à se mettre à table, à remplir l'air de leur conversation, à boire pour parer au trop-plein d'émotions, à prier pour qu'aucun d'eux ne fasse l'erreur de parler vrai. Elle entra dans la cuisine, la chienne sur ses talons.

— Ton père a un travail pour moi, quelque part dans le Norfolk, annonça-t-elle du ton le plus neutre possible. J'ignore combien de temps ça me prendra, ajouta-t-elle avec un haussement d'épaules, comme si elle n'avait pas le choix.

Malcolm remua inutilement le riz, le visage un peu dissimulé par la vapeur montant de la casserole.

— Eh bien, voilà qui tombe à pic, dit-il. Tu as dû le persuader de t'envoyer là-bas, parce que jamais personne dans le cabinet n'a plaidé dans le Norfolk. Qu'est-ce qu'il attend de toi? Que tu te recueilles sur la tombe de Charles Tysall? Que tu le déterres?

— Charles a été enterré à Londres. Tu sais bien qu'il ne sait pas grand-chose de ce qui s'est passé. Il m'a donné l'adresse du client, un vieux client, m'a-t-il dit. Franchement, je ne pense même pas qu'il ait fait le rapprochement avec Tysall...

Il se tourna vers elle, la figure rougie par la chaleur du fourneau, les yeux embués.

— Mon propre père, qui prétend m'aimer, se joint à la conspiration! Très bien, très bien. Comme si tu avais besoin d'aide pour t'échapper. Cela fait plus de trois mois que tu essaies de me quitter, mais tu ne sais pas comment m'annoncer la bonne nouvelle. Je me trompe?

Il faisait de son mieux pour garder un ton léger.

— Non.

— Ne me dis surtout pas que tu es désolée.

Il se versa un verre de vin d'une main tremblante, puis s'essuya le visage avec du Sopalin. Ç'avait été une longue et chaude journée. Il avait faim.

— Je pourrais te le dire, parce que je le suis, désolée, mais tu préfères peut-être que je ne dise rien. Ecoute, Malcolm, ce n'est pas à cause de toi ou de ce que tu as

34

pu faire ou ne pas faire : je t'aime et je te dois beaucoup, mais je ne peux plus respirer.

Malcolm était un homme équilibré, un type bien qui aimait faire la cuisine, protéger les animaux sans défense, bref un homme qui aimait aimer. Or, il n'avait soudain d'autre désir que celui de la frapper. Il surprit cette lueur de terreur muette dans le regard de Sarah et entendit le grognement de la chienne avant même de voir une de ses propres mains agripper le chemisier de soie et l'autre se lever, prête à donner ce coup inutile qu'elle ne donnerait jamais.

Il laissa retomber ses bras comme un pantin désarticulé.

— Je t'aime, Sarah, dit-il d'une voix brisée. Je t'aime à en mourir. Jamais je ne te ferai de mal.

— Il vaut mieux que je te laisse, dit-elle, les yeux encore voilés de peur.

— Oui, il vaut mieux.

Elle s'en fut, referma sans bruit la porte derrière elle, et la chienne gratta frénétiquement le battant que ses griffes avaient depuis longtemps ruiné. L'appétit de Malcolm disparut avec Sarah. La chienne revint à ses pieds et poussa sa truffe dans l'entre-jambes du maître, persuadée de lui faire plaisir. Mais il lui écarta le museau avec assez de violence pour que la bête geigne, et aussitôt il se pencha pour la caresser. Il ne pouvait pas frapper un chien mais aurait pu frapper une femme, et cette simple constatation était un peu comme la mort de toutes ses certitudes.

Mme Ernest Matthewson posa un plateau sur la table devant son mari, et le regarda avec tendresse s'extirper du profond divan pour examiner la nature de son repas.

— C'est quoi ? demanda-t-il, maussade.

— Haddock poché. Avec du goémon.

— Du goémon ? L'algue ?

— Riche en fer, mon chéri. Encore plus que les épinards.

— Ça m'a l'air dégoûtant. Pas de pommes de terre ?

— Pas aujourd'hui. Tu as bu. Finis ça et je t'apporterai ton pudding.

— Un pudding comment ?

— Au yaourt maigre.

Il grogna, lui jeta un regard meurtrier qui se mua bien vite en sourire.

— Te souviens-tu des Pardoe ? demanda-t-il, fixant d'un œil méfiant le goémon.

— Oh oui. Une horrible grande maison quelque part sur la côte. Nous leur avons souvent rendu visite dans le temps, quand nous devions faire ce genre de chose.

Mme Matthewson frissonna. Elle sortait le plus rarement possible de sa maison et ne regrettait pas les jours où la loi des affaires les obligeait à des mondanités d'un ennui mortel.

— N'est-ce pas celui qui a fait fortune dans les chaussettes ou je ne sais quoi ? A voulu devenir un gentleman-farmer sans savoir comment s'y prendre ? A eu toutes sortes de toquades et de maîtresses ? A acheté la moitié du village où il vivait ? Un homme aux goûts vulgaires ?

Ernest hocha la tête et, feignant de confondre le verre d'eau devant son assiette et celui rempli de vin de sa femme, s'empara de ce dernier et le vida à moitié. Il ne sous-estimait pas son épouse aimante, mais croyait pouvoir tromper son attention. C'était une erreur.

— Ernest, crois-tu que je ne t'ai pas vu ? Tu sais, je ne comprendrai jamais comment Jennifer Pardoe a pu en supporter autant de son mari, poursuivit-elle en couvant Ernest d'un regard noir, comme si l'infidélité était une maladie infectieuse. Une telle tolérance confine à la sain-

36

teté. On l'appelait Mouse, n'est-ce pas ? Menue, brune, jolie, une petite chose inoffensive, on ne pouvait que l'aimer. Sympathiser, je veux dire. Personne ne semblait jamais faire attention à elle.

Ernest s'agita sur sa chaise et toussota. La mémoire de sa femme le stupéfiait toujours.

— Sur les trois enfants, le premier, un garçon, était bien, la fille était un peu nouille mais gentille, le cadet, par contre, quelle peste ! Toujours à faire de vilaines farces aux uns et aux autres. L'hérédité semble toujours jouer à la courte paille. Tu m'as bien dit qu'à la fin, Mouse et son mari avaient fait la paix ? Il avait de beaux cheveux blonds comme je les aime. Curieux qu'il soit retombé amoureux d'elle sur le tard. Et puis il est mort. Dieu, que la vie est cruelle ! Et nous ne volons pas notre pain quotidien, dit-elle en se tapotant le ventre.

Ernest se racla la gorge et s'empara de nouveau du verre qui n'était pas le sien avec l'air d'un drogué en manque. Elle ne protesta pas. Il s'efforça de siroter d'un air détaché, sans vraiment y parvenir.

— J'envoie Sarah là-bas. Jennifer, tu disais ? Je ne m'en souvenais plus ; tellement habitué à l'appeler Mouse... Bref, Mouse a perdu la raison, et il faut remettre de l'ordre dans les affaires de la famille avant qu'elle ne meure. Sarah me semble toute indiquée pour cette tâche...

Ernest se tut, sachant qu'il aurait beau dire à propos de ce voyage et de Sarah, il ne tromperait pas une minute sa femme. De fait, il n'eut pas à attendre longtemps sa réaction.

— Que cherches-tu à faire, Ernest ? Pourquoi veux-tu éloigner Sarah de Malcolm ? Tu aurais pu envoyer quelqu'un d'autre. Ou mieux, tu aurais pu régler cette histoire d'ici même. Qui préparera ses repas à Malcolm ?

— Bon Dieu, femme, tu ne penses tout de même pas

37

que Sarah lui fait la cuisine ? gronda-t-il, mettant dans sa voix tout le poids de sa culpabilité et de son dégoût pour le haddock.

— Elle a d'autres talents, je sais, dit Mme Matthewson, sur la défensive.

Ernest ricana.

— Ça, je veux bien le croire.

— Suffit, Ernest !

Il aboyait plus fort qu'elle, mais elle mordait plus fort que lui. Elle vida le verre de vin qu'elle s'était resservi comme si c'était de l'eau, laissant le silence souligner sa désapprobation. Puis elle reprit :

— Tu ne sais rien de Sarah et Malcolm. Tu en sais infiniment moins que moi. Remarque, il me dit toujours que tout va bien. Quel menteur, ce garçon ! Il tient ça de toi, je suppose. Envoyer Sarah là-bas ! Tu as perdu l'esprit, mon ami...

— Sarah raccommodera la famille Pardoe, l'interrompit Ernest plus fermement, ne désavouant pas cette aptitude au mensonge partagée avec Malcolm. Sarah est un catalyseur, elle analyse les rêves ; et elle n'épousera jamais notre fils, tu le sais, poursuivit-il comme si sa femme n'avait pas encore pris la parole. Jamais. Pas de petits-enfants à espérer de ce côté-là.

Ça, c'était un coup perfide mais efficace.

— Et qu'en sais-tu ? dit-elle d'une voix plaintive. Elle a sorti Malcolm de sa solitude et elle l'aime, à sa façon. Ce que tu ne supportes pas, c'est qu'elle en sache trop sur ton compte. Et tous tes clients tordus. Oh, Ernest qu'as-tu fait ? Qu'as-tu fait ?

— Rien ! Je n'ai rien fait ! cria-t-il. Elle voulait y aller ! Elle voulait voir la mer !

Elle hésita une longue minute.

— Charles Tysall est mort, n'est-ce pas ? demanda-t-elle.

38

Il rougit malgré lui.

— Bien sûr qu'il est mort ! Mort et enterré depuis un an ! Et son épouse, depuis deux, bien qu'on ait mis un an à retrouver son cadavre. Que veux-tu de plus, femme ? Sarah Fortune est forte comme un bœuf.

Elle garda le silence.

Sarah avait acheté depuis longtemps le miroir qui décorait le mur au fond du couloir. Comme le précédent, il lui renvoya son reflet sitôt qu'elle eut franchi le seuil, la perçant à jour avec la ruse d'un vieil ennemi. Le remplacement du miroir faisait partie de la thérapie, de la remise en ordre des choses telles qu'elles étaient avant que le verre du premier ne vole en mille éclats tranchants. Un geste destiné à prouver que, cette fois, ce n'était pas sa faute, quand tout le reste l'était. Sarah Fortune se savait au-delà de la rédemption. Penchée à sa fenêtre, les bras croisés sur le balcon de fer forgé, contemplant la nuit, imaginant le bruit de la mer et du vent dans les arbres, attendant le tonnerre, les larmes et un sentiment de libération, elle n'éprouvait rien si ce n'est le désir de remonter chez Malcolm, de demander à entrer, de lui dire qu'elle ne pensait pas ce qu'elle lui avait dit et qu'elle voulait qu'ils continuent comme avant. Un désir si fort qu'elle s'était retrouvée par deux fois à grimper l'escalier, à s'arrêter à mi-chemin et à redescendre sans bruit chez elle, regrettant autant son incapacité à expliquer leur échec que sa propre lâcheté. Mais si elle lui avait dit que ce n'était pas parce qu'elle ne l'aimait pas qu'elle le quittait et qu'elle l'estimait profondément, il lui aurait ri au nez en répliquant : Comment peux-tu m'aimer et m'abandonner en même temps ? Ce à quoi elle lui aurait répondu : Parce que je ne peux pas être ce que tu me demandes d'être et que tu finirais par me haïr.

Il ne l'emprisonnait pas ; il était trop bon pour ça. Du moins n'était-ce pas avec des barreaux aux fenêtres ou des menottes aux poignets. Non, c'était sa constance qui s'en chargeait, cette patience effrayante avec laquelle il attendait qu'elle arrive, et cette désapprobation muette de ce qu'elle avait été et de ce qu'elle était encore. Elle le vit franchir la grande porte d'entrée à minuit, vêtu d'un survêtement, la chienne à son côté. Aller courir dans le parc pour ne plus être seul, son rituel nocturne. Un amant, le meilleur et le plus sincère qu'elle eût jamais connu, courant dans l'herbe brune, de retour dans son monde à lui. Et elle, dans le sien.

Ce ne fut qu'en pressant fortement les paumes de ses mains sur ses oreilles qu'elle put retrouver le souvenir de ses rêves, le courage de poursuivre et le bruit de la mer.

2

Aucune barrière ne séparait la mince silhouette de Stonewall Jones du jardin broussailleux qu'il contemplait,
ou de la terre couleur de boue verte qui s'étendait derrière lui jusqu'à une lointaine bande dorée qui était la
mer. Du haut de sa petite taille, il pouvait voir tout ce
qu'il désirait. Quand il se tenait ainsi immobile, il se fondait dans le paysage, jeune garçon sans couleur, dont les
cheveux blond-roux s'accordaient aux taches de rousseur
criblant sa peau et à ses yeux, brillants comme deux petits
miroirs braqués sur l'horizon. Le sobriquet de Stonewall [1] lui allait bien. D'autres s'appelaient Jack ou John
et répondaient à un caractère plus agressif, même à l'âge
de onze ans ; mais Stonewall, guetteur-né, fusionnait
naturellement avec les décors sans âge. Chez lui, on ne
le remarquait pas davantage. Certes, il avait été le centre
du monde pour sa mère, mais c'était au temps où il vagis-
sait. Elle avait d'autres bébés, maintenant, et plus de
place pour lui. Il n'avait rien d'autre à faire qu'à traîner
de-ci de-là pendant les vacances scolaires, et à apporter
deux fois par semaine à Edward Pardoe ses vers de vase

1. Mur de pierre mais aussi, au jeu de cricket, jouer très prudemment. (N.d.T.)

pour la pêche. Il venait de les déposer devant la porte de la cuisine, à l'arrière de la grande maison.

— Couroucoucou ! fit-il à l'adresse de la brebis dans le jardin. Couroucoucou !

Stonewall avait désespérément envie qu'on l'aime, mais son mutisme décourageait l'affection. Il n'avait pas d'autre moyen d'exprimer son propre amour pour cette brebis que d'imiter le pigeon. Il savait imiter les oiseaux, extraire des vers du sable, mais rien de tout cela ne pouvait aider un garçon qui cherchait son chien. Sal ne s'était jamais bien tenu ; toujours en chasse et frivole comme un bécasseau, il avait très bien pu se laisser emmener par un voleur. A bien considérer la brebis, Stonewall en faisait une créature avec laquelle il était sûr de nouer des liens d'affection indéfectibles. Il aimait aussi la maison, d'abord parce qu'il n'y avait pas un seul voisin à moins de deux kilomètres à la ronde, et puis parce qu'elle avait l'air assez grande pour y prendre des chats par dizaines.

Non pas qu'il rêvât de méthodes aussi barbares pour mesurer l'espace intérieur, vu que les animaux — tous, pas seulement les chiens — avaient le don de lui fendre le cœur. Son propre chien lui avait été offert comme un fidèle compagnon devant veiller sur son jeune maître dans ses errances, et le rendre plus communicatif. L'échec de ce dernier dessein et la présence de jumeaux nouveau-nés ne l'avaient sans doute guère encouragé à pleurer la disparition de son chien dans le petit cottage résonnant de cris de bébés, où un animal, fût-il de compagnie, avait été un luxe dont la suppression ne chagrinait personne, hormis Stonewall. Le garçon en avait déduit qu'il prenait trop de place chez lui, mais n'en pensait pas moins qu'on lui permettrait d'avoir un autre chien. Tout de même, une brebis aux cornes torsadées ferait un fameux substitut. Stonewall eut un grand sourire en s'imaginant aller en ville, flanqué de la bête. Elle pourrait paître dans le jardin de derrière, entre les cordes à linge chargées de couches. Il pourrait la promener en laisse.

— T'es bête, murmura-t-il.

Il soupira. Les moutons avaient toujours l'air content. Le vent ébouriffait ses cheveux. Il n'avait rien de spécial à faire aujourd'hui mais il ne s'ennuyait pas, l'ennui lui étant inconnu ; cependant, il était quelque peu nerveux. Rick ne jouerait pas avec lui ce matin : personne n'avait envie de traquer le fantôme. Ils parlaient tous d'un spectre aux cheveux blancs qui volait dans les poubelles, mais il n'y en avait pas un — pas même Rick — pour croire que lui, Stonewall, l'avait vu. C'est une erreur, réfléchit gravement Stonewall, d'être connu pour son silence chez soi et son exagération ailleurs.

Il se tourna pour jeter un dernier regard à la maison. Depuis une fenêtre à l'étage, une silhouette floue en vêtements de couleurs vives lui faisait des signes. Après un instant de surprise, il lui fit des signes à son tour, mettant toute son énergie à tournoyer et à danser pour elle, avant de la voir se plier en deux de rire.

Point de fantôme, ici. Seulement cette folle de Mme Pardoe, toujours prête à s'amuser. Bizarre, cette façon qu'elle avait de tout remarquer, même lui. Il pensa à retraverser la pelouse pour lui dire qu'il avait laissé les appâts enveloppés dans un journal devant la porte de la cuisine, et demander si Edward le payait tantôt ; il faillit crier : Est-ce que vous avez vu mon chien ? Il ne fit ni l'un ni l'autre.

Sur le chemin du retour, et du dîner qu'il n'aimerait pas (tourte au mouton et petits pois), Stonewall se convainquit que le fantôme lui avait pris son chien. Cela valait mieux que de se dire que l'animal était mort.

Il traîna les pieds à l'approche du village de Merton qui, pour lui, était la ville.

Une mouche bourdonnait contre une vitre. La pièce était remplie de livres à moitié lus, le plus souvent à peine à moitié. Edward Pardoe prétendait les avoir tous lus dans leur intégralité et aimait à citer quelque bout de poème, quelque réplique théâtrale pour épater les péquenauds qu'un grand artiste comme lui était obligé de fréquenter. A ses pieds, un tableau représentait Joanna. Edward lut dans son édition de poche de Browning :

« Voici ma duchesse peinte sur le mur,
Paraissant comme si elle était vivante... »

Vivante, non. Le visage de sa sœur avait l'air plat et mort, un minable barbouillage à peine digne d'orner une boîte de bonbons. Edward jeta son livre, balança d'un coup de pied le tableau sous le lit et se tourna vers sa maison de poupée.

« Faites entrer les rêveurs », murmura-t-il, et ils obéirent. Sur la petite scène où elles se produisaient, les minuscules figurines en bois pouvaient plier et agiter leurs membres selon le bon vouloir de ses doigts. Elles pouvaient s'asseoir, les jambes croisées, s'allonger sur les lits, lever les bras, se mettre à courir comme si elles fuyaient un danger. Il jouait souvent avec cette maison de poupée qu'il avait fabriquée lui-même. A vingt-deux ans, certains garçons jouaient avec des trains à vapeur ou des jeux vidéo, selon que leurs pères avaient aimé les uns ou les autres, mais Edward était différent. Il était comme le Dieu de l'Eden, incapable d'abandonner ses créatures à leur sort.

« Oh, maman, maman », couina-t-il, tandis que la petite créature dans sa main baissait la tête d'un air boudeur sur sa robe de ballerine qui laissait entrevoir son entre-jambes asexué et ses membres miniatures. « Oh, maman, j'ai mal à la tête et ma robe est toute sale ! »

« Tais-toi donc, répliqua Edward en étendant la figurine sur le dos, jambes écartées. Reste tranquille, maintenant, ma petite Jo », murmura-t-il de nouveau.

Penché au-dessus de la maison de poupée, il se concentra sur la toute petite maman assise sur le divan affublée de galons et qui ressemblait à un soldat de plomb. Puis il rectifia la position de Julian, assis à la table de la salle à manger, Julian que Joanna avait habillé d'un petit costume de tweed à l'époque où elle se prêtait aux fantaisies de son frère. Les hommes, les vrais, ne font pas de couture, lui avait-elle dit. Ils construisent peut-être des maisons, mais ni fil ni aiguille pour eux. Edward s'était toujours demandé pourquoi.

— Ah ! s'exclama la vraie Joanna, trop grande, trop ronde, trop blonde, en surgissant dans la pièce. Je me demandais où tu étais passé ! Il fait trop chaud pour rester enfermé.

— Va-t'en, Jo. J'ai envie d'être seul.

— Tu n'avais qu'à fermer ta porte à clé si tu voulais avoir la paix.

Il se redressa en tournant le dos à la maison de poupée, vaguement gêné d'être surpris à faire joujou, mais incapable de dissimuler son plaisir de voir sa sœur.

— En train de jouer ! dit Joanna, un rien méprisante. De singer sans doute notre heureuse famille ! Tu ferais mieux de peindre. Pourquoi ne grandis-tu pas un peu ?

C'était là le problème d'Edward. Il refusait de grandir. Voulait être le roi du château sans rien faire pour mériter la couronne, disait son père, dédaigneux. Joanna se sentait toujours un peu coupable de la différence avec laquelle leur père les traitait, elle, sa fille unique, et Edward, son second fils. Edward ne faisait jamais rien de bien. Elle ne faisait jamais rien de mal.

— Quoi ? Grandir comme toi ? Passer mon temps à

45

traîner dans cette galerie de jeux vidéo ? Bel exemple de maturité !

Joanna n'était pas d'humeur à s'offenser. Les moqueries d'Edward manquaient de mordant, alors que Julian, son frère aîné, pouvait la faire pleurer d'un simple regard. Elle se laissa choir sur le lit et se mit à mâchouiller une mèche de ses cheveux blonds, nerveuse et inquiète comme à l'accoutumée.

— Oh, grand frère, je suis tellement malheureuse. Tu sais, je le sentais qui tremblait quand il me tenait la main. Et maintenant, il me fuit. Pas un mot depuis des jours et des jours. Qu'est-ce que j'ai fait ? Je suis trop grosse ? Je voudrais mourir.

— Cela n'a rien à voir avec ton physique. Je te l'ai répété je ne sais combien de fois.

Ils connaissaient tous deux l'objet de la ferveur religieuse de Joanna. Un sujet rebattu, mais le seul encore capable de faire accourir la sœur dans la chambre du frère. Edward secoua la tête. La pièce était pleine de soupirs. Il alla à la fenêtre par laquelle le soleil entrait à flots et, s'appuyant au rebord, regarda ce paysage qu'il avait déjà vu un million de fois. Le jardin de devant descendait doucement jusqu'à la petite route. Au-delà s'étendait une terre plate et brune jusqu'à ce trait jaune de sable, tout là-bas. A gauche se trouvait le village et, loin derrière, un moutonnement de dunes plantées de pins. Par nuit calme, on entendait la mer ; le jour, elle n'était rien de plus qu'un ruban d'écume blanche. Le paysage frémissait au soleil. Son imagination agrémenta la platitude de buissons exotiques, fit mûrir la lavande de mer qui empourprait la couleur des dunes au mois d'août, y ajouta une pointe de jaune safran, quelques daims à la robe mouchetée et des palmiers. Il en allait ainsi du pouvoir de l'artiste.

Mais il était plus facile de transformer mentalement

un décor que de transposer sa vision sur la toile. Il avait bien essayé d'apprendre mais, comme dans tout ce qu'il entreprenait, il avait échoué. Il en rejetait la faute sur ses professeurs. Avec Edward, c'était toujours la faute des autres. Une bande de vieux raseurs.

— Alors, qu'est-ce qui se passe ? dit Joanna, piteuse.

L'indifférence d'Edward l'obligeait à changer de sujet. Elle mâchait toujours sa mèche comme une petite fille, un spectacle qui n'était pas pour déplaire au frère.

— Tu es rentré tôt, ajouta-t-elle. Ne me dis pas que tu t'es encore fait virer.

Nouveau soupir. Edward était revenu à sa maison de poupée, prêt à replacer les figurines, mais le souffle de sa respiration impatiente renversa le canapé sur lequel Mère était assise. Et Mère bascula cul par-dessus tête.

— Non, pas encore, répondit-il. A vrai dire, il n'y avait pas grand-chose à faire, aujourd'hui.

Il haussa les épaules et Joanna, par sympathie, en fit autant.

— De toute façon, tu n'as pas besoin de te justifier. Mais tu sais ce que je pense ? Que ton idée de vouloir faire agent immobilier est ridicule. Là, je l'ai dit et je n'en dirai pas plus. A propos, puisque tu es là, j'aimerais que tu m'aides.

Elle était allongée sur le lit, les mains croisées derrière la tête, ses pieds nus laissant des traces noirâtres sur la courtepointe. C'est ce dernier détail, et aussi ses ongles rongés, qui lui rappela que la langueur apparente de sa sœur n'était pas celle, très étudiée, d'une courtisane dans un tableau, mais bien la posture inconsciente et naturelle d'une adolescente.

— J'ai besoin d'aide, poursuivit-elle, à cause de cette affreuse femme de loi qui va séjourner au cottage. Ne pourrais-tu ranger un peu ton matériel de pêche ? Il y en a partout. Dans la cuisine, le couloir, la salle à manger...

J'essaierai de mettre les petits plats dans les grands, ce soir.

— Ta cuisine est toujours bonne, dit gentiment Edward. Et souvent succulente.

Elle rougit sous le compliment, et s'efforça de masquer sa satisfaction.

— Oh, ce n'est pas ce que dit Julian. Il dit que la cuisine, ça s'apprend, et que ce n'est pas en restant ici que j'apprendrai. Pourquoi veut-il toujours nous éloigner ?

— Tu le sais parfaitement. Julian n'attend que notre départ pour tout s'approprier et placer maman dans une affreuse maison de retraite. Combien de fois faudra-t-il que je te le répète ? En tout cas, ajouta-t-il d'un ton plus léger, j'adore ta cuisine. Et si je pèche par gourmandise, c'est à cause de toi.

Jo lui sourit et, s'emparant d'un coussin sur le lit, le lui jeta à la tête. Edward l'attrapa au vol et le lui renvoya ; elle le relança plus fort. Edward laissa retomber le coussin et, prenant l'attitude de King Kong, les jambes fléchies et écartées, les bras levés, les mains prêtes à saisir, avança vers elle. Recroquevillée sur le lit, elle joua la vierge offerte au monstre en poussant de petits cris aigus, jusqu'à ce qu'il soit près d'elle et qu'une trace de véritable peur ne se mêle à son rire. Edward laissa retomber ses bras et se redressa.

— Tu ne me prends pas au sérieux, dit-il. Personne ne me prend jamais au sérieux. Décidément, je ne dévorerai jamais de vierge.

— De l'esturgeon, peut-être, dit sa sœur.

Elle se leva bruyamment du lit, secoua sa jupe. La ceinture serrait à peine sa taille fine, et le vêtement flottait amplement sur ses hanches dont elle détestait la rondeur. Si seulement, pensa Edward, je pouvais être un peu plus gros...

Joanna détestait aussi sa peau blanche, ses joues qui

s'empourpraient sitôt qu'elle éprouvait la moindre émotion. Edward l'effrayait parfois. Il poussait toujours la plaisanterie trop loin.

— Ce n'est pas vrai que je ne te prends pas au sérieux, dit-elle, battant en retraite. Peut-être pas comme ravisseur de vierge, je l'admets. Oh, j'aimerais tant que quelqu'un m'enlève ! Dis donc, crois-tu que Julian sortira du vin pour le dîner ? En l'honneur de l'avocate ?

Julian. Tyrannique, despotique, critique féroce et gâcheur des plaisirs.

— Certainement, murmura Edward, soudain déprimé. A condition d'empêcher m'man de boire.

— Ça, c'est plus facile à dire qu'à faire.

Ils se turent. Edward retourna à sa maison de poupée, redressa la petite figurine qu'il avait fait voler du canapé. Il sentit Jo se pencher à côté de lui pour regarder les miniatures avec cette même fascination dont elle se moquait si facilement et qu'il savait tout aussi facilement faire renaître. A ces moments-là, on aurait pu les prendre pour deux enfants du même âge, bien qu'il fût son aîné de quatre ans. Il mourait d'envie de l'attirer plus près de lui, une envie qu'il ne refoulait qu'au prix d'un douloureux effort : il sentait son souffle contre lui, sentait le talc parfumé dont elle s'aspergeait, en éprouvait un désir d'évanouissement. Ses doigts le démangeaient ; il aurait tant voulu caresser cette nuque chaude sous la masse de cheveux blonds.

Il y eut un bruit sur la route longeant la propriété. Une parodie du carillon de Big Ben, claironnante et étrange dans l'air chaud de l'été. La camionnette du glacier, dont les cloches sonnaient pour Joanna comme les trompettes des anges.

— Oh, non ! gémit-elle. C'est lui ! Et avec la tête que j'ai !

Edward serra les poings. La porte claqua, la chambre

49

frémit et tout chuta dans la maison de poupée. Edward prit la petite ballerine, la figurine habillée d'un smoking qui ressemblait à un chef d'orchestre et, entrelaçant leurs membres de bois, les posa sur le grand lit de la chambre du maître, à l'étage supérieur. Puis il couvrit d'une pièce de tissu la maison comme s'il réduisait au silence un perroquet dans sa cage, et s'en fut guetter à la fenêtre.

La camionnette remontait l'allée dont le gravier disparaissait chaque jour un peu plus sous les herbes. Un mouton paissait sur la pelouse. La brume commençait de monter de la mer, chaude et humide, synonyme d'oubli. Il regarda le véhicule ralentir, cloches toujours tintinnabulantes, ferma les yeux, essaya d'imaginer le bruit du ressac au loin, sans y parvenir. Je t'en supplie, Jo, ne cours pas. Il ne pouvait pas plus supporter d'être témoin de l'humiliation de la jeune fille que de la voir coquettement porter une main aux ongles rongés dans ses cheveux blonds, lisser sa robe et sourire comme elle ne lui avait jamais souri. Il serra le poing. « Pourquoi est-ce que je n'obtiens jamais ce que je veux ? murmura-t-il avec humeur. Mais tout ça changera, p'pa. Tu verras. »

Comme la camionnette s'arrêtait, mais pas ses monstrueuses cloches, une silhouette surgit sur le perron en poussant un cri joyeux. Edward ferma de nouveau les yeux à l'instant où il reconnut ce cri aigu et le flot de paroles précipitées qui suivit. Il regarda sans un sourire la petite silhouette ronde taper du plat de la main sur la portière en criant :

— Ohé, ohé ! mon petit chéri, est-ce que tu vas bien aujourd'hui ?

La camionnette avança de nouveau de quelques mètres, cela faisait partie du jeu, et la silhouette aux vêtements criards lui courut après en hurlant de rire. Edward finit par se détendre. Au moins, cette folle n'était pas Joanna, mais seulement sa chère mère, passablement dérangée et sénile avant l'âge. Il l'observa avec plus d'indifférence que de mépris. Dès qu'il en aurait le pouvoir, il l'enverrait vivre dans un zoo, en cage de préférence, à défaut d'une jolie tombe.

Joanna, de l'argent, cette hideuse maison à démolir et ce paysage à modifier. Si seulement. Son unique désir était de ne jamais travailler, de continuer à vivre comme il avait vécu, à cultiver de lui-même l'image d'un joueur astucieux et d'un jeune homme profondément intéressant, profondément désagréable. Oh oui, et peut-être devenir un meilleur pêcheur que son père. Rien d'autre n'avait d'importance.

Tout le monde avait de l'importance.

— Bonne soirée en perspective, docteur ?

— Non, répondit Julian Pardoe en rédigeant l'ordonnance. J'en doute fort.

— Et pourquoi donc ? Une grande et belle maison comme la vôtre. Enfin, ce que je vous dis là, c'est ce qu'on raconte.

— Ah, la parole fait loi. Les gens parlent. Une belle maison ! Vous devriez essayer d'y habiter. Passer son temps à réparer les fuites et les dommages du temps. Vous devriez...

Il se tut soudain, non par gêne mais par honte d'entendre sa propre voix se gonfler de colère. Mlle Gloomer, opiniâtre vieille fille de quatre-vingts ans, malade chronique et courageuse, le regardait de l'autre côté du bureau, digne et courtoise, alors qu'il n'était ni l'un ni l'autre. Le visage de la patiente était une carte de douleur, de patience et de force d'âme. Elle parvenait à rester assise sans trembler grâce à sa canne au pommeau orné d'une tête de canard qu'elle serrait entre ses deux mains noueuses, tandis que le bout ferré s'enfonçait dans la moquette, absorbant le tremblement permanent de ses membres. Ce serait tellement mieux, pensait Julian, si je leur parlais davantage, comme je le faisais avant, mais j'en suis incapable. Rien n'est pire que ces femmes vertueuses, elles vous accablent de leurs airs aimables et bienveillants. Je n'ai rien à leur donner et, même si je les aime énormément, je n'ai plus la patience requise. Il transforma ses aboiements en rire, et acheva de rédiger l'ordonnance.

— Mais je ne dois pas me plaindre, je ne dois pas, dit-il d'un ton irrité.

— Et pourquoi pas ? répliqua-t-elle de manière inattendue. C'est permis. Nous avons tous des problèmes. Vous devriez peut-être essayer de vivre seul. Vous êtes comme ça depuis la mort de votre père. Il fut un temps où vous aviez un mot aimable pour tout le monde. Ce doit être ce qu'on appelle le stress.

S'étant saisie vivement de l'ordonnance pour ne pas avoir à lâcher sa canne plus d'une seconde, elle se dirigeait déjà vers la porte. Bon Dieu, se dit-il, j'aurais dû me lever pour l'aider et je suis là, le cul sur mon fauteuil comme une chiffe molle.

— Je sais bien qu'il est difficile de vivre seule, mademoiselle Gloomer... commença-t-il, dans une vaine tentative de se racheter par quelques mots.

Elle s'arrêta net et caqueta :

— N'en croyez rien. C'est la seule chose que j'aie jamais réussi à bien faire. Même si cela est parfois effrayant.

— Je passerai vous voir plus tard.

— Inutile. A moins que vous n'y teniez.

Cette fois, il sourit franchement. Il écouta le tapement de la canne décroître dans le couloir puis pressa le bouton de l'interphone.

— Suivant ! cria-t-il, comme il n'obtenait pas de réponse.

L'instant d'après, l'infirmière entrait dans le cabinet. Souriante, d'une bonne humeur aussi immuable que la marée.

— Vous avez vu tout le monde, docteur. Vous pouvez rentrer chez vous.

— Oh. Le Dr Freeman a fini, lui aussi ? Ou bien dois-je prendre l'un de ses patients ?

— Euh... je ne pense pas. Il y en a deux qui attendent, mais ce sont ses habitués, si vous voyez ce que je veux dire.

Il voyait. Le Dr Freeman était plus populaire que le Dr Pardoe. Et les jolies femmes ne le figeaient pas sur place, lui.

Julian ne savait pas ce qui, de la fureur ou du soulagement, l'emportait dans son esprit, tandis qu'il regagnait sa voiture : soulagement de quitter le centre médical, bâtisse moderne et laide avec son personnel efficace et compatissant, ou fureur envers lui-même pour sa réserve envers ses patients et sa peur du sexe dit faible, comme si ces dames étaient venimeuses. Si seulement il pouvait se montrer aussi charmant que Freeman ; entourer chacun d'une attention particulière au lieu de ronger son frein, de ruminer, de se détester, de passer d'une prison à une autre, ne s'accordant aucun répit. Il faisait terriblement chaud à l'intérieur de la voiture. Elle avait été lavée le matin même en prévision de visites au domicile de patients qui lui parleraient de leurs fantômes, comme si les siens ne suffisaient pas. La voiture de Freeman, très sale, était garée sous un arbre. Julian se demanda ce qu'il était advenu de ses rêves rassurants et de la sympathie qu'il avait jadis suscitée, s'il n'était pas devenu un sauvage, honteux de sa tristesse tenace.

Il y avait une belle voiture rouge à l'aile éraflée garée

à côté de la sienne sur l'emplacement « réservé au personnel ». Le sans-gêne du propriétaire du véhicule ne fit qu'accroître son irritation.

Sarah Fortune se sentait étrangère, en territoire inconnu et un peu perdue. Attendue chez les Pardoe dans la soirée, elle avait tout l'après-midi devant elle. Elle avait plusieurs raisons d'arriver au village plus tôt que prévu mais, ne sachant par où commencer, elle se promenait dans la grand-rue en essayant de s'orienter. Ernest Matthewson s'était montré avare d'informations quand il lui avait confié l'affaire, ne lui fournissant qu'une carte et quelques vagues indications. A elle de glaner ce qu'elle pourrait sur cette famille qui lui paierait ses honoraires, et la logerait le temps qu'elle s'acquitte de sa tâche. C'est pourquoi, indécise et n'ayant aucune envie d'entrer dans le vif du sujet, elle poussa la porte du salon de coiffure. Là, elle pourrait s'asseoir et puis les potins allaient toujours bon train sous les casques.

— En vacances ? Mais vous êtes déjà venue ici, n'est-ce pas ? Je suis sûre de vous avoir déjà vue.

— Non, dit Sarah, souriant de son sourire désarmant. Je ne suis encore jamais venue à Merton. Je viens travailler. Pour les Pardoe. Vous les connaissez ?

La coiffeuse gloussa. Elle venait de laver les cheveux de Sarah et les séchait énergiquement avec une serviette.

— Qui ne les connaît pas, ici ? En tout cas je n'ai aucune raison de m'inquiéter : je paye mon loyer. Comment avez-vous trouvé Mme Pardoe ? Elle vient ici tous les lundis. Folle à lier mais encore autonome, vous savez. Quand même, faudra bien que quelqu'un s'occupe d'elle, un jour. Pauvre petite Mouse.

— Je ne l'ai pas encore rencontrée. Ils ne m'attendent

54

pas avant ce soir. Je me suis dit que j'avais le temps de faire un tour.

— Et de vous faire coiffer ? Bonne idée.

Elles se regardèrent dans la glace.

— Brushing ou permanente ?

Sarah jeta un regard à la rangée de casques, sous lesquels somnolaient quelques matrones, les cheveux torturés aux rouleaux, les mains croisées sur leurs ventres confortables. Non, mieux valait le brushing, les mains expertes de Sylvie et sa conversation.

— Quel genre de travail pour les Pardoe ?

Sa curiosité était si innocente qu'elle exigeait une réponse. Sarah n'avait jamais vu l'avantage d'être totalement sincère, si c'était fait habilement ; et puis, elle n'était sûre de rien. Ernest s'était montré des plus vague. Il faut vous présenter là-bas sans le moindre préjugé, lui avait-il dit.

— Oh, quelque chose à voir avec leur maison.

Sylvie hocha la tête d'un air entendu.

— Ah oui ? J'ai entendu dire qu'ils voulaient redécorer. M. Pardoe voulait toujours le faire, mais c'était un rêveur. Il ne finissait jamais ce qu'il commençait.

La mise de Sarah, élégante en comparaison de ce qu'elle avait vu dans la rue, suggérait davantage la décoratrice d'intérieur que la femme de droit. Elle sourit pendant qu'on lui brossait énergiquement les cheveux.

— C'est grave à ce point ?

— Ma foi, cette pauvre Mme Pardoe perd les pédales. La fille fait de son mieux, le docteur est trop occupé, et le dénommé Edward n'est qu'un sale morpion paresseux. Si seulement sa sœur voulait bien ouvrir les yeux, mais non, elle le vénère comme si c'était un dieu. C'est un monde, les familles. Mary ! cria-t-elle à son employée. Eteins le casque de Mme Smith, tu veux bien ? Sinon, elle va fondre.

La familiarité de Sylvie déteignait sur Sarah et lui donnait l'impression de connaître, elle aussi, les Pardoe.

— Depuis quand ce pauvre M. Pardoe est-il mort ? demanda-t-elle.

— Tout juste un an. Il a eu une crise cardiaque alors qu'il bricolait sur son toit, figurez-vous. Normal, notez, d'avoir le cœur fatigué quand on a couru comme lui, dit-elle en baissant la voix et en éteignant le séchoir électrique.

— Coureur à pied, vous voulez dire ?

— Coureur de jupons ! s'exclama Sylvie, et de partir d'un rire bruyant avant de retrouver le chuchotement de la confidence audible à cent mètres. Un sacré chaud lapin, le Pardoe. Mais sa femme savait s'y prendre. S'est jamais plainte, Mouse. Toute sa vie, elle a fait semblant de ne rien voir et elle a attendu que ça lui passe. Ils finissent tous par rentrer au bercail, un jour ou l'autre, pas vrai ?

Sarah hocha la tête sans conviction. Elle n'avait jamais vu l'intérêt qu'il pouvait y avoir à attendre le retour de quiconque. Le séchoir lui chauffait le crâne et faisait danser ses cheveux comme des flammes rousses.

— Quelle belle couleur, cria Sylvie par-dessus le vrombissement aigu de l'appareil. Et naturelle, je le vois bien. J'ai eu une cliente qui avait des cheveux comme les vôtres. Comment s'appelait-elle déjà ? Hé ! regardez un peu qui pointe son nez !

La porte de la boutique venait de s'ouvrir dans un tintement de carillon. Sur le seuil se tenait un jeune colosse qui, en dépit de sa beauté, avait l'air timide. Un jeune garçon, couleur de sable, l'accompagnait avec une fierté manifeste. Sarah, qui tournait le dos à la porte, les voyait dans la glace.

— Qu'est-ce que tu veux, Rick ? demanda Sylvie d'une

voix bourrue qui cachait mal le plaisir qu'elle avait de les voir.

— Le garçon a besoin d'une coupe. Il s'est collé du chewing-gum dans les cheveux.

— Dégagez de là, tous les deux, que le petit revienne dans une demi-heure, d'accord ? Vous voyez bien que j'ai du monde. De la laque, mademoiselle ? braillat-t-elle dans la foulée à l'adresse de Sarah.

Tout auréolée de ses cheveux brillants, riche d'une petite somme d'informations, Sarah Fortune s'éloigna du centre-ville, des gens et de la mer. En chemin, elle acheta des provisions pour le cottage que les Pardoe mettraient à sa disposition et les laissa dans la voiture, sauf les fleurs qu'elle garda avec elle. C'est seulement en achetant ces fleurs qu'elle avait su pourquoi elle était arrivée en avance à Merton : non pour glaner quelques renseignements, mais pour une chose bien plus importante. Elle n'avait rêvé que de mer ces derniers jours mais, à présent qu'elle touchait au but, elle éprouvait une étrange réticence à aller se promener le long des chenaux ou même du quai, au bout de la rue. Elle préféra s'enfoncer dans le village, côté terres. Elle se sentait soudain étrangère, loin de sa ville familière, et si elle n'avait pas peur, elle n'en ressentait pas moins une sourde inquiétude.

Demain, elle aurait de nouveau envie de voir la mer, et cette seule pensée l'emplissait d'impatience. Elle avait si souvent rêvé de vivre dans un lieu sans prétention comme celui-ci, dans un cottage entouré de rosiers. Ce rêve était devenu une évasion coutumière. Des visions semblables de solitude et d'absence de responsabilités nourrissaient ainsi sa plus grande ambition, et elle imaginait qu'Elisabeth Tysall avait peut-être éprouvé la même chose.

En bordure de l'ancien bourg se dressait l'église — la seule, d'après la carte —, qui portait bravement les signes de la négligence et de la désertion des fidèles qui n'avaient besoin que du cimetière jouxtant la maison de Dieu et de l'éventuelle bénédiction de ce dernier. Deux choses dont avait eu besoin Elisabeth Tysall, deux fois ensevelie, d'abord sous le sable puis, plus tard, en cette terre consacrée. Car c'était à sa tombe que menait le pèlerinage de Sarah.

Les tombes plus récentes s'étendaient dans un champ, derrière, moins jolies que les pierres tombales entourant l'église, coiffées de mousse, toutes de guingois comme des copains avinés rentrant chez eux, leurs noms effacés par le vent et la pluie. Les tombes refermées ces deux dernières années connaissaient des fortunes diverses : certaines sombraient dans l'oubli ; d'autres avaient été récemment fleuries. Une simple croix de bois portait le nom d'Elisabeth. Personne n'avait commandé de pierre, et n'est-il pas vrai que Charles était mort, sitôt après que sa femme eut été identifiée. L'herbe poussait librement tout autour.

Elisabeth, qui avait aimé celui qu'il ne fallait pas. Sarah avait envie de pleurer pour elle.

« Je suis désolée, dit-elle. Tellement désolée. J'aurais dû venir plus tôt. J'aurais dû venir à ton enterrement, mais je ne connaissais pas toute l'histoire. Je ne la connais toujours pas. Est-ce que seulement quelqu'un est venu à ton enterrement ? »

Sarah prit conscience qu'elle parlait tout haut, du ton impersonnel de quelqu'un peu habitué à exprimer ses sentiments les plus profonds. Elle écarta les herbes folles pour déposer ses fleurs, regrettant de ne pas avoir acheté quelque chose de plus beau ; il n'y avait que la petitesse qu'elle avait en horreur. Reposait là, en terre, une femme qui s'était suicidée, une femme jeune et belle que personne n'avait pleurée, dont la disparition était passée inaperçue, et cela était une abomination. Sarah se mit à arracher les herbes, jusqu'à ce qu'elle se pique à des pointes acérées ; elle retira vivement ses mains, suça le sang qui perlait puis, accroupie sur les talons, regarda de nouveau. Un bouquet de chardons desséchés gisait parmi les herbes sous un autre bouquet, de roses celui-ci, qui s'effrita sous ses doigts. Elle posa ses marguerites. Le silence du cimetière était extraordinaire.

Il y avait une bande de corbeaux rassemblés au bout du champ. Deux ans plus tôt, Elisabeth Tysall, épouse de Charles Tysall, était partie à marée basse vers les criques. Elle avait été présumée victime de la mer. Sarah pouvait entendre la voix docte de Charles Tysall la convaincre de la nécessité du châtiment, et elle savait qu'il ne s'agissait pas d'un accident. La Porphyria de Charles s'était couchée parmi les bruyères de mer et avait attendu que la mer l'emporte. Peut-être avait-elle recouvert de sable son corps parfait, afin de rester enterrée pendant toute une année avant qu'une marée plus forte ne la libère de sa tombe.

« Pourquoi ? lui demanda Sarah. Tu l'as laissé gagner. Je regrette de ne pas t'avoir connue. » Comme moi, tu étais rousse. Une beauté, car Charles n'aurait jamais épousé une femme qui n'en fût pas une. Tu aurais dû être pleurée, et pas seulement par Charles, qui t'aima à sa manière perverse, te suivit dans la mer pour découvrir le lieu où tu avais reposé et trouva la même mort dans les mêmes flots.

Sarah regarda de nouveau la tombe, les roses mortes, et le bouquet de chardons méprisant et cruel. Qui t'aimait ? Qui veillait sur toi ? Toi et moi, nous aurions pu être amies. Au lieu de cela, tu jouas un rôle de catalyseur dans une histoire, et fus une autre source de cette culpabilité qui me tenaille.

Le silence la frappa de nouveau, comme un coup aux tympans. Son intensité, l'absence de tout chant d'oiseau la firent se retourner et elle remarqua pour la première fois la brume de cette fin d'après-midi, obscurcissant le soleil, masquant la grille de l'église. Elle se redressa et regarda les marguerites.

Une pierre tombale pour Elisabeth Tysall, quelque chose pour célébrer sa vie. Il fallait que quelqu'un le fasse. Quelque chose de beau et de noble pour une femme qui avait désiré vivre avec la même intensité que la femme qui contemplait à cet instant les fleurs.

Sarah regagna le village, où elle avait laissé sa voiture, puis, cherchant la route côtière, tourna dans la mauvaise direction. La voiture rouge à l'aile éraflée suivit des chemins tortueux, roulant lentement, en seconde, comme les gens du pays. Ce n'était certes pas une ville mais bien un village. Elle imaginait le populo de l'intérieur des terres débarquant là les samedis soir, comme des cow-boys sortant du désert, en quête d'alcool et de jeux. Une façade de « fish and chips » et une arrière-cour victorienne, avait dit Ernest de Merton ; une sorte de port de pêche avec une galerie de jeux vidéo et des pancartes interdisant de se garer au bout de la grève, à cause des marées. Prenez le long du quai, avait dit Ernest, ignorez le tournant, continuez tout droit en gardant la mer sur votre gauche, jusqu'à ce que la route devienne un chemin de terre. La maison est là, à un peu moins d'un kilomètre. Vous ne pouvez pas la manquer.

Elle la manqua, parce que la curiosité lui fit prendre le tournant en question et l'amena sur une étroite chaussée longeant un mur bordé de roses trémières. Elle regagna le quai, le découvrit voilé de brume, et se demanda ce que voulait dire Ernest en parlant de garder la mer sur sa gauche alors qu'elle restait invisible. Ce qui restait de la marée descendante empruntait un chenal crasseux et s'en allait se perdre au loin. Les lumières criardes de la galerie de jeux brillaient derrière elle et le bruit était très fort. Des gens, assis en rang d'oignons sur un muret séparant le quai de la route, mangeaient du poisson frit et des frites ; l'air sentait l'iode, le vinaigre et l'essence. La saleté normale, une ambiance de fête vulgaire, rien d'inquiétant dans les papiers gras jonchant le pavé. La brume l'étonnait plus qu'elle ne l'effrayait ; elle s'étalait autour de Sarah comme une couverture tiède, apportant avec elle une obscurité prématurée. La jeune femme comprit enfin qu'elle arriverait en retard, très en retard, chez les Pardoe.

Il y avait un gâteau sur la table de la cuisine, ou plutôt une imitation, qu'on aurait dit en pâte à modeler. Deux blocs d'une matière compacte qu'enrobait un glaçage gluant fait, par erreur, de farine au lieu de sucre. L'un des efforts les plus louables de thérapie fonctionnelle dont peut faire preuve Mère, pensa Julian. Bien sûr, la cuisine ressemblait maintenant à un champ de bataille. Sinon, c'était une assez belle pièce, en dépit du matériel de pêche d'Edward qui traînait partout. Une grande table en pin, de belles et solides chaises dépareillées, et une vieille cuisinière Rayburn que Joanna adorait malgré l'entretien qu'elle exigeait et le manque de fiabilité du four. Une lourde bouilloire trônait sur le feu, sifflant sans fin et entretenant une chaleur de hammam. L'office, derrière l'antique frigidaire, était froid en comparaison ; une vaste pièce dallée de pierre, aux fenêtres voilées de tulle et aux étagères chargées de provisions. Par terre, en permanence, gisaient deux ou trois paquets d'appâts pour la pêche appartenant à Edward, des vers de terre grossièrement emballés dans du papier journal, source de protéines pour les fourmis de la maison. Le gâteau, annonça

Mère d'une de ses très rares phrases articulées, était pour leur invitée. Joanna considéra la chose avec horreur. Si seulement Mère avait pu s'abstenir !

— Elle est en retard, cette salope d'avocate. Dieu merci elle est en retard, la vache ; rien n'est prêt.

Joanna avait les nerfs à cran ; Julian aussi.

— Pas de panique, ça te va mal. Qu'est-ce que tu veux que je fasse ? Que j'essaie de l'impressionner ? Je doute que ce soit une salope et une vache, il est physiquement impossible d'être les deux ; non, ce n'est jamais qu'une espèce d'employée.

— Alors, on devrait avoir pas mal de choses en commun, elle et moi, dit Joanna, grinçante. A cette différence que je ne suis pas payée.

— Non, mais il est évident que tu es bien nourrie, rétorqua Julian.

La remarque sonna le glas de la discussion. Leur querelle avait fait rater la sauce au fromage. Joanna s'activait pour en recommencer une autre en refoulant ses larmes : le flétan poché était déjà salé à point.

Julian coinça avec impatience deux cannes à pêche dans un coin de la cuisine. Le matériel d'Edward semblait envahir toutes les pièces de la maison, à l'exception de sa chambre. Où que Julian allât, il tombait sur les tentatives délibérées d'Edward d'en imposer et de dominer. La pêche et Edward allaient aussi bien ensemble qu'un bleu de travail et un nœud papillon. Edward pêchait dans le seul but de passer pour un homme, pour faire comme son père.

— Tu as vérifié sa chambre ? fit Joanna d'un ton de roquet. Je parle du cottage. Si ce n'est pas trop te demander.

Piètre tentative de sarcasme, d'une voix trop aiguë pour faire mouche.

— Non, mais je ne vois pas pourquoi tu n'as pas

chargé Ed de le faire ; il a tout le temps pour ça, lui. Mais pour répondre à ta question, oui, j'ai vérifié sa chambre. On aurait pu mettre quelques fleurs, quand même.

— Elle n'est qu'une employée, répliqua Joanna, satisfaite d'elle-même.

Un sentiment qui s'estompa rapidement. Personne n'aurait dû parler des fleurs, ni même y penser. Mère pouvait renifler un mot à un kilomètre, de même qu'une querelle et la manière de l'aggraver. Elle avait alors l'art d'apparaître en se trompant de rôle et de costume, comme à présent où elle se tenait sur le seuil de la cuisine, un bouquet de pissenlits dans une main, un de capucines dans l'autre, le goulot d'une bouteille de vin pleine émergeant de la poche de son imperméable. Une chemise de nuit ondulait autour de ses chevilles sous le mackintosh, et trois plumes d'autruche plantées dans ses cheveux se balançaient dans l'air. Julian s'empara de la bouteille de vin et la posa sur la table d'un geste vif et dénué d'humanité. Les yeux de Mère s'emplirent de larmes. Elle avait toujours été cruellement sans défense, pensa-t-il. Elle avait gagné son surnom de Mouse car elle avait l'habitude de fondre sans cesse en pleurs comme sa fille, incapables qu'elles étaient d'endurer la plus légère contrariété.

— Pourquoi as-tu fait ça, mon chéri ? Oh, j'ai faim.

Elle s'en fut d'un pas incertain vers un petit tas de fromage râpé sur la planche à découper.

— Non, ne touche pas à ça, dit Joanna. Que veux-tu ?

— Quelque chose à grignoter. Juste un petit quelque chose. Tu n'aimes pas mon gâteau ?

Elle se tenait au milieu de la cuisine, souriant à ses enfants à travers ses larmes.

— Tu ne comptes pas te changer pour dîner ? demanda Julian, ironique.

— Crois-tu que je devrais ? Ce n'est qu'une salope ou

une vache, disais-tu. J'allais juste mettre quelques fleurs dans sa chambre...

— Non ! cria Joanna. Non, tu n'en feras rien. Pas après que j'ai balayé, passé l'aspirateur, sorti des serviettes, non et non.

La lèvre de Mère se mit à trembler. Elle regarda ses mains, celle tenant les capucines, puis l'autre.

— Si, murmura-t-elle, boudeuse. Je suis sûre que la vache les aimera.

Elle partit en trottinant de côté, plus leste qu'un crabe, mais elle n'était pas arrivée à la porte d'entrée que le timbre sonnait. Avec leurs chamailleries, ils n'avaient pas entendu le bruit du moteur, d'habitude audible à cent mètres. Chacun d'eux connaissait le son de leurs vieilles voitures personnelles, garées dehors comme une rangée de sentinelles. Edward feignait la surdité enfermé dans sa tour d'ivoire, faisant semblant de peindre ses croûtes et de lire de la poésie, défiant la nécessité de gagner sa vie, tandis que sa sœur, dont la vie était suspendue à la cuisine, déclarait que cela lui suffisait. Pour Julian, c'était à désespérer. Mère était agile. Elle atteignit la porte la première mais, avec ses deux mains pleines de fleurs, se trouva dans l'incapacité de l'ouvrir, recula et leur sourit de toutes ses dents. Sur ces entrefaites, Edward descendit en ajustant le nœud d'une épaisse cravate. Joanna ne bougeait pas et Julian hésitait. Ils n'étaient pas habitués à recevoir des invités.

On frappa, cette fois. Personne ne répondit. La visiteuse devrait ouvrir la porte elle-même.

Une silhouette se découpa dans la pénombre du couloir. Mère, tout sourire, fit un pas en avant et laissa tomber les fleurs aux pieds de Sarah.

— Oh, fit l'invitée sans la moindre trace de gêne. Comme c'est aimable à vous. Vous n'auriez pas dû.

Et de se baisser pour cueillir pissenlits et capucines sur

64

les dalles du couloir avec autant de dextérité que de déli-
catesse.

Ils observaient, fascinés. Le temps qu'Edward donne
de la lumière dans le couloir, une sale lumière froide et
crue, elle s'était redressée, un joli bouquet à la main. Tout
en kaki, elle apparut comme une princesse avec son visage
hâlé et constellé de taches de rousseur, sa chevelure flam-
boyante flottant sur ses épaules, et ce ceinturon de daim
qui enserrait sa taille fine et soulignait l'étroitesse des
hanches. Etrange comme cet ensemble sobre éclatait
autant que les ors et les roux de l'automne. Pas belle ;
mieux : stupéfiante.

Mère ramassa une fleur de pissenlit oubliée, la tendit
à Sarah qui la prit et la piqua à la boutonnière de sa veste.
Mère irradia de bonheur.

— Voulez-vous entrer ? Le dîner est prêt. Pas le temps
de se refaire une beauté et tout le tralala, dit Joanna d'un
ton sec.

Sarah hocha la tête.

— Mais naturellement. Je suis désolée d'être en retard.
Mais je suis aussi bête qu'une vache et je me suis perdue.

— Une vache ! s'exclama Mère en manquant s'éva-
nouir de rire.

Sarah prit la main qu'elle lui tendait.

— Quelles plumes magnifiques, dit-elle. Comme j'aimerais en porter de pareilles !

3

Ils la regardaient avec stupeur. C'était le coup de foudre. Avant le bénédicité, avant le dîner, avant que ne brûle la deuxième sauce au fromage, et avant que quiconque n'entende le carillonnement lointain de la camionnette du glacier happé par la brume de mer. Deux bonnes secondes de silence passèrent avant que le bruit ne meure. Mère battit des mains.

— Qu'est-ce qu'il est venu foutre ici ? grogna Edward.

Sarah tourna les yeux vers lui et le visage du garçon se décomposa.

— C'est de ma faute, dit-elle. Je me suis arrêtée à... comment ça s'appelle... une galerie de jeux, pour demander la direction de votre maison, et ce jeune homme s'est proposé pour me conduire. J'ai trouvé ça charmant. Je n'ai jamais eu pareille escorte.

Joanna était rouge brique. Elle se fichait soudain que le dîner soit réussi ou non. Elle passa sur-le-champ de l'amour à la haine et à l'amour de nouveau, tandis qu'elle courait à la cuisine. Edward semblait amusé. Ce n'était qu'une femme, pas la fouine professionnelle au regard froid qu'il redoutait ; une femme trop séduisante pour être une menace. Julian l'invita à entrer. Ses manières frisaient la grossièreté ; il tremblait légèrement et paraissait incapable d'arracher son regard de cette chevelure rousse.

Dehors, Hettie la brebis bêla. Mère lui avait noué un ruban autour du cou. Seul un jeune homme prénommé Rick s'en fit la remarque, alors qu'il repartait au volant de sa camionnette.

Stonewall resta à la galerie de jeux aussi longtemps qu'il le pouvait et aussi tard qu'il l'osa, malade d'anxiété et sachant que, tôt ou tard, il en serait vidé à coups de pied dans le derrière. Il avait connu vingt minutes de pur bonheur après que Rick, revenant du quai où il s'était entretenu avec quelqu'un, lui avait annoncé qu'il s'absentait quelques instants, lui demandant de tenir la caisse en attendant. Gérant de la galerie, le père de Rick était pour lui une sorte d'oncle, comme tout le monde dans le coin, mais pas le préféré de Stonewall, loin de là. Et encore moins quand le bougre revint soûl, et trouva Stonewall à la caisse. Il y aurait du grabuge quand Rick reviendrait, et c'est pour cette raison que Stonewall restait, parce que quelqu'un devait protéger Rick de la fureur de son père.

Mais ça ne marcha pas. Même avec sa nouvelle coupe de cheveux, bien dégagée sur les oreilles, sur laquelle il passait fièrement la main de temps à autre, Stonewall n'avait pas ce pouvoir, et ça lui donnait envie de hurler. Frappe-moi à sa place, avait-il envie de dire au père de Rick, comme si Rick eût pu permettre une chose pareille. Au lieu de cela, la brute alla boire un coup de plus, revint, et, prenant Stonewall par une oreille, le poussa en direction de sa maison. Rick, arrivé sur ces entrefaites, laissa faire.

— Vas-y, Stony, dit-il gentiment. On se voit demain.

Stonewall imagina la suite. Le père de Rick aimait cogner sans témoin.

« Va-t'en, murmura Julian dans son sommeil. Va te faire soigner. »

Il rêvait d'une fille à la chevelure rousse courant sur la plage. Le bruit de fond était celui, presque strident, de la galerie de jeux, comme si un tel brouhaha pouvait parvenir de si loin aux oreilles de Julian Pardoe, tiré du sommeil par un méchant rêve et désespérant de jamais pouvoir se rendormir. Il n'avait pourtant aucune raison de s'inquiéter. Le dîner s'était mieux déroulé que prévu, leur hôte, dont le travail d'expertise le soulagerait d'un fardeau, avait fait preuve d'un réel talent pour masquer la formidable intuition que laissait entrevoir le regard intelligent qu'elle posait sur toutes choses. Julian avait le sentiment qu'elle pouvait lire dans son âme, déceler la honte qui l'habitait. Il se demandait toutefois s'il avait seulement une âme. La journée, il était un automate dans son travail ; la nuit, un corps incapable de trouver le repos. Il l'avait trop longuement regardée durant le dîner, avait trop plongé son regard dans ces yeux bleus, jusqu'à ressentir cette culpabilité et le désespoir qui le tenaillaient depuis si longtemps. Prenez votre temps, avait-il dit à Mlle Fortune, tout en sachant qu'il ne tarderait pas à appeler Ernest Matthewson pour lui demander de rappeler à Londres ce modèle de beauté et d'intelligence féminine.

Mais au lieu de cela, il s'entendit dire : Venez me voir à mon cabinet demain, que je vous parle de la propriété, vous aurez le reste du week-end pour y réfléchir. Ne vous sentez pas obligée de prendre vos repas avec nous. Ne vous sentez pas obligée de rester non plus.

Edward jouait le rôle du jeune frère non conformiste,

68

citant des vers et décrivant les terres de la famille comme si elles lui appartenaient ; il se gonflait d'importance, soucieux qu'on le prenne pour un petit homme appelé à une grande carrière, comme son père, et non pour un garçon qui échouait dans tout ce qu'il entreprenait. Leur hôte écoutait intensément. Et si les façons abruptes de Julian choquaient sa sœur, rien ne déconcertait l'étrangère. C'est lui qui avait voulu que de l'ordre soit mis dans les affaires de la famille, mais pas de cette façon. Pas avec l'aide d'une femme ayant de pareils cheveux et ce regard à la fois calme et amusé.

Ils l'avaient emmenée au cottage, suivis par la brebis à la corne tire-bouchonnée qui vivait dans le jardin et que Mère nourrissait. Mlle Fortune ne parut pas s'en étonner. Apparemment, rien ne semblait pouvoir l'ébranler.

Julian s'agitait dans son lit. Il perçut de nouveau un craquement dans l'escalier mais ne se leva pas pour aller voir. Peut-être était-ce sa mère rôdant dans les couloirs ou Edward partant à la pêche, il ne voulait pas le savoir, ne pouvait pas les surveiller à temps complet ni même partiel. Tant que ce n'était pas Edward pénétrant dans la chambre de Joanna... chose qui ne s'était encore jamais produite mais était suspendue au-dessus de leurs têtes comme le tonnerre menace. Il était peut-être immoral de souhaiter que sa sœur perdît sa virginité avec le premier gars du pays qui lui courrait après, mais c'était en tout cas le souhait de Julian. Si seulement Joanna pouvait quitter la maison avant qu'un accident dû au désir ne vienne bouleverser sa vie. Il espéra donc qu'il s'agissait d'Edward s'apprêtant à partir à la pêche, même si c'était pour polluer le rivage comme il le faisait, laissant traîner dans l'eau des lignes et des hameçons qui mettaient en danger les phoques, de la même façon qu'il abandonnait ses cannes aux quatre coins de la maison et parsemait l'office de paquets de vers et de crabes mous, supposés excellents pour la pêche au lieu et au bar.

Le silence de la nuit amplifiait le bourdonnement de ses pensées. Julian se sentait responsable, mais sans force ni confiance en soi. Il avait perdu tout respect pour lui-même, et se retrouvait sans rien d'autre qu'un savoir vain.

Dans le lointain, il lui sembla entendre un hurlement.

— Tu sais rien à rien, mon garçon. Que dalle. Tu saurais pas reconnaître ton coude de ton cul, saurais même pas où fourrer ta queue. De la boue sur toute la camionnette. Tu veux lui en mettre dans la chatte ? C'est ça que tu veux ? J'parie que oui.

Ces paroles furent suivies d'un grognement, du choc d'une botte heurtant des côtes, presque inaudible en soi, hormis le halètement provoqué par l'effort et le hoquet de douleur du garçon. Tous deux étaient couverts de boue. Le garçon roula sur la berge, son épaule s'enfonça dans le sable noir et visqueux avec un bruit de succion. Le sang, dans sa bouche, avait un goût de fer qui se mêlait au sel et à l'écœurante odeur de vase. Rick pensa aux vers, les imagina qui se glissaient dans sa gorge, s'assit avec difficulté, cracha, toussa.

— Si j'voulais, j'pourrais te tuer, p'pa.

Il encaissa un nouveau coup dans les côtes, remerciant le ciel que les bottes soient si alourdies par la boue que le vieux avait du mal à les soulever. Ça aurait pu être pire, comme bien d'autres fois. Aucun des coups ne l'avait atteint entre les jambes ; il n'avait offert que son dos au déluge, regrettant de ne pas avoir pigé le truc quand il était jeune, avant que les dégâts ne soient irréparables, avant de comprendre que le rituel de la violence était beaucoup plus rapide s'il ne résistait pas. Bouge pas, laisse venir sa botte, oublie ta honte.

70

— Me tuer, petit merdeux ! Me tuer ! Tu pourrais même pas écraser une mouche. Tu as laissé ce p'tit pourri tenir la caisse pendant que tu courais après cette pute ! T'as besoin qu'on te tienne en laisse. Une laisse avec un hameçon au bout. Que je t'accrocherai dans la gueule ou ailleurs !

Le garçon se laissa soulever, secouer, flanquer dans la vase de nouveau. Il aurait pu frapper son père à ce moment-là, lui faire avaler ses dents, ouais, il aurait pu, il connaissait sa force, mais il préféra ne pas broncher et écouter sa respiration. Du coin de l'œil, il pouvait voir la lumière des lampadaires du quai se refléter doucement dans l'eau à travers la brume. Il pouvait entendre la marée monter. Son père leva son visage mouillé, et renifla comme un chien.

— Vaut mieux pas rester là, marmonna-t-il. L'eau monte.

La brute avait soudain froid, frissonnait ; l'adrénaline était retombée, remplacée par une sensation qui ressemblait à de la honte. Finis les coups et les insultes. Le gosse avait raison. Il était costaud. Un de ces quatre, il pourrait bien prendre sa revanche sur son vieux père. Valait mieux qu'il fasse gaffe.

— Allez, viens, on rentre à la maison, dit le père, presque humble, comme il l'était quand c'était bien trop tard. Tu vas attraper la mort, ici.

— Va te faire voir ! Je vais chez moi.

— Ça nous ferait pas de mal de s'laver, toi et moi.

— Ça me ferait pas de mal d'avoir une paire de couilles neuves, après tous les coups qu'elles ont encaissés. Je te préviens, p'pa, tu m'as frappé pour la dernière fois.

Bizarre, de s'entendre parler comme deux abrutis pleins de vin se querellant dans la boue du chenal. Ils remontèrent sur la grève. Passé minuit, le quai était aussi désert que le cimetière. Les fausses justifications minables étaient ce que Rick détestait le plus dans la violence alcoolique de son père.

— J'ai cru qu'tu voulais te faire la p'tite Pardoe. Faut pas qu'tu la touches. Tu sais c'que son saligaud de frère t'a dit, d'laisser sa sœur tranquille. Sinon plus de travail, plus de galerie, plus rien. On se débrouille pas trop mal, petit, alors fais pas chavirer le bateau.

Rick remonta ses pantalons et essaya de rire.

— P'pa, je la laisse tranquille, et c'est pas à cause de son frère ou de la galerie. Alors, laisse tomber.

— Tu la laisses tranquille, hein ? T'es allé deux fois chez eux aujourd'hui et t'as salopé la camionnette sur leur chemin. J't'ai vu, j't'ai entendu. On aurait pu nous faire la caisse pendant ce temps-là.

Rick prit une profonde et lente respiration, qui lui fit juste assez mal pour savoir qu'il s'en tirerait sans côte cassée, cette fois.

— J'y suis allé une première fois parce que Mme Pardoe aime les glaces, la pauvre vieille. Et j'y suis retourné parce qu'une bonne femme m'a demandé où se trouvait leur maison. Elle a dit qu'elle allait travailler là-bas. Merde, une beauté. Un peu vieille, mais un sacré morceau.

Le père grogna. Il savait parfois reconnaître la vérité quand il l'entendait.

— Comment ça, vieille ?

— Trente, dans ces eaux-là. M'a dit qu'elle était avocate. Un bijou.

Son père lâcha un rire sonore et balança un bras trapu autour des épaules du garçon. Rick grimaça à ce contact. Dans le passé, il avait accepté ce genre de réconciliation, mais plus maintenant ; non, il ne se ferait plus avoir. Tout ce qu'il voulait, c'était se laver et se coucher. Et rêver. Tenir seul la galerie. Aller nager avec Jo Pardoe. S'allonger avec elle sur le sable chaud...

— Vieille ! Trente ans ! Alors, t'as servi de guide à une avocate avec la camionnette ! Ça, c'est la meilleure de toutes !

Rick l'imagina racontant l'histoire au Globe, à l'Ark Royal ou au Golden Fleece. Le bras se fit plus lourd sur son épaule, mais Rick ne s'écarta pas. Il s'en foutait. Il se tâta l'entre-jambes. Bon, pas de douleur de ce côté-là, cette fois. Ses vêtements étaient trempés et puaient la vase. Il était las, terriblement las.

Quelle vie. Travailler dur pour garder son corps en un seul morceau, sans parler des rêves. Il ne lui en restait plus beaucoup, de rêves. Non, il n'avait pas grand-chose à offrir à Joanna Pardoe.

La brebis avait surpris Sarah. Elle avait voulu entrer dans cet étrange petit cottage, le dernier d'une rangée de trois, à une trentaine de mètres à gauche de la maison. Je suppose que c'était une ferme dans le temps, avait dit Joanna, bavarde et timide, une gentille gamine un peu nerveuse. Des ouvriers logeaient là, il y a des années. Papa voulait avoir une ferme, mais il voulait toujours tellement de choses... Je regrette qu'on n'ait pas pu vous donner le plus beau cottage, mais il y a eu le feu il y a quelques semaines, on ne sait toujours pas comment c'est arrivé. Peut-être le fantôme du village, on en a un nouveau cet été. Bonne nuit, dormez bien, faites de beaux rêves.

Le cottage n'était pas grand — un living avec cuisine en bas, à l'étage, une chambre, une salle de bains et une minuscule alcôve sous l'avant-toit ; elle explora le tout en moins d'une minute. Il n'y avait pas d'autres bruits que ceux qu'elle faisait. Dans sa chambre, la fenêtre avait été laissée ouverte pour aérer et les jolis rideaux de chintz se balançaient sous la brise nocturne. La décoration témoignait d'efforts sporadiques, destinés à rendre l'endroit moins spartiate, avec un vieux cumulus à eau chaude, une cuvette de cabinet d'un autre âge, une plomberie cliquetante, le genre de tapis de corde qui vous agace la plante des pieds, une penderie qui ne fermait pas, avec deux cintres, et un lit bien trop mou.

Elle était absurdement déçue de ne pas entendre la mer, mais l'avocate en elle sut réprimer sa déception. Que savait-elle des Pardoe et que devait-elle faire au juste pour eux ? Elle avait eu un aperçu de leurs personnalités, rien de leurs richesses supposées. Julian, le médecin, cheveux blond sable, bourru, surchargé de travail et fatigué ; Edward, jeune et vantard, jouant les rebelles de salon et manifestement l'objet de l'admiration de sa sœur. Elle, innocente et confiante comme un chiot, surveillant sa mère comme si celle-ci était menacée d'enlèvement, une mère qui en rajoutait en interprétant pour la galerie les bruyants rituels de sa folie, tour à tour drôle ou irritante. Découvrez leurs rêves, avait dit Ernest sans lui fournir le moindre indice. Découvrir, puis trouver une solution de partage des biens qui satisfasse chacun, telle était la tâche qui l'attendait. Mais ce n'était pas à cela que pensait Sarah, elle pensait à Elisabeth Tysall et à ses rêves inachevés, à la couleur du marbre qu'elle choisirait pour la pierre tombale et aux plantes dont elle l'ornerait.

L'air entrant par la fenêtre était comme une drogue ; elle ferma les yeux. Le lit était froid, pas humide mais froid comme la solitude ; un froid qu'accentuait le silence. Pas de musique lointaine, de cris, de bruits de pas, pas de bourdonnement comme en ville, où ni le silence ni l'obscurité ne sont jamais complets. Ici rampaient, dans le vide glacé de son lit, la panique de l'isolement et la sueur poisseuse de la peur.

Elle porta la main à son visage, parcourut du bout des doigts les quelques rides autour de ses yeux. Elle pouvait faire jouer la peau souple de son crâne, sentir les cicatrices sur ses épaules et sur ses bras, se forcer à penser à la mer curative ; oui, la mer la guérirait de tout. Le temps qu'elle s'endorme, elle avait le dos trempé de transpiration. Ce n'était pas le bord de mer dont elle avait rêvé.

Le jour tranchait avec la nuit : après l'ensevelissement dans le silence, elle émergeait soudain dans la délicieuse cacophonie de l'aube. Le chant des oiseaux en premier, de petites grives menant tapage sur le toit ; puis le roucoulement d'un ramier, deux notes hautes, une basse, se répétant bêtement, sans variation mais à de longs intervalles ; enfin, un son produit par l'homme, tranchant à travers ceux de la nature comme un couteau : la plainte lugubre d'une sirène lointaine, gémissement qui s'amplifiait, retombait, remontait de nouveau, déchirant comme un sanglot, et cela à trois ou quatre reprises. On eût dit le cri d'une foule angoissée, d'une bête souffrante, une prière pour les morts. Elle écouta, figée comme un chien d'arrêt. Quelques minutes plus tard, elle sortait du cottage.

Il n'y avait rien qu'un ciel clair et une vue infinie. Le village, délimité par la longue bande de terre en point d'interrogation qui formait son front de mer, s'étendait sur sa gauche, à un kilomètre environ. Devant elle, en face de la maison qui se dressait sur toute la largeur du jardin, une vaste étendue de terre s'étirait jusqu'à l'horizon. Sarah se mit en route, fascinée par ce vide apparent qui, sous la lumière du jour, prenait vie peu à peu et se révélait à elle : un entrelacs de chenaux et de bancs de sable que la mer, immuable, insidieuse, envahissait en clapotant.

Sarah portait des tennis, et partit à petites foulées vers le village. Les chenaux se faisaient de plus en plus larges, les derniers bastions de sable et de boue cédaient au flot envahisseur et, le temps qu'elle atteigne la jetée, l'étendue de vase noire qu'elle avait vue la veille avait disparu sous la pleine mer. Des bateaux, invisibles la veille, flottaient fièrement et dansaient sur l'eau à la hauteur de ses yeux. Des pans de terre subsistaient de-ci de-là, coiffés de bruyère de mer, comme les restes incertains de gigantesques crânes chauves affleurant la surface.

Il était encore tôt. L'air sentait le sel et le poisson. D'un bateau de pêche, amarré contre le quai, deux hommes sortaient des casiers remplis de poissons ruisselants et encore agités de soubresauts. Un troisième lavait à grande eau le pont maculé de sang. Sarah retint un haut-le-cœur.

— Excusez-moi... c'était quoi, cette sirène, tout à l'heure ?

— Une sirène ? Oh, ça ! Le bateau de sauvetage.

Ils ne perdaient pas de temps en paroles. Ils n'étaient pas inamicaux, ils travaillaient.

— Vous pêchez à la ligne ? demanda-t-elle stupidement, regardant l'eau rougie couler du pont.

— La ligne, c'est pour le plaisir. On en pêche qu'un à la fois. C'est des filets, qu'on utilise.

L'odeur du poisson eut raison de sa curiosité, et puis elle avait honte de poser des questions aussi évidentes ne pouvant susciter qu'un gentil mépris. Dans son dos le village brillait comme s'il avait été, lui aussi, toiletté. Des cygnes barbotaient dans le port, portés par le courant de la marée avec une vitesse qui rendait comique la dignité de leur maintien. La galerie de jeux semblait fermée à jamais, à cette heure plus matinale encore que celle du facteur. Un jeune homme lavait au jet le devant de la galerie, indifférent aux mouettes se disputant les reliefs débordant des poubelles. C'était le gentil et timide géant qui était apparu chez Sylvie la coiffeuse, avec son petit protégé, et qui, plus tard, l'avait escortée jusqu'à la maison des Pardoe. Le même jeune homme que la veille, mais le visage tuméfié. Il s'arrêta de balayer quand il la vit et, appuyé sur son balai, la regarda approcher en grimaçant douloureusement un sourire en réponse à celui, radieux, qu'elle lui adressait.

— Bonjour, dit-elle. Je voulais vous remercier pour hier au soir. J'ai dit aux Pardoe que j'avais eu une escorte royale. C'était bien aimable à vous.

Cette fois, le sourire du garçon s'accentua, creusant des fossettes qui rappelèrent à Sarah combien elle l'avait trouvé magnifique dans ses jeans moulants et sa chemise blanche impeccable, sous les lumières vives de la galerie, et comme il l'avait poliment écoutée par-dessus le brouhaha d'un jeu de bingo. Rien à voir avec la triste figure qu'il affichait, non plus celle d'un roi mais d'un esclave.

— C'était rien, dit-il. Je m'appelle Rick.

— Qu'est-ce qui vous est arrivé... je veux dire, à votre visage ?

Cette question, on la lui poserait plus d'une fois dans la journée et, pour les autres, il inventerait une histoire, les ferait rire ; mais l'heure se prêtait peu à l'inspiration.

— Rien. Mon père m'est tombé dessus parce que j'ai sorti la camionnette.

— Oh, je suis vraiment désolée. J'aurais mieux fait de me perdre plutôt que de vous attirer des ennuis.

— Des ennuis ? Mon père a jamais eu besoin de prétexte pour me cogner dessus. D'ailleurs, il a trouvé ça drôle, que je vous emmène là-bas. Il aime pas que je quitte la galerie. Au cas où quelqu'un faucherait la caisse ou autre chose.

Rick se sentit soudain mal à l'aise, se dit qu'il parlait trop, mais il était reconnaissant à cette femme de ne pas prendre l'air choquée en entendant son histoire d'enfant battu. Elle l'écoutait avec attention et lui donnait envie de parler.

— Vous devez surveiller tous ces appareils ? lui demanda-t-elle, désignant la galerie.

— Ouais. Toutes ces machines merdiques. Et je fais le glacier aussi. Du tonnerre, non ?

Elle ne releva pas l'ironie.

— Vous avez bien de la chance d'habiter un village aussi charmant, dit-elle tout en se reprochant la bêtise de son propos.

— Vous rigolez, dit-il, ponctuant ses paroles d'un crachat dans le caniveau.

Elle ne s'en irrita pas vraiment.

— D'accord, d'accord, dit-elle, mais vous êtes trop beau garçon pour vous laisser amocher comme ça. A votre place, je balancerais mon père à la baille pour lui rafraîchir les idées. Vous me paraissez de taille à le faire, à moins qu'il ne soit plus costaud que vous.

Il éclata d'un rire franc qui lui fit porter la main à son ventre, parce que ça faisait mal.

— Pour l'amour du ciel, donnez-moi ce balai et asseyez-vous.

— J'peux pas. Mon père...

— Donnez-moi ça.

Il acquiesça et alla s'adosser au mur, alluma une cigarette et, une lueur amusée dans les yeux, la regarda faire. Sarah balaya frénétiquement, comme une femme qui n'a pas que ça à faire, balança dans un sac-poubelle tous les papiers gras et les bouts de hamburgers qui traînaient de la veille. Puis, s'emparant d'une peau de chamois qui trempait dans un seau, nettoya les vitres avec les mouvements rapides d'une adversaire farouche des tâches ménagères, déterminée à en finir le plus vite et le mieux possible, frotta les boutons de porte et les boiseries éraflées et termina le tout en dix minutes. Les émotions de ces derniers jours l'avaient amenée à nettoyer son appartement de fond en comble avec la même énergie et une perfection telle qu'elle avait gratifié la dernière vitre d'une petite tape de la main. Rick se détacha du mur et vint vers elle.

— Alors, nous voilà quittes ? dit-elle.

— Combien vous prenez de l'heure ?

Il avait le sourire moins douloureux, et sentait ses forces revenir. Pas de doute, c'était un canon, cette femme, et quel joli cul elle avait quand elle se baissait !

— Vous êtes vraiment avocate ? Je savais que les Pardoe attendaient quelqu'un. C'est Mme Pardoe qui me l'a dit. Sûrement une vieille vache, elle a dit.

— Eh bien, sa prédiction s'est réalisée : me voilà.

Ils souriaient de toutes leurs dents, à présent.

— Je ne sais pas grand-chose d'eux, dit-elle, innocemment. Tenez, par exemple, j'aimerais bien savoir pourquoi Edward a une telle réputation : quelqu'un a dit, chez la coiffeuse, que c'était un petit salopard.

— C'est la vérité. Quand il s'en va pêcher là-bas, dit Rick en désignant la mer au loin, ça ne le gêne pas s'il aperçoit des phoques. Il lance quand même sa ligne. Pour jouer des sales tours, aux gens comme aux bêtes, il est champion. Et c'est pas tout.

Décidément, c'était une beauté, cette rouquine. Et pas vieille du tout, comme ça, en jeans et tennis. Puis il se rappela soudain qu'elle était une étrangère et que lui, pauvre imbécile, parlait peut-être à tort et à travers. La discrétion s'imposait.

— Venez prendre un verre avec moi, ce soir. J'vous raconterai.

Elle allait rire, trouver une excuse. Pensez, une femme comme elle. Il empoigna le seau et en vida l'eau sale sur la chaussée, balançant les dernières gouttes aux pieds de Sarah, par jeu, pour voir si elle crierait ou s'écarterait, tout en espérant qu'elle n'en ferait rien.

— D'accord, répondit-elle, ignorant l'eau. Où ça ?

— On se retrouve ici ? J'suis de congé, ce soir, expliqua-t-il en pensant à son père avec un inexplicable sentiment de triomphe.

— Alors, à ce soir.

Elle s'éloigna. Le quai s'animait. Un jeune garçon, blond comme le sable, s'arrêta au coin de la rue et la regarda, bouche bée, avec une intensité qui n'avait d'égale que sa stupeur. Il la suivit du regard jusqu'à ce qu'elle disparaisse de sa vue. Une affiche sur le mur de la capitainerie donnait les heures de pleine et de basse mer, ainsi que la hauteur record jamais atteinte à marée haute. Cela plut à Sarah, qui se demanda quoi d'autre que la mer pouvait régler ces vies.

C'était ici que Charles Tysall avait rendu son âme au diable, un an après sa femme. Charles, qui avait fait de Sarah sa lubie suivante. Qui l'avait punie comme il avait puni Elisabeth, et puis s'en était allé sur les lieux où son épouse était morte. Charles, dont l'amour détruisait ce qu'il touchait. Elle porta la main à son bras, elle avait froid soudain. Les fantômes de rêves gâchés se trouvaient ici, scintillant au-dessus du flot.

Mme Jennifer Pardoe, plus connue sous le sobriquet de Mouse, nourrissait un penchant pour tout ce qui brillait. Elle prenait ses tenues très au sérieux, et le choix du matin l'occupait une bonne heure. Pour cet été chaud, la robe du soir était de rigueur. Les robes de bal, et celles dites de cocktail, étaient idéales en cette fin juillet, alors que portées quand l'occasion l'exigeait — sous les grandes tentes de mariage, lors de dîners mondains dans de vieilles demeures pleines de courants d'air, aux vernissages d'horribles expositions dans des villages pittoresques —, ces robes en mousseline de soie, décolletées ou à manches courtes, n'étaient jamais assez chaudes.

Pas étonnant qu'une jeune fille ait besoin d'un manteau de fourrure : il lui était même recommandé de ne jamais se défaire de cette maudite chose. Mme Pardoe avait une fois décrit la salle de danse du club nautique comme un parterre d'oies blanches souffrant de chair de poule, un trait d'humour qu'elle s'était contentée de chuchoter, peu désireuse alors de provoquer le rire de ses amies ou les applaudissements de son époux qui avait, en ces temps d'ascension sociale, honte d'elle.

Aujourd'hui, elle hésitait devant une robe de lamé des années soixante-dix. Si elle partageait les goûts de Marilyn Monroe, elle n'en avait pas la silhouette ; la sienne, petite et rondelette, exigeait un certain flou dans le port du vêtement. Joanna avait hérité des mêmes arrondis et, un jour, elle apprendrait que cela n'avait aucune espèce d'importance.

Mouse poussa un « Ah ! » bref et emphatique, alors que sa concentration vacillante ressuscitait soudain le souvenir de son défunt mari la grondant de remplir ses penderies de robes en vue de soirées dont la perspective la désolait, mais auxquelles elle assistait néanmoins pour la seule raison qu'elle ne savait pas dire non. Elle revint à ses dilemmes vestimentaires. Laquelle ? La robe droite qui tombait à mi-mollets en tissu doré, sans manches, décolletée dans le dos, serait parfaite pour cette journée qui s'annonçait chaude. Grosses boucles d'oreilles scintillantes, bracelet doré en forme de serpent, avec de petits yeux d'émeraude et un minuscule rubis à la queue ; parfait. Ses nuits d'agonie à claudiquer sur des talons aiguilles lui revinrent en mémoire, tandis qu'elle choisissait ce qu'elle avait toujours secrètement désiré porter alors : une paire de tennis roses. Ainsi attifée, elle descendit prendre son petit déjeuner, son manteau jeté sur ses épaules.

Cocktail au champagne de préférence. Quelques

gouttes de cognac, le bord du verre glacé au sucre, une soucoupe de cornflakes à côté.

La maison était aussi grande que laide. Sarah, qui s'en revenait du village, la voyait clairement pour la première fois et réalisait avec stupeur à quel point la demeure des Pardoe, baptisée East Wind, n'avait rien d'une merveille dans un coin perdu. Y aurait-on accédé par une noble allée, la déception aurait été plus forte encore. A chaque pas qui l'en rapprochait, elle découvrait de nouveaux détails discordants qui faisaient ressembler East Wind à un assemblage hétéroclite. L'orange cru des tuiles neuves s'accordait mal avec le rose tendre de la brique des murs ; c'était aussi choquant que de voir quelqu'un porter un canotier à un enterrement. Le bleu vif des avant-toits et des gouttières renforçait ce manque d'harmonie, sans parler de l'aile derrière la maison, bâtie en pierre et d'une hauteur différente ! De grossières répliques remplaçaient les anciennes fenêtres. L'un dans l'autre, l'ensemble ressemblait à une femme qui se serait habillée n'importe comment, avec plus d'argent que de goût. Un rêve inabouti qu'on aurait modifié sans y prendre garde.

La porte d'entrée, en chêne massif et cintrée, provenait manifestement d'une église et ajoutait encore à l'impression d'extravagance. Sarah ignora l'entrée principale et fit le tour de la bâtisse, foulant une herbe humide qui lui montait presque jusqu'aux genoux. Il y avait là, derrière la maison, les vestiges d'un grand jardin potager, où dominaient la rhubarbe rampante et une odeur de légumes pourrissant sur pied. Une rangée de choux ornementaux égayait l'œil de leur splendeur pourpre. La brebis à la corne tire-bouchonnée broutait et rotait près d'un entrelacs de capucines en pots, à côté de la porte de derrière.

82

A quel jeu tordu jouait donc Ernest ? Il y avait peut-être quelques signes d'excentricité dispendieuse, d'argent inconsidérément dépensé, mais assurément rien dans cette maison qui ait un parfum de richesse, un parfum que Sarah Fortune reniflait aisément chez un client et méprisait encore plus. Charles Tysall avait cette odeur de minorité arrogante, mais il n'y avait décidément rien ici qui justifiât les honoraires rédhibitoires du cabinet londonien d'Ernest. Pas même la querelle qui allait bon train dans la cuisine, et à laquelle elle prêta sans honte l'oreille.

— Où est Mme Tysall ? Elle ne prend pas de petit déjeuner ? Elle est si mince.

— Tais-toi, m'man. Tais-toi... et va donc te changer ; cette robe est affreuse. Ce n'est pas Mme Tysall ; c'est une avocate de Londres et elle va penser que tu es encore plus folle que tu ne l'es, habillée comme ça.

— Mme Tysall et moi, nous aimerions un peu de champagne.

— Pour l'amour du ciel, Julian, donne-lui de la citronnade, veux-tu ?

— Mais je ne veux pas de...

— Si, tu as dit que tu en voulais. Et bois ton thé, tu ressembles à...

— Ne me frappe pas, ne me frappe pas, se mit à gémir Mouse, jusqu'à ce que la voix de Julian s'élève, avec un calme trompeur et un rien de lassitude.

— Ne dis pas de bêtises. Personne ne va te frapper, ne l'a jamais fait et ne le fera jamais. Jo, pourquoi l'as-tu laissée mettre cette robe ?

— Et voilà, ça recommence. La laisser ! As-tu jamais essayé de l'arrêter ? Elle fait ce qu'elle veut. Comment pourrais-je l'en empêcher ? J'ai déjà assez à faire...

— A rester assise toute la journée sur tes grosses fesses ? A jouer à la maîtresse de maison ? A laisser de la poussière partout et les mauvaises herbes envahir le jardin ? A faire semblant de cuisiner ? Je me demande où tu puises tant d'énergie.

Sarah se rappelait la cuisine élaborée de la veille, les meubles cirés, l'apparence de propreté, les draps frais de son lit au cottage, et elle trouva Julian injuste. La voix de Joanna s'élevait maintenant, au bord des larmes.

— Bien sûr, je ne fais rien pendant que tu joues les guérisseurs avec tes malades. Je parie qu'ils sont en train de faire la queue en ce moment, en priant le bon Dieu de leur envoyer un autre médecin. Tu as l'air aussi vivant qu'une morue dans un casier de pêcheur.

— Au moins, je travaille, moi. Il faut bien que l'un de nous le fasse.

Le ton était tranchant. Il y eut un silence, rompu par un fracas de verre brisé.

— Oh, quel dommage ! gloussa Mme Pardoe. Pas de champagne pour Mme Tysall.

Julian ignora sa mère.

— J'aurais mieux à offrir à mes patients si je n'étais pas entouré d'idiots dans cette maison. Un frère qui ne sait rien faire de ses dix doigts, qui ne serait pas fichu de trouver un emploi si je n'étais pas là ; une sœur qui pense qu'elle mérite qu'on l'entretienne...

— Très bien, cria-t-elle, donne-nous de quoi partir et nous partirons. N'est-ce pas pour ça que cette avocate est ici ?

— Je vous en prie, Mme Tysall, chantonnait la mère.

— De l'argent, hein ? dit Julian. La plupart des gens commencent sans un sou dans la vie.

— Ne t'inquiéte pas, je foutrai le camp ! hurla Joanna. Tu pourras garder Mère avec toi. Mais tu n'en as pas envie, n'est-ce pas ?

Elle tapait maintenant du poing sur la table, sa voix devenait hystérique, tandis que Mouse continuait de chantonner. Il y eut un bruit de chaise raclant les dalles. Et la voix de Julian de nouveau, dédaigneuse, distante.

— Dis à Mlle Fortune, quand elle daignera apparaître, que je serai à midi à mon cabinet, et rappelle-toi ce que je t'ai dit d'autre. N'oublie pas de lui indiquer la route. Et ne l'invite pas à dîner, ni ce soir ni demain. Qu'elle s'arrange toute seule pour ses repas ; d'ailleurs, elle ne restera pas longtemps ici.

Sarah attendit. Une porte claqua quelque part dans la maison, le silence, entrecoupé de petits bruits familiers, retomba, comme une impression de paix revenue. Sarah frappa à la porte ouverte et entra.

Joanna se leva d'un bond et se tourna aussitôt vers la grand cuisinière Rayburn avec sa grosse bouilloire sifflant toujours, se frotta les yeux avec une serviette à thé, tandis que Mme Pardoe poussait un Ooooh ! de plaisir, accueillante comme un bébé qui voit venir à lui le biberon tant attendu. Sur la table trônait un pavé marron à l'aspect desséché, un gâteau au chocolat signé Mouse.

— Bonjour à vous, Mme Tysall. Cela fait plaisir de vous voir.

Sarah frissonna. Joanna, le visage rougi et un peu hésitante, revint à la table avec une cafetière fumante.

— J'espère que vous appréciez votre séjour, je vous ai fait un gâteau. Je fais toujours des gâteaux mais personne ne les mange...

Mouse continua de babiller du ton aigrelet d'une réceptionniste fraîchement émoulue d'une école de secrétariat.

— Oh, Mère ! s'écria Joanna, plus gênée qu'agressive.

— Et j'aimerais, reprit « Mère », se levant de table et permettant à Sarah de remarquer les tennis roses, que vous, jeune demoiselle, portiez des robes. Les pantalons, ma chère, sont faits pour les hommes.

Sur ce, avec un grand sourire, elle quitta la pièce en

agitant les doigts en guise de bénédiction, laissant derrière elle un nuage de parfum. Joanna regarda Sarah, et s'efforça de sourire. Les larmes menaçaient encore, moins contrôlées à présent qu'elle venait de jauger l'apparence de Sarah à la lumière de la remarque maternelle. Et ce n'étaient pas les éclaboussures de boue sur le jeans qui frappaient la jeune fille, mais le côté parfait de ce jeans plus moulant qu'un bas nylon, le chemisier de soie cassant souplement sur les hanches étroites, et le fait qu'un pantalon porté par Mlle Fortune ne rendait pas le même effet que sur elle.

— Vous nous avez entendus nous disputer ? demanda-t-elle abruptement.

— J'ai surpris la fin. Désolée.

— Tout va bien, alors. Vous avez évité le pire, quand Edward était encore là. Il est parti il y a un moment. C'est tous les matins comme ça. A votre place, je ne sortirais pas du cottage avant huit heures et demie, pendant la semaine. A partir de cette heure, il n'y a plus que Mère et moi. Café ? Tartines ?

— Du café, s'il vous plaît.

— A propos, Julian vous attend à midi à son cabinet. Je vous y conduirai, mais en attendant je ne suis pas autorisée à discuter affaires avec vous, des affaires de la famille, s'entend.

Elle parlait, parlait pour cacher sa gêne.

— Ne vous tracassez pas. Je ne m'attends pas à ce que vous désobéissiez à votre grand frère, dit Sarah.

Les deux femmes se sourirent, soudain complices dans leur révolte contre la tyrannie masculine.

— Mais il y a deux questions que j'aimerais vous poser, poursuivit Sarah. La première, c'est pourquoi votre famille a besoin d'une tierce personne pour savoir qui héritera de quoi ? Pourquoi ne pas vous arranger entre vous ?

86

Joanna embrassa d'un geste de la main le désordre de la cuisine, le thé répandu sur la nappe, les cannes à pêche appuyées contre le mur à côté de la cuisinière, les débris de verre par terre.

— Vous ne voyez pas pourquoi ? Nous ne sommes pas très doués pour la communication. Tout ce que sait faire Julian, c'est donner des ordres, critiquer et nous gâcher la vie. Ed s'occupe de moi. Lui et Julian ne se parlent jamais. Quelle est l'autre question ?

— Pourquoi votre mère m'appelle-t-elle Mme Tysall ?

— Ça, je n'en sais rien... Mais je m'en souviens, maintenant, Edward a dit quelque chose à ce sujet, quand elle a commencé ce matin. Un couple du nom de Tysall a occupé l'un de nos cottages, il y a quelques années, a-t-il dit. La femme était rousse comme vous, et il lui arrivait de nous rendre visite. Et puis elle s'est noyée. Un accident, je crois. Maman la rencontrait souvent au salon de coiffure. Tout le monde en a parlé, je suppose. Ça a fait scandale à l'époque, je parle de sa mort, parce que le corps est resté enterré dans le sable et n'a été découvert qu'un an plus tard, après une marée plus forte que les autres. Une histoire horrible.

— Et son mari ?
Joanna réfléchit.

— Je ne connais pas les détails. En tout cas, un scandale de plus. Il faudra que vous posiez la question à Julian. C'est lui qui s'occupe des morts, quand il y en a : ça lui convient mieux que les vivants, dit-elle en riant de son esprit. Il paraît que Charles, après que le corps de sa femme a été découvert, est allé voir où elle était morte et se serait fait surprendre par la marée. On a retrouvé son cadavre le lendemain, du côté d'Ockham. Une histoire d'amour, peut-être. Romantique, non ?

Joanna versait le café, mise en joie par ces horribles histoires qui ne la concernaient pas et certainement à mille lieues des préoccupations d'une jeune fille de dix-huit ans. Que pouvait être aux yeux d'une adolescente la passion passé trente ans, sinon un mystère obscène ?

— Charles Tysall était l'un de nos clients, dit Sarah en gardant difficilement un ton indifférent. Je le connaissais.

— Ah bon ? Pas moi, dit Joanna.

Comment pouvait-on avoir une silhouette comme celle de Sarah et le jeans qui allait avec, se demandait-elle. Probablement en fumant au lieu de manger au petit déjeuner, et en habitant dans ce paradis pour les pécheurs qu'était Londres. Une ville qui ne l'attirait pas du tout.

— Oh, je le connaissais de vue, dit Sarah.

Elle avala une gorgée de café noir et ajouta d'un ton plus enjoué :

— En tout cas, il s'en passe des choses, ici. Des querelles de familles, des suicides, des sirènes de bateaux de sauvetage, que sais-je encore. Même un fantôme, vous en parliez hier au soir. C'est extraordinaire.

Joanna lui décocha un regard apitoyé.

— Qu'est-ce que vous racontez ? fit-elle d'une voix plaintive. Nous possédons presque tout le village, et il ne s'y passe jamais rien. Rien du tout.

4

Le centre médical aurait eu sa place n'importe où. Il n'avait rien de rural et l'odeur d'antiseptique, pourtant évocatrice de maladie, en faisait d'une certaine façon l'endroit tout indiqué pour discuter d'un testament.

« ... le reste de mes biens, quel qu'il soit et où qu'il soit, à mon épouse Jenny dans sa totalité. A elle de le répartir entre mes enfants selon le partage qu'elle jugera équitable. »

Julian était assis en face de Sarah, derrière un bureau métallique déprimant.

— Ecoutez, dit-il, coupant court aux subtilités et parcourant la pièce du regard sans jamais s'arrêter sur la jeune femme, je ne vous dirai pas que tout cela m'enchante parce que ce n'est pas le cas. Toute cette histoire ne me plaît pas, et je regrette que vous soyez ici. Ernest Matthewson a été l'avocat de mon père pendant la moitié de sa vie, mais je ne comprends pas toujours ses initiatives.

— Je pensais que c'était votre idée, l'interrompit-elle.

Julian eut l'air interdit. Un sourire bref, forcé, effleura ses traits comme par magie, révélant une trace d'humanité sur un visage sculpté dans la pierre et empreint d'une douleur dont il n'était peut-être pas le seul responsable.

— Mon idée ? Ernest s'est contenté de me dire que vous arriviez. Mais qu'importe. Vous êtes là, pour le meilleur ou pour le pire. Vous avez pris connaissance du testament, mais pas de la liste des avoirs qui constituent actuellement les biens de ma mère.

Elle guetta un signe de suffisance, n'en dénota aucun alors qu'il lui tendait trois pages dactylographiées à l'entête d'une agence immobilière locale. Il y avait là une longue liste de maisons, de locaux commerciaux et de magasins. Sarah se demanda un bref instant s'il restait des murs dans le village qui n'appartiennent pas aux Pardoe.

— Environ les deux tiers de Merton, dit Julian, devinant les pensées de Sarah. Cela a pris vingt ans à mon père, poursuivit-il. Il ne croyait qu'en la pierre, rien que la pierre ; il ne consacrait les bénéfices de ses entreprises industrielles qu'aux seules acquisitions immobilières. Et il aimait tout faire lui-même. Pas étonnant donc qu'il se soit trouvé sur un toit quand il a eu sa crise cardiaque. A l'âge de soixante-dix ans, il tenait à débarrasser lui-même les gouttières des feuilles mortes. Depuis sa mort, ma mère est dans l'état où vous l'avez vue, et c'est irréversible. Elle ne peut plus ni lire ni cuisiner, elle a perdu toute notion de propriété, de temps, de peur, et n'a pas plus conscience de son état que de sa propre famille. Elle est difficile, irritable, exigeante, vulnérable, et parfaitement incapable de s'occuper de ses affaires puisqu'elle ne sait même pas ce qu'elle possède. Moi non plus, d'ailleurs. Edward doit le savoir, lui. Il travaille à l'agence immobilière qui gère nos biens.

Il soupira comme si le sujet l'ennuyait.

— Mon père se dérobait, voyez-vous, reprit-il sur le même ton d'irritation contenue. Pour un homme aussi astucieux et matérialiste, il était très indécis. Il a tout laissé à Mère, pour qu'elle s'en charge à sa place. Stupé-

90

fiant. Je croyais qu'il m'aimait et me faisait confiance. Apparemment, je me trompais.

Il marqua un bref temps d'arrêt, comme s'il accusait un invisible coup, et poursuivit :

— Pendant les deux dernières années, mon père et ma mère s'étaient redécouverts. Ils se comportaient comme des amoureux, des complices, toujours à rire et à se raconter des blagues. Père avait même renoncé aux mondanités, chose que ma mère avait toujours détestée. Il se perfectionnait à la pêche au lancer, parlait d'élever une nouvelle race de brebis. Il en reste une, dans le jardin.

Sarah voulait tout savoir ; où Mme Pardoe avait porté pour la première fois cette robe en lamé et à quoi ressemblait M. Pardoe, elle voulait des portraits de famille, des anecdotes, des signes de chagrin, tout sauf ces agaçantes banalités. Tout ce qu'elle pouvait entrevoir, c'était que le couple Pardoe avait engendré de beaux enfants, très différents d'apparence — Edward brun et maigre, Joanna ronde et blonde, et l'aîné, assis en face d'elle, robuste et séduisant avec un menton viril, une tignasse d'un blond roux, des yeux brillants de fièvre et une évidente réticence à sortir du sujet. Sarah pensa qu'elle avait intérêt à se comporter comme elle l'avait toujours fait avec les clients, en laissant entendre qu'elle avait plus à offrir qu'une bonne dose de bon sens. Une présomption qui avait souvent débouché sur une réalité.

— Ecoutez, commença-t-elle, le testament est parfaitement valide.

— Je le sais bien, dit-il, abrupt. Et c'est à moi, l'aîné, d'administrer des biens dont je ne peux légalement disposer. Mère est incapable de me donner une procuration pour la bonne raison qu'elle ignore de quoi il s'agit. J'ai essayé, mais en vain. Si j'arrive à encaisser les loyers, payer les chèques et m'occuper des affaires, c'est uniquement parce que le directeur de la banque est un de mes patients ; j'ai la responsabilité, mais pas l'autorité. Je sais aussi, avant que vous ne me le disiez, que si Mère mourait, Edward, Joanna et moi hériterions de parts égales. En attendant, nous sommes coincés. Nous avons un capital, mais le revenu n'est pas énorme. Suffisant, sans plus. Et Mère a peut-être encore trente ans à vivre.

Il prononça cette dernière remarque avec de la tendresse et une certaine admiration dans la voix. Sarah le surprit même à sourire, lui sourit elle-même, et le vit reprendre son expression d'homme endurci par une amertume et une solitude apparemment irrémédiables. Sarah observait ces fugitives trahisons d'un état qu'elle connaissait bien pour être le sien, et voyait en face d'elle un homme qui avait dû porter de terribles jugements sur lui-même.

— Aussi, voilà ce que nous allons faire, dit-elle vivement. Détailler les biens, puis les évaluer. Décider de la meilleure façon de les gérer et qui s'en chargera — un membre, la famille ou un conseil extérieur. Puis soumettre notre projet à la cour de protection qui pourra rédiger un autre testament en faveur de votre mère.

— Simple, dit Julian, ironique, souriant presque.

— Non, pas simple, mais possible. Cela vous coûtera le prix d'une maison dans votre jeu de Monopoly mais c'est peu de chose, je suppose, vu l'importance de vos biens immobiliers. Le but de ce plan vise en premier lieu à assurer à votre mère une vie heureuse et à l'abri de tout besoin. Puis, il s'agira de libérer un capital suffisant pour chacun d'entre vous, afin que vous preniez tous votre essor et réalisiez vos rêves le plus tôt possible.

Julian rit, se surprenant lui-même. On décelait encore de l'ironie, mais au moins était-ce un rire.

— Quels rêves ? Quels rêves pourrait avoir un petit médecin de campagne ?

— Tout le monde a des rêves, protesta Sarah. Votre

père a dû en avoir pour faire tout ce qu'il a fait. Jo m'a dit qu'Edward rêvait d'être un artiste. Elle rêve peut-être de devenir un grand chef cuisinier. A quoi pourrait bien servir l'argent, sinon à polir des rêves ?

— Certains d'entre nous n'en ont pas.

De fait, elle n'imaginait pas Edward poursuivant un rêve quelconque. Autant pour elle. Edward rêvant d'être un artiste n'était en fait qu'Edward mettant tous ses échecs sur le compte de l'ennui, passant d'un emploi à un autre jusqu'à ce que son père lui trouve une sinécure dans l'agence immobilière. Sa capacité de concentration était pathétique, son dédain des convenances, une comédie. Julian regarda Sarah et décida que l'expression de neutralité de la jeune femme était aussi une feinte. Elle pouvait répéter ce qu'on lui disait, mais elle ne croyait que ce qu'elle voulait bien croire.

Il s'adossa à sa chaise. Cette fois, son sourire ne disparut pas.

— Mademoiselle Fortune, je pense que vous êtes une sorcière. Je m'attendais à ce que vous m'accusiez de cupidité et voilà que vous me parlez de rêves. Dois-je en déduire que vous exorcisez également les démons ?

Sarah secoua la tête en souriant.

— Je trouve plus facile de leur donner leur dû. Démons, lutins, diablotins, regrets. Ce sont les symptômes de la vie, passé la trentaine.

Julian se permit un nouvel éclat de rire, dont la fin coïncida avec un coup frappé à la porte et l'entrée d'une infirmière plantureuse venue ramasser la pile de courrier posée au bord du bureau. Elle arborait un sourire professionnel qui disparut dès qu'elle posa les yeux sur Sarah. Empoignant le courrier, elle s'empressa de disparaître sans s'excuser, et claqua la porte derrière elle. Sarah feignit d'étudier la liste des biens des Pardoe que Julian lui avait remise. « Galerie de jeux, quai est ». Ça aussi, pensa-t-elle, trouvant soudain qu'il faisait trop chaud dans la pièce.

— Vous en savez assez pour continuer seule ? demanda Julian, de retour dans la peau du médecin demandant à sa patiente s'il lui reste suffisamment de médicaments pour poursuivre le traitement.

Réprimant une envie de le gifler, elle se leva avec grâce, coinça les papiers sous son bras.

— Je me demande si votre infirmière ne m'a pas prise pour une de ces fausses malades venues chercher une ordonnance pour aller se dorer au soleil. Elle m'a paru plutôt... possessive.

Toujours en proie à une colère irraisonnée, elle baissa les yeux sur l'impeccable pantalon bouffant qui avait remplacé le jeans du matin, trop élégant pour le cabinet d'un médecin de campagne, puis remarqua que Julian avait pâli.

— Je suis désolé, dit-il. Vous lui avez sans doute causé un choc. En vérité, j'en ai eu un aussi la première fois que je vous ai vue. Vous ressemblez étrangement à une patiente que nous avons eue, ici, il y a deux ans. Une femme... difficile à oublier.

— Mme Tysall, dit Sarah d'une voix plate. Votre mère m'appelle ainsi. Au salon de coiffure, on m'a dit que je ressemblais à une ancienne cliente. C'est très déconcertant, ces comparaisons, mais je suppose que vous parlez tous de la même personne, Elisabeth Tysall, qui repose dans le cimetière, sans même une pierre sur sa tombe. L'épouse de Charles.

Il s'était levé de sa chaise, toujours pâle, serrant un crayon dans ses grandes mains.

— Votre sœur dit que vous vous êtes occupé des deux corps. Ceux d'Elisabeth et de son mari, poursuivit ingénument Sarah. Elle était votre patiente, dites-vous. J'ai toujours souhaité rencontrer quelqu'un qui l'avait connue. Est-ce qu'elle était belle ?

Le crayon cassa avec un bruit sec.

— Sortez. Vous avez raison. Les comparaisons sont insupportables. Vous ne ressemblez pas du tout à Elisabeth. Personne ne peut lui ressembler.

Sarah s'immobilisa, et observa le visage de Julian passer d'une rage contenue à une détresse à peine déguisée, avant qu'il ne recouvre un semblant de contrôle.

— Démons et diablotins, murmura-t-elle. Je ne voulais pas toucher un point sensible. Etait-ce une amie à vous ? Elle en avait certainement besoin d'un.

Il secoua la tête, soudain réfugié derrière son masque de dureté.

— Je vous en prie, mademoiselle Fortune, allez-vous-en. Je doute que vous puissiez nous aider. Soyez donc notre invitée au cottage, pour le week-end. Puis nous reconsidérerons la question.

— Comme vous voudrez.

Stonewall Jones quitta au pas de course la galerie de jeux et, tournant à gauche sur le quai, prit une ruelle tortueuse qui menait à la rue principale. En chemin, il pouvait adresser un salut à toutes les maisons où vivaient divers membres de sa famille : sa mère d'abord, partie travailler à cette heure, et dont les sandwiches faits avec amour s'écrasaient en ce moment même dans sa poche ; ses petits frères, trois portes plus haut, avec tante Mary ; oncle Jack, au poste de police qui faisait le coin de la rue. L'endroit était une mine de gens qu'il pouvait taper de quelques pennies et d'autres qui, l'air plus ou moins bougon, le laissaient se poser un instant chez eux, mais aucun, non, aucun ne valait le cousin Rick.

En tant que héros, Rick était sans défaut, alors qu'en

tant qu'espion, Stonewall était la quintessence de la discrétion, à laquelle s'ajoutait un grand talent de menteur, même s'il penchait naturellement pour la vérité. Il avait en outre une mémoire aussi longue et alerte que sa foulée, et un œil capable de capter le moindre détail. Ce qui expliquait son excitation du moment. La rouquine.

Le souvenir qu'il en gardait était plus visuel que verbal. Stonewall parlait tout le temps à Rick, parfois à ses copains de classe, tous les autres l'envoyant promener. Il était très jeune quand il avait vu pour la première fois la fille aux cheveux rouges, mais pas au point de ne pas se souvenir d'elle sortant du centre médical, des larmes ruisselant sur son visage tout raccommodé. Cela datait de deux ans, autrement dit une éternité. Cependant, il n'avait jamais vraiment pu l'oublier, surtout pas après qu'il eut trouvé dans les criques les cartes de crédit de la femme et d'autres papiers avec sa photo dessus. Surtout pas après que son beau-père et lui eurent découvert son cadavre, exactement un an plus tard.

Le beau-père avait vomi toutes ses tripes, ce que Stonewall n'avait pas considéré comme un bon exemple. Eduqué surtout grâce à des vidéos pour adultes parfaitement illégales visionnées chez un camarade, lui-même n'avait pas été choqué. La rousse ressemblait à un chien mort, pas à une personne, cette impression se trouvant renforcée par les longs cheveux semblables aux oreilles d'un setter irlandais, tombantes, soyeuses, incrustées de sable. C'était une chose à ne pas confondre avec quoi que ce soit de vivant.

L'homme qu'ils avaient découvert un mois plus tard, lui, c'était différent. Cette fois, Stonewall se trouvait avec Rick, à errer dans les criques comme ils le faisaient toujours à leurs heures de loisir en été, à la recherche d'épaves et de bois flotté, et il rêvait secrètement de tomber sur un autre cadavre, vu la renommée que lui avait value la première découverte : cette célébrité lui donnait le sentiment de compter dans la ville.

Ils avaient fait preuve d'un tel courage qu'ils frissonnaient encore à l'évocation de l'aventure. Ce deuxième cadavre était celui d'un homme ; il n'avait pas séjourné dans l'eau plus de deux jours, et comme il leur semblait presque vivant, ils n'osaient pas le regarder. Un homme grimaçant un sourire, la bouche emplie de sable, gisant là dans la vase, ses pantalons rabattus jusqu'aux chevilles, ses fesses nues faisant comme une petite montagne blanche. En le retournant, ils avaient regardé son sexe. Monté comme un âne, avait lâché Rick. Ils avaient gloussé et tremblé, appelé oncle Jack qui avait paniqué et parlé d'envoyer la chaloupe de sauvetage, ce qui les avait fait pouffer de rire, vu que la marée était au plus bas. Il fallait le ramener à pied. Ils avaient attendu dans le chenal à sec, secoués de rires et de frissons, jusqu'à ce qu'arrive le docteur qui, apparemment, connaissait le noyé. Il avait été alors plus difficile de rire. Finalement, c'était lui, le docteur, qui avait transporté le cadavre avec leur aide jusqu'à sa voiture, en se servant d'une bâche appartenant à Rick pour traîner le corps à travers les chenaux où l'eau commençait à revenir avec la marée montante. C'était la seule solution.

Le corps une fois dans le coffre, la suite était du ressort du docteur. Tout le monde avait vaqué à ses occupations. Rick et lui également, mais pas avant de voir ce qu'ils avaient vu : le docteur donnant des coups de pied dans le cadavre comme si ç'avait été un ballon de foot. Deux ou trois coups, mais forts. Stonewall pouvait encore entendre le bruit de la chaussure s'enfonçant dans la poitrine gorgée d'eau — il ne se rappelait pas visuellement la scène car il avait aussitôt détourné les yeux —, mais le son, ça, il n'était pas près de l'oublier. Chluk, chluk, chluk, un martèlement de haine pure. Drôle. Tout était toujours drôle pour Stonewall, mais Rick et lui n'avaient jamais reparlé de cet épisode. Plus tard, Stonewall avait eu de la peine pour le noyé. Il s'était dit que si lui-même se noyait, on l'emmènerait pour l'enterrer quelque part, comme on l'avait fait pour cet homme. Et il n'y aurait personne non plus à son enterrement, même pas sa mère et son beau-père. Ils seraient trop occupés.

Stonewall frappa à la porte d'une maisonnette baptisée Swamp Cottage, et entra. Le verrou existait, mais il n'était jamais tiré ; il n'y avait pas de voleur dans le village, sauf que récemment des vols avaient été signalés, aussitôt mis sur le compte des touristes ou du fantôme. La porte donnait sur une minuscule cuisine, avec deux assiettes seulement dans l'évier et une mouche cognant à la fenêtre, puis, une marche plus bas, c'était le living. Rick regardait la télé, assis sur un vieux canapé dont il sortait distraitement la bourre de l'accoudoir par une déchirure. La vue de la musette par terre et les marques sur le visage du jeune homme emplirent Stonewall de crainte.

— Dis, tu t'en vas pas, Rick ? Tu vas pas t'en aller, hein ? Ton père te tuera, dit-il d'une voix vibrante d'inquiétude.

— Il a déjà essayé, grogna Rick.

Il se leva, touchant presque le plafond de son crâne, et ébouriffa les cheveux du garçon.

— Panique pas, Stoney, c'était pas si terrible que ça. Mais j'vais peut-être sortir en mer ce soir. J'ai dit, peut-être.

— Tu m'emmènes avec toi ?

— Non. Seulement dans la journée. Ta mère se ferait un sang d'encre pour toi. On se demande bien pourquoi, d'ailleurs.

Stonewall se détendit. Si Rick plaisantait, alors c'est que ça allait. Il se laissa choir sur le canapé et, comme son héros, se mit à jouer avec la bourre qui pointait çà et là. Il était extrêmement soulagé de trouver Rick aussi calme. Il n'aurait pu en dire autant de lui-même : les nouvelles qu'il apportait lui pesaient plus lourd sur l'estomac que trois cornets de frites bien grasses suivis d'une crème au chocolat.

— J'vais te dire, Rick, j'ai vu un fantôme tout à l'heure. J'l'ai vu, j'te jure. Une femme.

— Ah ouais ?

— J'ai vu cette femme. La même que j'ai vue y a longtemps de ça, quand p'pa m'emmenait en barque...

— Et que tu avais une telle trouille de l'eau que tu hurlais comme une chatte en chaleur. J'm'en souviens comme si c'était hier.

Stonewall ne broncha pas. Rick aimait bien se moquer mais ce n'était jamais méchant.

— Mais attends un peu, poursuivit Rick, se retenant de sourire. Tu as vu une femme assez laide pour être un fantôme ? Une seule, tu dis ? Mais y en a des dizaines là-dehors !

Son rire résonna jusqu'au plafond.

— C'est la même, dit Stonewall, têtu, celle qu'on a trouvée morte. J'étais avec p'pa quand elle est partie vers les criques, elle était soûle, et elle avait le visage massacré. J'm'en souviens bien, p'pa m'a filé une taloche parce que j'avais ri d'elle. Bien sûr, c'était mon cadavre à moi, celui qu'on a trouvé avec p'pa, pas le nôtre, celui d'après. J'aurais jamais pensé que c'était elle si j'avais pas trouvé aussi ses papiers avec sa photo et tout. Bref, celle que j'ai vue tout à l'heure, elle a les mêmes cheveux rouges, une grosse masse. C'est son fantôme, pas de doute. Ou alors une jumelle ?

Rick le foudroya du regard.

Sacré Stonewall. Il fallait toujours qu'il se fasse mousser parce qu'il avait découvert deux cadavres. Il ne manquait jamais de le rappeler. Deux découvertes qui avaient fait de lui une célébrité adulée dans son école. Rick, lui, n'avait qu'un seul noyé à son actif. Quelques chiens et chats, deux ou trois cygnes empoisonnés par des plombs de ligne, un phoque tué par une ingestion d'hameçons, mais un seul cadavre. Stonewall avait donc une supériorité sur lui dans ce domaine et s'en régalait.

— Une rousse, tu dis ? Tu as vu un fantôme aux cheveux roux, ce matin ?

Rick riait maintenant, et Stonewall était désarçonné.

— Ouais, c'matin, en partant à ta recherche. Et puis j'l'ai revue, elle arrivait en ville avec ta fiancée.

— C'était pas un fantôme, bébé. C'est une avocate, enfin c'est ce qu'elle dit. Elle travaille pour les Pardoe. Ils feraient mieux d'engager un jardinier, si tu veux mon avis. Et Jo, c'est pas ma fiancée.

— Ah bon ? C'est pas c'que j'ai entendu, dit Stonewall, faisant l'important.

Rick eut envie de se moquer de lui mais il n'en eut pas le cœur.

— J'les ai suivies, toutes les deux, et voilà pourquoi j'ai pensé que l'autre était un fantôme : ta Joanna est allée à l'épicerie et le fantôme est allé chez le docteur, exactement comme l'autre, la morte, le faisait tout le temps. Même que tante Mary disait qu'c'était une honte.

Stonewall adorait ce rôle de colporteur de potins, qui ne perdaient rien de leur saveur aux yeux d'un garçon de onze ans malgré l'obscurité de leurs implications. Il aimait le ton de cachotterie que les grandes personnes employaient pour faire circuler les rumeurs, n'ignorant pas qu'elles parlaient de sexe quand elles baissaient la voix dans l'encoignure d'une porte. Chez lui, avec les deux petits jumeaux, il ne comptait guère, était toujours le dernier servi, mais savait écouter. Incroyable, pensait Rick, souvent stupéfié par ce garçon tellement silencieux et discret chez lui et si loquace à l'extérieur, qui savait récolter les moindres ragots du village. Stonewall sentit que l'attention de Rick faiblissait et, pour la raviver, demanda :

— T'emmènes ton amoureuse en mer ?

— J'te dis qu'c'est pas mon amoureuse. T'es sourd ?

— Elle, elle pense que oui.

— Elle et qui d'autre ? demanda Rick.

Il vit alors son visage dans le miroir craquelé au-dessus de la cheminée, et sa bouche prit un pli amer.

— Dis rien, va. Au rythme où j'me fais cabosser, les femmes sont sûres de tirer la paille la plus courte avec moi, ajouta-t-il en grommelant. Ça te dirait, une crème glacée sur la plage ?

Le garçon dissimula son enthousiasme d'un haussement d'épaules, et se leva d'un bond du canapé en poussant malgré lui un grand soupir de satisfaction.

— Et il y a autre chose, commença-t-il, alors qu'ils sortaient dans la ruelle.

— Ouais, un autre fantôme, hein ? Celui avec les cheveux blancs ? Un grand type ? Allez, tout le monde prétend l'avoir vu.

— Peut-être que les fantômes sortent tous à la même heure, suggéra Stonewall.

— Ça, je n'en sais rien, répliqua Rick en calottant affectueusement Stonewall derrière la nuque. Il te faudrait des lunettes bien noires, pour que t'arrêtes de voir des fantômes partout.

— C'est ce fantôme qui a pris mon chien, s'obstina Stonewall, horriblement honteux de sentir ses yeux s'embuer de larmes à la pensée de Sal. Pour sûr. J'l'ai vu ; et puis Sal a disparu.

Rick pensait à son rendez-vous du soir, regrettant un peu de s'être engagé. Il pensa à Jo, et s'efforça aussitôt de la chasser de son esprit.

Sarah regagna la propriété en se demandant s'il ne valait pas mieux qu'elle boucle ses valises et s'en aille avant qu'on lui notifie son congé. Elle se dirigeait, comme une vieille habituée, vers la porte de derrière, quand deux scènes retinrent son attention. La première s'intitulait « Madame Pardoe prend un bain de soleil » : elle était étendue dans le carré de choux, les bras en croix, les jambes croisées au niveau des chevilles, la robe relevée jusqu'en haut des cuisses. Une femme que la saleté du lieu ne semblait pas rebuter. Sarah s'approcha à pas prudents, jusqu'à ce que son ombre vienne lécher le corps étendu au soleil. La chaleur intense suscitait en elle une furieuse envie de mer.

— Bonjour.

— Vous me prenez mon soleil, dit Mme Pardoe. Rendez-moi mes rayons.

— Désirez-vous quelque chose ?

Mme Pardoe avait encore de belles jambes et son visage ressemblait à celui d'un lutin sans âge.

— De la crème glacée, dit rêveusement la dame en fermant les yeux.

L'autre vision était celle de Joanna pleurant dans la cuisine. Non seulement la jeune fille n'avait pas l'aplomb de la mère, mais elle souffrait du même manque de beauté.

— Excusez-moi, dit Joanna, au-delà de l'embarras. Je suis vraiment désolée mais je n'y peux rien.

— C'est à cause de votre mère ?

— Oh, non. Je suis habituée. Elle va bien, vous savez. Très bien même. On s'y fait, voyez-vous.

Sarah ne voyait pas, mais elle acquiesça de la tête.

— Je veux dire qu'elle est tranquille et tout, et elle ne demande pas beaucoup, elle n'a jamais été exigeante. Par

102

exemple, je pourrais sortir ce soir, même si Julian et Edward ne sont jamais là les vendredis. Mère aime bien être seule de temps en temps, et puis elle va au lit si tôt que de toute façon, elle n'a pas besoin d'une baby-sitter. Mais je ne peux aller nulle part, pas vrai ? Tenez, même pas chez Caroline ; pourtant elle a insisté et je lui ai dit que je viendrais...

Sarah continuait d'opiner.

— Parce que je suis différente et Caroline est très équilibrée, vous voyez. Et elle sait que je sortais avec Rick qui est, disons-le, le plus beau garçon du pays, mais lui ne veut plus me parler. Julian lui a interdit de me revoir. Et elle donne cette fête, avec plein d'amis, et il faudrait que je fasse comme si je m'en fichais, que je boive un verre de vin en jouant les indifférentes ; mais même si ce n'est rien qu'une petite fête, je ne pourrais pas y aller comme ça, sans rien à me mettre, rien que ces fringues affreuses...

Sarah hocha derechef la tête. Un grave dilemme, qu'elle-même avait connu. Le roi Richard avait offert son royaume pour un cheval. Une jeune fille amoureuse aurait offert le sien pour une jolie robe. Sarah devait admettre qu'elle avait rarement vu jeune fille plus mal fagotée, presque comme une enfant. Elle s'assit sur une inconfortable chaise en bois, dit au revoir à ses rêves de plage, sortit ses cigarettes, en alluma une, décidant que Joanna était une zone fumeurs.

— Quel genre de tenue aimeriez-vous ? s'enquit-elle gentiment.

— Du classique, répondit Jo sans hésiter. J'ai vu ça dans un magazine, Caroline aussi. Ça vous donne l'air plus âgée, plus mince, vous voyez. Mais c'est cher. Julian dit que je peux m'acheter ça si j'en ai envie, mais Edward me le déconseille ; d'après lui c'est mauvais de grandir trop vite. Alors je me force à rire, disant que ça n'a pas d'importance, mais en réalité ce n'est pas vrai.

Il fallait toujours se fier à sa première impression, songeait Sarah. Et l'antipathie spontanée qu'elle avait ressentie à l'égard d'Edward Pardoe semblait décidément fondée.

— Du classique, hein ? Avec un joli bijou, mais rien qu'un ? dit pensivement Sarah.

— Voilà, exactement. Edward me tuerait. De toute façon, je n'ai pas l'argent. Je lui ai promis une nouvelle canne à pêche pour son anniversaire, ça coûte une fortune, ces machins...

— Levez-vous.

Joanna se leva ; elle était beaucoup plus grande que Sarah.

— J'ai ici quelques jolies chemises, elles devraient vous aller. Une chemise sur des caleçons ? Venez avec moi.

— Oh, mais je ne peux pas, mademoiselle Fortune, vraiment. Je suis là, à bavarder comme une pie, et je ne sais même pas... oh, c'est affreux...

— Allons, venez, nous sommes sœurs sous la peau, dit Sarah.

Les chiffons, rien de tel pour réunir deux femmes et susciter les confidences.

— A votre place, je n'écouterais pas Edward, ajouta-t-elle gentiment. Les hommes n'y entendent rien. Quelque chose d'uni, sans motifs, voilà ce qu'il vous faut.

— Oui, du noir, lança Jo avec assurance. Là, je pourrais... assumer.

L'ombre l'avait protégé dans la forêt de pins qui couvrait les dunes et s'étendait jusqu'à la plage mais, quand l'homme aux cheveux couleur de neige parvint au sommet de la dernière crête, le vent emporta son souffle dans le vaste ciel, le laissant sous le choc. Il s'était forcé à marcher jusque-là d'un pas tout militaire ; la mer aurait dû être plus près, non pas cette promesse lointaine et moqueuse. La marée était une femme volage qui n'obéissait jamais aux ordres. L'homme ne voyait que l'horizon, ne remarquait aucun détail, ne ressentait aucune douleur et ne comptait rien d'autre que les minutes.

Le sable était mou. Ses chaussures, trop grandes pour lui, s'enfoncèrent, il perdit l'équilibre, moulina dérisoirement des bras et se mit à débouler le long de la dune, sa veste battant au vent, du sable dans les cheveux, dans la bouche, d'abord furieux de cette chute imprévue puis se réjouissant au fur et à mesure de cette glissade enfantine. Quand il se retrouva en bas, sur le dos, il avait envie de recommencer. Il rouvrit les yeux sur un ciel bleu vif et éclata de rire. Un visage apparut dans son champ de vision.

— Ce n'était pas très gracieux, dit Edward Pardoe.

L'homme grogna, s'assit, passa une main dans sa luxuriante chevelure blanche qui bouclait sur la nuque. Sa mise était un patchwork de haillons, trop chauds pour l'été. Mais quand il eut plié son long corps maigre et croisé les mains autour de ses genoux, il se dégagea de lui une certaine élégance. Il commençait à constater à quel point l'habit faisait le moine et comment, à porter des vêtements de clochard, on en devenait un. Si cette métamorphose l'avait d'abord effrayé, ce n'était plus le cas.

Edward regarda le visage rongé par une barbe broussailleuse et se dit que l'homme avait dû être beau, remarquablement beau. Ils s'assirent à distance respectueuse l'un de l'autre et ne dirent rien pendant un moment.

— J'aimerais redessiner ce rivage, dit Edward, le front plissé. Je le trouve très... imparfait.

— Mais il est là, dit l'homme.

— Oui, je sais, mais la mer devrait venir mourir à mes pieds, les arbres devraient être plus exotiques que ces tristes pins, plus flamboyants, avec des fleurs en hiver. Oui, je saurais le faire. Je le ferai.

— Après l'art, la nature, murmura l'homme. Ce genre de rêve coûte cher.

Ils furent silencieux de nouveau. La mer restait à la même distance et l'homme la regardait, comme fasciné.

— On vous a vu ? demanda Edward d'un ton détaché.

— Depuis la mer ou la terre ? Oui, sans doute. Un sale gamin avec son chien. Le chien m'a couru après. Je déteste les chiens. Je me déplace sans cesse — un cabanon, une barque, un cottage vide où les gens me laissent obligeamment leur savon. Le village fourmille de vacanciers, de porcs ignorants incapables de remarquer quiconque à l'allure vénérable. Les gens ne font plus attention à moi, maintenant.

— Ils ont dû le faire, quand vous étiez plus jeune, dit Edward, pervers.

— Je ne me suis jamais fixé nulle part, dit l'homme avec sérénité. C'est mon choix, pas ma destinée. Cela ne signifie pas que je sois une personne négligeable.

Tout en prononçant ces mots, il se demandait si ils étaient vrais. Il baissa les yeux sur ses mains. Bien sûr, il savait encore comment on se coupait les ongles.

— Qu'avez-vous fait pour le chien ?

C'était dérangeant, cette façon qu'avait cet homme d'imposer si facilement sa supériorité avec sa voix de patricien et son air de royale indifférence. Il avait l'apparence d'un vagabond, mais se comportait comme un prince.

— Le chien ? Tué et enterré. Ce n'était qu'un chien.

Edward déglutit péniblement.

— Vous n'êtes pas invisible, dit-il sèchement. Une rumeur court au village, à propos d'un fantôme aux che-

106

veux blancs qui volerait çà et là de petites choses. Manifestement, vous perfectionnez vos talents.

— Mme Tysall était très forte pour forcer les serrures, dit l'homme. Elle n'aimait guère les clés, mais n'avait aucun problème pour entrer ou sortir.

— Je n'ai jamais rencontré Mme Tysall, dit Edward, profondément irrité. C'est mon merveilleux frère qui la connaissait, comme je vous l'ai raconté.

Tous deux contemplaient la mer, sans jamais se regarder.

— Je dois en avoir la certitude.

— Comment pénétrer dans le centre médical, poursuivit Edward, est une chose que vous devez trouver vous-même. Mais comme je vous l'ai dit hier, vous aurez besoin des clés de ses tiroirs.

Il laissa tomber un jeu de clés dans le sable, entre eux. L'homme ne quitta pas des yeux l'horizon tandis que ses longs doigts tâtonnaient paresseusement à leur recherche.

— A propos, évitez pour le moment les cottages situés près de notre maison, si vous voulez bien. Nous logeons une visiteuse dans celui du bout. Ma mère la traite de vache, mais cette femme semble très observatrice.

— Ah, votre jolie sœur.

— Laissez-la tranquille, elle est à moi, fit brutalement Edward.

— Je n'en ai jamais douté. Ah, l'amour d'une sœur. Pourquoi en avoir honte ?

« Nous sommes d'une seule et même origine,
Unis par la nature, le sang et la raison,
Une seule âme, une même chair,
Un amour unique, un en tout. »

L'homme se tut.

— De qui est-ce ? demanda doucement Edward. Ça me plaît.

107

— *Dommage qu'elle soit une putain.*

Edward serra les poings.

— Tiré d'une pièce de John Ford. Rien de personnel.

Edward se détendit.

— Tenez, dit-il avec rudesse, et soyez reconnaissant envers l'amour d'une sœur. Elle a préparé ces sandwiches pour moi. Elle le fait tous les jours. Dommage que vous ne sachiez pas pêcher. J'aurais pu vous donner une canne.

L'homme prit les sandwiches sans un remerciement et les mangea avec la voracité d'un chien affamé, avalant plutôt que mâchant. Il avait les dents noires. Le silence n'était ponctué que par le bruit de ses mâchoires, le bruissement des arbres derrière eux et des cris lointains de baigneurs. Edward imagina l'homme mangeant de la charogne, broyant les os... Il frissonna.

— La nourriture, dit l'homme, m'inspire une totale indifférence. Manger a quelque chose de vulgaire que je déteste. Mais savoir pêcher pourrait en effet m'être utile. Savez-vous pêcher ?

— Pas très bien. Je sors la nuit pour apprendre, dit Edward, penaud. Quand personne ne peut me voir. Mon père pêchait. Il disait que cela faisait de vous un homme.

Le silence s'étira de nouveau, insupportable.

— Dans quelles circonstances ai-je fait votre connaissance, déjà ? demanda Edward dans le seul but de rompre ce silence. Vous avez égayé mon été.

— Rêves, dit l'homme. Nous sommes tous empêtrés dans des rêves.

Dans sa bouche, le mot paraissait obscène.

— Ah oui ?

— Vous savez très bien dans quelles circonstances vous m'avez rencontré : vous m'avez surpris dans l'un de vos cottages. Cela a paru vous amuser. Vous m'avez dit que vous ne me dénonceriez pas, que vous me montreriez même un autre endroit vide où rester, à la condition que j'y mette un peu le feu, juste assez pour qu'il soit impossible à louer. Ce n'était pas beaucoup demander à un homme en vacances.

— Nous avons continué de nous voir, murmura Edward.

— Les rêves nous rapprochent. Vous, vous rêvez de changer le paysage. Pour cela, il faut que votre frère et votre mère disparaissent... à jamais.

Edward n'aurait jamais présenté la chose aussi crûment. Il ressentit un picotement à la nuque.

— Et vous ?

— Moi, je rêve de prouver la vilenie et l'adultère. Je rêve de vengeance et d'honneur réparé. « Mort, tu es l'hôte que j'ai longuement attendue ; laisse-moi t'embrasser, toi et tes blessures. »

Edward se remit debout. La tête lui tournait. Assez. Il en avait assez.

— Ne me dites pas quels sont mes rêves. Je vous reverrai ici, même heure, demain ou dimanche.

L'homme hocha la tête, la brise écarta les longs cheveux blancs de son visage autrefois si beau : ses yeux étaient toujours rivés sur la mer.

Sarah Fortune avait rempli sa valise en prévoyant toutes les occasions sauf la vie à la campagne, dont elle ignorait tout ; aussi avait-elle une tenue noire dans ses affaires. Une chemise de soie aux manches évasées et légèrement épaulée, qu'elle portait souvent, de façon décontractée et élégante, sur des caleçons noirs, et que complétaient une ceinture couleur cerise et de discrets bijoux : un collier en argent massif et des boucles d'oreilles assorties. La gamine paraissait dix ans de plus, ainsi transformée en chatte noire et racée, et sa confiance en elle décuplée.

— La chemise a besoin d'être repassée. Est-ce qu'il y a un fer, ici ?

— Dans ce placard. Oh, Sarah ! Cette chemise est vraiment divine !

Une avocate habillant une cliente pour une nuit en ville. La vie à la campagne vous réservait d'innocentes surprises, pensa Sarah. Pendant qu'elle fouillait dans sa valise, elle en apprenait pas mal sur la famille Pardoe, vu que Joanna parlait sans cesse. Le père avait été un aimable tyran qu'ils avaient tous beaucoup pleuré. Julian, lui, était l'âme damnée du lot. Mère, la pauvre, n'avait jamais pu faire ce qu'elle voulait du temps où le père était en vie. Edward était merveilleux, mais malheureusement incompris. Quant à Joanna, elle n'avait qu'un but dans sa vie, ou plutôt trois ; dans l'ordre : apprendre à cuisiner correctement, se marier, avoir beaucoup d'enfants.

Sarah avait reconnu que le féminisme était surfait, qu'effectivement une carrière n'était pas toujours le plus sûr chemin d'atteindre le bonheur et que, oui, une vie de famille était une ambition parfaitement louable si on se sentait faite pour ça. Elle sut ensuite tout de Rick, combien ce garçon était formidable, mais aussi qu'il avait cessé d'aimer Joanna après que Julian lui eut interdit de la fréquenter.

— Enfin, ajouta Joanna en enfilant la chemise fraîchement repassée, une merveille qui devait avoir coûté une fortune, ça vaut mieux que de se faire jeter parce qu'on est trop grosse. Mon Dieu, vous avez vu l'heure ?

— Grosse ? Qui est grosse ? demanda Sarah.

Elle avait apporté le miroir de la chambre. Joanna exécuta une pirouette, admira son reflet en cachant son ravissement sous des gloussements, certaine de faire une apparition époustouflante chez son amie.

— Qu'avez-vous fait à mes cheveux ? demanda-t-elle d'une voix admirative.

110

Sarah les avait savamment torsadés au-dessus de la tête, et ils retomberaient, ce soir, en mèches légères et gracieuses.

— Dites-moi, vous êtes sûre que je peux porter ça ?

— Vous pouvez même vomir dessus. Je ne l'aurais pas repassée, sinon. Amusez-vous bien. Vous êtes magnifique. Je me damnerais pour avoir vos cheveux, ajouta Sarah avec envie.

— Mais les vôtres sont tellement beaux.

— Non, pas toujours.

A l'étage, Mme Pardoe faisait le guet à sa fenêtre, comme souvent en fin d'après-midi, au cas où la camionnette du glacier arriverait, ce qui ne se produisait pas tous les jours mais assez souvent pour récompenser sa patience.

Elle vit sa fille revenir du cottage où elle l'avait vue se rendre un peu plus tôt en compagnie de la vieille vache. Joanna marchait comme une princesse moderne, le port de tête altier, le visage rosi et les yeux remplis d'espoir. Mme Pardoe se rassit et poussa un soupir de profonde satisfaction.

Ernest Matthewson était un vieil ami, à qui l'on pouvait faire confiance. Il avait toujours de si bonnes idées.

L'évocation d'Ernest réveilla en elle des envies de crème glacée, de gâteau au chocolat, de steak et de champagne. Et le souvenir de toutes ces années où on l'avait appelée Mouse.

5

Malcolm Cook dînait tous les quinze jours avec son beau-père et sa mère, un moment assez pénible, sauf quand Sarah venait aussi. On n'y pardonnait pas les absences ; la cuisine était recherchée, car il ne fallait jamais longtemps à la grassouillette Mme Matthewson pour se remettre d'une période d'austérité diététique. Pour son plus grand plaisir, Ernest n'avait plus droit aux yaourts maigres, et ce dans l'intérêt de Malcolm, dont la minceur chagrinait sa maman. Tandis qu'elle enrichissait en secret la soupe de crème fraîche, elle servait ostensiblement du pain de régime. Si son mari mangeait de bon appétit, Malcolm, lui, ne se laissait pas abuser : il s'extasiait sur chaque plat mais n'ingurgitait que le nombre de calories dont il avait besoin.

— Je te ressers, Malcolm chéri ? Une autre pomme de terre ?

Jusqu'ici, tout se passait bien, un dîner du vendredi sans histoires, à condition de ne pas laisser seuls trop longtemps le père et le fils. Ils passèrent ensuite au salon pour prendre le café, enfoncés dans les ramages et les plumages qui recouvraient les fauteuils profonds, se comportant comme si de rien n'était, jusqu'à ce que le téléphone sonne dans le couloir et que Mme Matthewson juge qu'elle pouvait sans danger laisser les deux hommes en tête à tête.

— Père, dit Malcolm, sitôt sa mère sortie de la pièce, pourquoi as-tu éloigné Sarah ?

— Mais je n'ai rien fait de tel, répondit Ernest, feignant l'indignation. C'est elle qui l'a voulu. Elle n'avait qu'une hâte, partir. Elle voulait voir la mer, se fichait pas mal de l'endroit. Elle parle toujours de vivre à la campagne, près de la mer. Bonne occasion de voir comment c'est. Rien à voir avec toi.

Malcolm ouvrit la boîte à cigares posée sur la table basse décorée d'oiseaux, comme le reste de la pièce. Il choisit un des meilleurs havanes de son père, le glissa dans sa poche de sa chemise, puis, sortant son paquet de cigarettes, en alluma une. Ernest grimaça ; non seulement il méprisait les cigarettes, mais ces subtils gestes d'insolence l'irritaient profondément.

— Tu dois penser que ma stupidité n'a pas de limites, poursuivit Malcolm du ton lisse mais autoritaire de l'avocat qu'il était, mais elle a parfois des éclairs d'intelligence. Tu avais peut-être raison au sujet de Sarah et moi, mais avais-tu besoin d'être aussi cruel avec elle ?

— Cruel ? Que veux-tu dire ? D'accord, j'ai pensé qu'il était temps pour vous deux de prendre le temps de réfléchir, et l'occasion s'est présentée. J'avoue que je n'ai pas très bien réalisé où je l'envoyais. Elle m'a dit que ça n'avait pas d'importance. Elle avait soi-disant quelque chose à faire dans ce coin d'Angleterre. Quelqu'un à voir.

— Tu savais très bien où tu l'envoyais. Tu as été l'ami de la famille Pardoe. Tu l'as envoyée démêler des problèmes de partages familiaux que n'importe qui aurait pu régler — et sans doute mieux — en quelques heures, à l'endroit même où la femme de Charles Tysall s'est suicidée et où lui-même l'a imitée, un an plus tard.

Malcolm s'efforçait de parler d'une voix calme, sachant

qu'Ernest s'alarmait facilement et qu'il était alors moins réceptif.

— Qu'est-il advenu de l'empire Tysall, père ?

Ernest émit un grognement de dégoût.

— Il faudra des années pour régler ses affaires. Mais depuis quand t'intéresses-tu à ces choses ? Ce que tu aimes, c'est poursuivre les criminels...

— Mais qu'était-il d'autre ? Un modèle de probité ? Bonne famille et études à Eton, certes, mais Charles a fondé sa fortune sur des idées volées, il a mené des gens à la ruine, il brutalisait sa femme...

— Il n'y a aucune preuve sur ce point, marmonna Ernest. Il m'a confié certaines choses, mais était-ce bien la vérité ? Et puis on ne parle pas comme ça des morts.

Le chat persan sauta de son coussin alors que Malcolm se penchait vers son père. Ernest émettait un léger sifflement de somnolence postprandiale, probablement feinte. Malcolm, toujours honteux de sa violence, qu'il tentait de juguler en courant dix kilomètres par semaine, était bien trop humain pour frapper quelqu'un à demi inconscient, mais la tentation était bien là. Si seulement le vieil homme était moins machiavélique ; si seulement ils s'étaient parlé davantage ; si seulement ils s'étaient entretenus de ce qui était arrivé à Sarah, juste avant que Malcolm ne fasse irruption chez elle. Si seulement la mère et le fils, pour ménager la santé du père, n'avaient pas caché à celui-ci ce qui s'était réellement passé, si seulement il n'était pas trop tard, maintenant...

— Je pense à Sarah, pas à tes foutus clients, murmura Malcolm. Parce qu'elle m'a appris à aimer. C'est ce qu'elle a fait, p'pa. C'est ce qu'elle fait toujours. Je ne parle pas de sexe, mais d'amour.

Ernest tressaillit, comme au sortir d'un rêve, et se frotta le ventre.

— Saleté de tarte, grogna-t-il.

114

— Qu'est-ce que tu dis ? Je parlais de Sarah.

— Moi aussi, mais je voulais dire que je n'aurais pas dû manger de tarte. Elle m'est restée sur l'estomac.

Se massant toujours la panse, il regarda son fils d'un air suppliant.

— N'as-tu jamais pensé que ta loyauté envers tes clients était ridicule ? dit Malcolm. Tu appliques toujours le code à la lettre. Je pensais qu'avec l'âge tu te guérirais de cette tare. Si tu apprenais, par exemple, que Charles Tysall est toujours en vie, me le dirais-tu ?

— Non, répondit Ernest. Il est mort, mais serait-il vivant, je ne te le dirais pas. Pas envie que tu fasses ce que tu essayais de faire avant qu'il ne disparaisse. Le poursuivre pour fraude, alors qu'il n'a rien fait d'autre qu'exploiter les idées des autres. Ce qui est une pratique courante dans le monde capitaliste. Je me dois de protéger mes clients. Même ceux qui ne sont plus.

De nouveau, cette terrible tentation de frapper obligea Malcolm à enfoncer ses mains dans ses poches et à les y garder. L'ample silhouette de sa mère se tenait, figée, dans l'embrasure de la porte. Mme Matthewson semblait soudain très triste. Après tout le mal qu'elle et Sarah s'étaient donné, le père et le fils adoptif étaient de nouveau à couteaux tirés, avec amour, ce dispensateur d'illusions.

— Vous voyez, j'adore ça ! cria Rick par-dessus le boucan. C'est tout ce que je sais faire mais j'aime ça. C'est plus fort que moi.

— Je peux essayer ?

— Sûr. Dommage que Stonewall soit pas là. C'est un crack. Quel jeu vous choisissez ? Tenez, essayez celui-là, il est extra.

Ce n'était pas le choix qui perturbait Sarah, mais le

vacarme. Un mélange apocalyptique de tonnerre, de bip-bip, d'explosions, d'armes automatiques, de voix synthé-tiques donnant des ordres, de grondements, de déluge de pièces de monnaie. Dans un coin de la grande salle, séparée par l'âge, la génération précédente jouait au bingo ; rangées de visages sérieux, appliqués, les femmes avec leurs sacs à main sur les genoux, écoutant avec la gravité d'une assemblée de fidèles le meneur de jeu beuglant dans son micro : «Nombre onze, monte au ciel... le cinq fait un plongeon... va tout seul, le un... » Sur des étagères, au-dessus des joueurs, s'étalait la camelote pour laquelle ils se concentraient, comme si leurs vies allaient se trouver changées par un ours en peluche verte, une poupée rose, un squelette en plastique, un puzzle pour arriérés, une lampe en faux bronze, un horrible vase en porcelaine, un chat en terre cuite avec des billes de verre en guise d'yeux, aucun de ces prix n'atteignant le montant de la participation pour un jeu, ou ne pouvant jus-tifier le désir de possession qu'ils suscitaient.

Sarah prit place sur un siège aussi confortable qu'une selle de vélo de course, inséra une pièce de cinquante pence et vit apparaître sur l'écran devant elle un homme masqué courant dans un décor de rue. Des fenêtres s'ouvraient à son passage, et l'ennemi lui lançait des gre-nades, surgissant aux portes et aux fenêtres dans le seul but de l'éliminer. Pressant un bouton et maniant un levier, elle devait neutraliser les tueurs avant qu'ils n'aient raison de son héros. Elle échoua lamentablement : l'homme au masque mourut au bout de quelques secondes dans une formidable explosion, plus bruyante que le reste. Game over, afficha l'écran.

— Vous savez ce que vous êtes ? lui cria Rick à l'oreille. Un cas désespéré ! Une autre partie ?

A la gauche de Sarah, un garçon maniait les commandes d'un jeu similaire avec la dextérité d'un robot, les yeux minéralisés par les monstres verts qui inondaient ses cheveux de la même couleur, l'écran émettant le crépitement d'une mitraillette que ponctuaient les cris électroniques des victimes.

— Non merci. Où allez-vous pour respirer un peu ?

— Pourquoi ?

— C'est tout ce que vous avez à me montrer ?

— Pourquoi ? Ce n'est pas assez ?

Il aimait le bruit, mais il comprit le message et l'emmena à l'arrière de la galerie où il fallait tout de même élever la voix pour se faire entendre. Sarah était momentanément aveugle et sourde. Il y avait deux pièces dans le fond, toutes deux baignées d'une lumière glauque. Dans la première se trouvaient une table, quelques chaises, un évier surmonté d'un petit miroir, un réchaud supportant une bouilloire, et des cartons ; la seconde, plus grande, était encombrée de machines identiques à celles de la salle, à cette différence près qu'elles étaient éteintes, rangées les unes contre les autres. Il s'en dégageait une étrange impression de mort ; un cimetière électronique.

— Elles ont fait leur temps, dit Rick. J'aime pas trop les voir. Il y en a des cassées, mais la plupart sont passées de mode. Les modèles changent tout le temps. Une fois que les gosses les maîtrisent, ils veulent autre chose. Non, j'aime pas trop venir ici, ça me file le cafard. Et là, dit-il en ouvrant une porte dans le mur du fond, c'est la cour.

Dehors, le jour jetait ses dernières lueurs et c'était presque un choc après l'éblouissement des écrans. Dans cette lumière douce, Rick semblait épuisé. La crudité des néons de la galerie avait effacé les marques de coups. Ici, elles faisaient des ombres sur son beau visage. Un garçon attirant, de dix ans son cadet. Il aurait dû avoir la peau lisse de l'enfant qu'il était encore. Le monde aurait dû lui appartenir ; il aurait dû être plein de rêves.

Après une heure passée dans un pub appelé le Globe, il lui avait proposé de lui montrer la galerie — ou était-ce elle qui le lui avait demandé ? Il ne s'en souvenait pas, de même qu'il avait oublié avoir regretté cette invitation à boire un verre, faite dans la douleur du petit matin, pendant qu'elle balayait à sa place ; il savait seulement qu'il était content d'être avec elle, espérant vaguement que tous ceux qu'il connaissait, à l'exception de Jo, les verraient ensemble. Et cela n'avait pas raté. Demain, les bavardages iraient bon train, tout comme les explications à ce bon vieux Stonewall. C'est alors que, levant les yeux vers le ciel et les étoiles, là, debout dans l'arrière-cour de la galerie, il se sentit soudain triste, abandonné, seul, désireux de s'épancher, de dire des choses qu'il n'avait jamais dites à personne. Il avait sommeil aussi, levé depuis l'aurore, et mal aux côtes. Ce devait être la bière, le silence auquel il n'était pas habitué, son parfum. Il se laissa glisser le long du mur et s'assit. Elle s'accroupit à côté de lui.

— J'suis désolé, dit-il. Rude journée.

— Vous êtes tout pâle.

Ce fut presque à son insu qu'il lui prit la main. J'dois être soûl, pensa-t-il.

— Vous êtes drôlement chouette, vous savez ? Vous avez accepté de boire un verre avec moi et vous m'avez dit que vous aimeriez bien faire un tour sur la plage, mais regardez-moi, j'suis une épave.

— Une belle épave. Vous ne manquez pas d'admiratrices.

Il se releva avec effort.

— Bonne raison pour passer par-derrière. Tout ce qu'il me faut, c'est une tasse de café. J'habite au coin de la rue. Bonne nuit. Désolé.

— Moi aussi, j'aime le café.

Il ressentait une certaine honte à passer de cette façon par-derrière, à remonter la ruelle jusqu'à Swamp Cottage et à la faire entrer chez lui, dans ce trou miteux quoique propre ; nettoyer, il savait faire, il n'était même bon à rien d'autre. C'était renversant de la voir ainsi prendre la direction des opérations sans en avoir l'air, faire des sandwiches au fromage sans demander où se trouvaient les choses. Incroyable. A croire qu'elle était venue ici des dizaines de fois ; c'était comme d'être avec Stonewall, sauf que cela n'avait rien à voir. Il fallait qu'il mange quelque chose, car il n'avait rien avalé depuis la veille. Toute une journée à renifler les hamburgers aux oignons et les crèmes glacées, et on en oubliait de se nourrir, lui expliqua-t-il. Il avait le sentiment de voir cette pièce pour la première fois, le canapé perdant sa bourre et le reste, n'empêche qu'il en était fier. Il aima sa façon de manger, ses doigts fins autour du sandwich, sa bouche gourmande, et ressentait toujours l'envie de lui raconter sa vie. Il n'était pas une bonne affaire, pas vrai ? Elle avait voulu voir la mer, parler des Pardoe, et lui n'avait rien trouvé de mieux à faire que de se raconter. Et de raconter Jo. Bizarrement, il ne lui avait pas semblé commettre une trahison. Il avait aimé, quand elle lui avait dit qu'elle avait habillé Jo, qui sortait avec des copines. Pas avec un autre type.

— Pourquoi Edward m'a interdit de la revoir ? demanda-t-il.

— Edward ? Vous avez dit à Jo que c'était Julian.

Voilà ce que c'était de parler avec une femme qui écoutait : elle suivait le fil, même si les explications étaient embrouillées.

— Non, j'ai dit à Jo que son frère m'avait ordonné de laisser tomber. Je parlais d'Edward, bien sûr. Julian est un type bien. Il ferait pas un truc pareil. Il vous menacerait même pas si le loyer n'est pas payé. Son père non plus aurait jamais fait ça. Edward m'a dit d'aller me faire voir ailleurs, sinon il m'expulserait d'ici. J'aime Jo, vous comprenez. On se connaît depuis qu'on est gosses. Je pense qu'à elle, mais à quoi bon ? J'suis pas de taille pour une jeune fille comme elle, pas vrai ? Même si je l'aime. Même si je la veux tellement que j'arrête jamais de penser à elle.

— Pourquoi ?

C'était le seul point sur lequel elle butait. Elle aurait dû saisir, pourtant. Elle avait entendu le récit de sa vie, la galerie, ses rêves, tout sauf le plus important. Elle avait été parfaite, faisant sacrément remonter sa cote dans le village, y compris aux yeux de son père, assis dans le coin du bar, bouche bée — bien fait pour lui —, et malgré ça elle ne savait pas l'essentiel. Comment deviner qu'il était encore puceau à son âge, un vrai cas, incapable de rien faire d'autre que de peloter une fille, tellement il avait peur de ne pas être à la hauteur.

— Pourquoi ne seriez-vous pas de taille pour Jo ? lui demanda gentiment Sarah.

— Parce que j'ai reçu trop de coups de mon père ! hurla-t-il, comme s'il s'agissait de couvrir l'explosion de décibels de mille écrans de jeux vidéo. Il s'est chargé de m'estropier, le salaud !

Il tenait de nouveau sa main, ne savait pas pourquoi ; il ne lui semblait pas qu'il s'était écoulé beaucoup de temps entre le moment où ils s'étaient assis contre le mur, dans l'arrière-cour, et l'instant où ils s'étaient retrouvés ici, chez lui, se tenant toujours la main. Il pouvait respirer son odeur, en avait envie. Fromage, pain grillé, parfum. Longues manches d'un tissu soyeux qu'il aimait toucher. Et voilà qu'il pleurait, maintenant. Tout comme Stonewall avait pleuré à la plage, l'après-midi où il avait retrouvé le collier de son chien rapporté par la marée, comme s'il avait eu besoin d'une confirmation que le pauvre bâtard était mort.

Les mains toujours jointes, tous les deux assis sur son canapé, en accord avec ce désespoir et cette honte vieille comme le monde. Elle faisant autre chose, parlant peu, frôlant son menton avec le sien, pas de doute qu'elle pouvait voir au fond de ses yeux et rire à en mourir. Sauf qu'elle ne riait pas. Elle souriait et faisait autre chose. Tiens, elle avait perdu sa chemise. Il y avait de jolies petites marques sur ses bras et ses épaules, comme de mystérieux signes tatoués.

— Ce ne sont pas des coups de pied, disait sa voix lointaine, qui risquent d'estropier un colosse comme vous.

Il pensa à ce grand type que Stonewall et lui avaient découvert, monté comme un âne, la peau toute blanche, aussi mort que ses attributs. Ça l'avait beaucoup marqué, cette rencontre avec la mort, plus que ne l'avaient fait les coups de botte du père, des coups que ce salopard n'oserait plus jamais donner ni même esquisser.

Il se demanderait plus tard comment il avait pu oublier sa peur et perdre son pucelage sur un canapé de troisième main dont la bourre bourgeonnait par tous les trous, et aurait bien aimé se rappeler jusqu'au plus petit détail.

Quand il se réveilla, Rick s'admira d'avoir fait ce qu'il venait de faire pour la première fois, à vingt et un ans : l'amour avec une femme, lentement, magnifiquement. Une femme qui l'avait quitté la couverture remontée jusqu'au menton, les pieds déchaussés, la tête sur les épaules, lui laissant une volute de parfum et un sentiment de fierté qu'il ne devait à personne d'autre que lui.

Edward s'allongea à la nuit tombée et s'endormit. Il aurait pu aller pêcher. Il n'en fit rien. Pêcher pour prouver qu'il était capable de faire quelque chose, pour contenter feu son père ou encore pour affirmer son pouvoir sur les poissons, il n'en savait trop rien. C'était comme une drogue. Le vieux couvre-lit de soie était tout chiffonné, la place à côté de lui, dans le lit, vide et froide. Depuis que Joanna, enfant, était grimpée chaque matin dans son lit pour le réveiller avec des chatouilles innocentes — une pratique qu'elle avait interrompue d'elle-même depuis longtemps —, Edward se réveillait toujours dans l'attente de la trouver près de lui. Elle s'était glissée dans ses draps à un âge critique pour un garçon qui faisait l'objet de moqueries à l'école, que ses hormones tourmentaient et dont la paresse lui valait force réprimandes à la maison. Mais voilà, il avait laissé sa jeune sœur se graver dans son esprit et dans sa peau comme la seule fille désirable au monde, aimant à se répéter, tout en se masturbant, la scène où il déflorait Jo gémissante de plaisir et de passion. Il s'imaginait tous deux, elle blonde et pulpeuse, lui brun et mince, faisant l'amour dans le sable des dunes, se chevauchant l'un l'autre, puis courant nus sur leur plage privée. Le résultat ne variait guère : il se levait avec précaution, et changeait les draps.

Il faisait nuit. La maison de poupée était recouverte de son tissu. Edward se tenait maintenant devant son chevalet. Sur le papier moiré tendu sur un cadre, la lampe éclairait une partie de carte d'état-major reproduite à une échelle plus grande. Il avait remplacé le tracé des chemins et les symboles cartographiques par des dessins figuratifs. Une forêt d'arbres verts minuscules illustrait maintenant la zone boisée le long de la côte ; des buissons portant des fruits bordaient les sentiers. Sa version présentait d'autres innovations : l'église brillait d'une blancheur toute méditerranéenne, les champs de maïs revêtaient des couleurs éclatantes et les jardins avaient des allures de palmeraies. Le cimetière était plus proche de la mer et des personnages très colorés, telle sa mère, y dansaient ou y creusaient leur propre tombe. Des maisons de style victorien aux proportions parfaites remplaçaient les cottages construits à la va comme je te pousse et disparates. Tout cela donnait à Edward un sentiment de pouvoir. Le village et la côte devenaient, sous l'autorité de son pinceau, un lieu où l'élégance le disputait à l'exotisme, un lieu inaccessible... inaccessible comme le poisson qu'il ne parvenait jamais à ferrer et à remonter, en dépit de son matériel coûteux. Inaccessible comme Jo.

Peut-être entrait-il de la paresse dans son obstination à ne pas voir Jo grandir. A ne voir que la petite sœur emplie de dévotion. Des sandwiches tous les jours, qu'il en ait besoin ou pas, une bouillotte chaque soir dans son lit, ses chemises repassées, ses pinceaux nettoyés ; même ses paquets d'appâts, à l'office, elle gardait l'œil dessus ; une enfant quêtant toujours l'approbation du frère adulé. Mais ça, c'était l'autre Joanna, celle qui lui laissait choisir ces tenues infantiles dans lesquelles elle lui plaisait tant, pas celle qui paradait ce soir, hermétique à toute critique, et s'imaginant qu'elle allait clouer de stupéfaction les invités sitôt qu'elle apparaîtrait. Et dans les vêtements de qui ? Sur les conseils de qui ? Sarah Fortune. Celle qu'ils avaient engagée, que Joanna avait d'abord qualifiée de vache, jouait à la tendre complice, initiait sa sœur à l'art de la séduction. Et cela en un seul après-midi destructeur.

Edward avait abandonné toute idée de pêche. Il avait jeté un regard meurtrier à sa mère qui gloussait de joie en disant au revoir à Jo, et sachant très bien que ce mauvais fils était capable de la frapper, Mère s'était réfugiée dans sa chambre. Il en avait fait autant, et il broyait du noir depuis un bon moment quand la faim commença à le tenailler.

Joanna, la sienne, n'avait pas pu partir sans lui laisser de quoi manger. A lui et lui seulement. Pas à Julian.

Ils se cognèrent sur le seuil de la cuisine, alors qu'ils cherchaient à tâtons l'interrupteur, et s'écartèrent aussitôt l'un de l'autre.

— Pardon, Julian, je ne savais pas que tu étais là.

— Excuse-moi, Ed.

Tous deux avaient faim, mais nulle envie d'une compagnie qu'ils s'efforçaient le plus souvent d'éviter, hormis au petit déjeuner et au dîner, ainsi qu'aux en-cas tardifs les soirs où leur sœur s'était livrée à des essais culinaires malheureux. A cause de leurs razzias nocturnes, Joanna se plaignait de ne jamais savoir ce qu'il y avait en réserve.

Julian regardait le journal sur le sol de l'office. Les appâts d'Edward, à la place d'honneur bien sûr, vu qu'ils appartenaient à Edward ; les hameçons dans les tiroirs de la table de la cuisine, des moulinets et du fil de pêche un peu partout dans la maison. Julian imaginait les vers roulés dans le journal. Vers de sable, de roche, de vase : ils pouvaient vivre quelques jours dans leur prison de papier, mais Edward, régulièrement approvisionné, les laissait mourir là. Julian n'entrait jamais dans l'office sans se demander comment tant d'hommes civilisés de sa connaissance pouvaient empaler un ver sur un hameçon pour pêcher des poissons qu'ils auraient pu tout simplement acheter.

— J'aimerais que tu ne gardes pas ces machins ici, Ed, dit-il, s'efforçant de masquer son irritation.

— Ils ne peuvent pas s'échapper, tu sais. Mais je les mettrai ailleurs, si tu veux.

Edward se montrait conciliant, presque jovial.

— Un verre, patron ?

— Oui, répondit Julian.

124

Il fut lui-même surpris d'accepter cette proposition, mais il avait soudain envie de ce verre de médiocre whisky que lui tendait Edward. Julian se tenait à distance de l'alcool ; il en avait assez souffert comme ça dans le passé ; boire ne guérissait pas les maux et transformait les insomnies en cauchemars.

— Où est Jo ? Et M'man ? demanda-t-il, non parce qu'il voulait le savoir mais simplement pour dire quelque chose.

— M'man est au pays de rêves. Jo est sortie il y a peu de temps. Je l'ai aperçue en arrivant, et je voulais justement te parler d'elle. Et de cette avocate, dit Edward, crachant littéralement le dernier mot.

— Oh.

Julian était sur la défensive, habitué à se méfier de tout ce que pouvait dire Edward, surtout quand il était sérieux. Oh, il pouvait toujours lui accorder une centième chance, mais depuis qu'il était tout petit, Edward n'avait jamais cessé de mentir et de tromper son monde, un comportement que Jo n'avait jamais voulu reconnaître en dépit des évidences. Sois juste, se sermonna-t-il. Mère avait toujours gâté le cadet, au contraire de leur père qui l'avait pris en grippe dès que le gosse avait pu marcher. Il pouvait résister à une nouvelle tentative d'Edward pour le posséder, mais il ne voulait pas rater une occasion de parler de Mlle Fortune, même de façon indirecte. Cette créature perturbante qu'il avait aperçue quelques instants plus tôt, alors qu'il passait devant la galerie de jeux, en train de jouer à l'une des machines avec un enthousiasme d'adolescente, en compagnie d'un grand benêt. Cette vision avait ravivé le choc ressenti la veille, quand elle était apparue dans l'entrée. Il l'avait décidément surestimée : la femme était un poids-plume, aussi stupide qu'une vache... La violence de ce jugement silencieux lui fit honte à cause de son injustice, et il se dit qu'une fois de plus, il se cherchait des excuses.

— Tu sais, Julian, disait Edward, je ne l'aime pas, cette femme. Elle est bien trop charmante pour ne pas être d'une mauvaise influence.

— Une mauvaise influence ? Sur qui ? Sur toi ? ricana Julian.

— Non, sur Jo.

Julian attendit des explications, attentif à l'inquiétude apparemment sincère de son frère, pensant : Peut-être que je me trompe à son sujet, je ne dois pas me montrer aussi dur.

— Ecoute, quand je suis rentré à la maison, ce soir, j'ai croisé notre sœur qui sortait, toute contente d'elle, habillée avec des vêtements de l'avocate, tu te rends compte ! Tout en noir, comme une poule de luxe. Ça ressemble si peu à Jo. Ce n'est pas elle, ça. C'est encore une enfant dans sa tête.

Et c'est bien comme ça que tu voudrais la garder, pensa Julian avec une ironie désabusée. Combien de fois avait-il lui-même encouragé Jo à s'habiller comme une jeune femme et non comme une adolescente attardée ? Il chassa ces pensées, sachant qu'elles reviendraient, désireux pour le moment de pencher du côté de son frère, dont la méfiance et la jalousie à l'égard de Mlle Fortune servaient son propre désir de se débarrasser d'elle, tant elle le troublait. Les yeux brillants d'Edward trahissaient une malhonnêteté flagrante, la ruse et la perversité. Julian décida d'ignorer tout cela. Il se passa une main sur le front.

— Excuse-moi, mais la journée a été dure. Je reviens de chez Mlle Gloomer. Elle a été cambriolée, la pauvre. Un salopard d'estivant. Il a emporté un pain et sa canne. Pathétique. Elle soutient que c'était le fantôme mais, à mon avis, elle ne fait que colporter la rumeur. Un homme aux longs cheveux blancs. Incapable de bouger, elle l'a vu s'éloigner. Elle ne voulait pas de calmant, alors je lui ai prescrit un verre de sherry, j'ai dû trinquer avec elle et ça m'a donné faim. Bref, tu disais, Sarah Fortune ?

Edward rougissait légèrement ; il déglutit et, n'hésitant jamais longtemps, lâcha :

— Puisqu'on a besoin d'un avocat, on devrait prendre quelqu'un d'autre. Cette femme-là... chamboule tout. Elle est impertinente, trop familière. Elle rend Mère hystérique et tourne la tête à Jo.

Ils se regardèrent l'un l'autre dans un moment de rare complicité. Julian hocha la tête.

— Je suis d'accord. Je le lui dirai demain.

— Parfait.

— Ed ? appela Julian, alors qu'Edward se dirigeait vers la porte. Parle-moi plus souvent, veux-tu ? Je sais que les choses n'ont pas toujours été faciles pour toi, et je le regrette. Mais ça n'a pas été une année facile non plus.

— Non, dit Edward, horriblement surpris et touché. Non, pas facile du tout.

Le fantôme à la chevelure blanche et au visage bien trop humain n'alla pas plus loin que le jardin avoisinant l'extrémité de la pelouse devant le cottage de Mlle Gloomer. Cela lui permit de voir le médecin entrer et, en attendant qu'il ressorte, de s'asseoir sur la terre encore chaude et d'enfourner dans sa bouche les tranches de pain, pétries en boules, qu'il avalait sans presque mâcher. Il se serait damné pour qu'un dentiste s'occupe de ses molaires. Il pensa qu'il était peut-être dangereux de rester là où il était, qu'il y avait d'autres choses à faire et que le cabanon qu'il avait choisi pour la nuit était à une bonne heure de marche. De toute l'année, il n'avait ni conduit de voiture, ni pris un seul repas décent, ni mis les pieds dans un magasin, ni regardé personne dans les yeux. Son ver personnel le rongeait, le maintenant en vie alors qu'il se consumait.

Une année avait passé, ou plutôt filé, depuis ce jour où il avait été surpris par la marée. Il s'était laissé flotter dans l'eau froide sous un soleil généreux qui l'avait sauvé, d'abord étonné que sonne l'heure de la mort pour lui, puis se révoltant à cette idée. Il avait rusé avec la mer, s'était laissé dériver sur près de huit kilomètres, gardant ses forces pour nager vers le rivage dès que le courant l'en rapprocherait. Sa nudité l'avait forcé à chercher refuge dans une église à moitié abandonnée où il avait adressé le V de la victoire à Dieu, ivre de fierté d'avoir vaincu l'océan. Il se sentait tout-puissant et libre, intensément vivant, ne faisant qu'un avec l'immensité sauvage de la côte, s'y promenant comme un roi dans son royaume.

Le journal, acheté avec de l'argent volé, puisque voler était toujours facile, lui apprit qu'il était mort. Cela l'amusa qu'un étranger fût apparemment décédé à sa place, et accrut son sentiment de pouvoir faire tout ce qu'il voulait. C'était un peu comme s'il avait été capable de commanditer la disparition de cet inconnu. Il lui avait soudain paru être une excellente idée de continuer à faire le mort. Il pourrait ainsi accomplir ce qu'il s'était fixé sans être inquiété, puis réapparaître ensuite, tel le phénix renaissant de ses cendres, horrifiant tout le monde. Il avait dit à Edward qu'il était en vacances, mais le temps filait, se perdait dans ce monde de limbes, alors qu'il essayait d'avoir prise sur lui, et il avait continué de tourner autour du village, passant la plus grande partie de l'hiver à dormir. Les journées s'écoulaient comme des minutes. Le printemps le tira de sa torpeur. Il avait été oisif : il avait à faire, maintenant. Les souvenirs s'étaient estompés, tous sauf un.

Qui l'avait enterrée ? Qui l'avait touchée, mise en

128

terre ? Et là, dans la lumière sortant de la porte de Mlle Gloomer, se tenait l'ennemi. Un ennemi aimable, s'adressant affectueusement à l'occupante invisible à l'intérieur de la maison, mais l'ennemi tout de même : il en avait la preuve dans sa poche, une preuve volée la veille dans le cabinet du docteur.

Au bout d'une heure, il se releva avec la soudaineté d'un invité qui prendrait brusquement conscience qu'il se fait tard, se glissa dans la rue, enfila une ruelle et se retrouva dans la cour située derrière la galerie de jeux. La porte était facile à forcer ; il n'y avait rien à dérober dans ces pièces étouffantes, remplies d'appareils hors d'usage. Il ne se sentait pas bien, et rota dans l'obscurité. Il s'imagina pourchassé à travers les dunes, poussé vers la mer qui se refermait sur lui. La meute lâchée à ses trousses était menée par ce garçon dont le chien l'avait suivi, était resté avec lui, avait mangé un peu de sa précieuse nourriture avec la même haïssable voracité que lui-même. Un chien roux ; l'outrage l'avait fait bondir et saisir l'animal par la peau du cou. Il l'avait tenu ainsi, gémissant et tentant de lui lécher la main, le temps de lui ôter son collier qui le gênait pour assurer sa prise et de lui trancher la gorge avec un tesson de bouteille trouvé sur la plage. Quelle idiotie d'exercer ainsi sa force, mais il avait soudain éprouvé le besoin de vérifier s'il lui en restait encore. Comme une femme à la chevelure rousse, échappant à son étreinte et tombant à terre, respirant encore. Il imaginait des pierres tombales tirant sur le rouge, des racines de châtaigniers s'enfonçant sous un corps enseveli, souhaitait être libéré de l'obsession du roux et du rouge mais ne doutait cependant pas d'avoir toute sa raison.

« Chacun tirerait d'elle la même approbation,
Si ce n'est un émoi qui la ferait rougir.
Elle remerciait les hommes, certes.

129

Mais les remerciait... je ne sais... comme
Si elle pouvait comparer mon don,
Mon nom vieux de neuf cents ans,
Avec le don de n'importe qui. »

Sa Porphyria, la dernière duchesse de Browning, elles se confondaient dans sa tête.

L'air était frais et chaud ; Sarah commençait à reconnaître les bruits annonciateurs de la marée, le cliquetis des gréements des bateaux dans les chenaux lointains, la plainte nocturne des mouettes, le fait qu'il n'y avait jamais de silence total, seulement les échos étouffés d'une vie intense. Délaissant sa voiture, elle s'habituait à la marche mais, malgré l'impression d'être là depuis un an et non depuis un jour, elle n'avait vu de la mer que ses incursions tortueuses dans les terres, insuffisantes à combler son désir d'immensité bleue du ciel et de grève sauvage bordée d'un océan à perte de vue.

La côte du Norfolk n'était pourtant que cela sur la carte. Demain, les Pardoe attendraient, s'ils n'avaient pas déjà décidé de se passer de ses services. Ce soir, elle se sentait plutôt euphorique. La mer remontait, elle le sentait. Elle respirait plus librement, elle était pleinement elle-même. Loin derrière elle, un jeune garçon dormait profondément ; fais de beaux rêves, jeune homme, ce n'est que le début.

Elle se sentait en sécurité au cœur de la nuit. Fouettée par le vent soufflant de la mer, Sarah ralentit le pas en approchant du cottage avec ses rosiers flanquant la porte d'entrée. La brebis était là. Toujours prête à l'accueillir, elle vint vers elle et lui cogna doucement la cuisse, tandis que Sarah cherchait à tâtons l'interrupteur. Autre chose qu'elle savait, maintenant : il n'y avait rien de mieux que l'obscurité totale.

La lumière électrique était brutale. Sur le carrelage, dans la cuisine, une quinzaine de gros vers — telle une tête de Méduse — s'étalaient, entrelacés sur une feuille de journal.

On les avait déposés là dans l'intention de la faire hurler, mais leur vue provoqua dans sa gorge une montée de bile qui étouffa son cri et la fit hoqueter. Ce fut la brebis qui la sauva. Hettie, qui l'avait suivie jusque dans la cuisine, lui bloqua toute retraite, renifla la masse gluante avec une totale indifférence et bêla bruyamment. Sarah sentit son cœur battre moins vite. Elle avait chaud, la vie revenait en elle, comme une marée, et elle se rappela le bien-être qui l'avait accompagnée pendant le chemin du retour. Elle n'avait pas fait tout ce parcours pour s'effrayer d'un tas d'asticots. Elle avait désiré connaître la vie à la campagne, eh bien, c'était chose faite.

Détournant les yeux, serrant les dents pour ne pas vomir, elle trouva un seau en plastique et y jeta la feuille de journal en prenant soin de la soulever par les coins. Puis, le seau à la main, elle ressortit et, arrivée au bord du chemin, le jeta avec son contenu aussi loin que possible. Il y eut un bruit mat et un froissement d'herbes. Satisfaite, elle regagna la cuisine, passa de la javel sur le sol et alors, seulement, la colère s'empara d'elle.

Il y avait de la lumière dans la maison des Pardoe. A la porte d'entrée principale et, brillant plus faiblement, à la fenêtre de la cuisine. Elle vit deux voitures, rangées côte à côte. Jo était donc rentrée de sa soirée, rien que de très normal à deux heures du matin. La colère poussa Sarah à traverser l'étendue d'herbe mouillée qui semblait coller à ses jambes nues et ralentir son pas. Plus elle se rapprochait de la fenêtre de la cuisine, plus elle se sentait hésitante et vaguement honteuse.

Les Pardoe n'étaient pas tous couchés. Par la fenêtre, Sarah aperçut Mouse, assise à la grande table. Sans robe du soir ni bouquet de pissenlits ni bijoux, tout simplement vêtue d'une robe de chambre et le nez chaussé de lunettes qui la faisaient ressembler à la reine mère sans chapeau, et avec la même aura de solidité mentale. Elle mangeait un sandwich appétissant qu'elle avait manifestement confectionné elle-même, absorbée dans la lecture du *Guardian*. Il n'y avait plus rien de théâtral, plus aucun signe de folie douce, plus de sourire béat.

Mme Pardoe tourna une page et replia le journal avec cette adresse que donne une longue pratique, avala avec un plaisir simple une gorgée de son verre de vin, se retourna pour placer la lourde bouilloire sur la Rayburn, et se frotta les mains avant de reprendre sa lecture.

En tant que femme, Sarah ne comprenait pas la prudence. En tant qu'avocate, si. Elle regagna son cottage.

6

Joanna était excitée comme une puce. Elle passa derrière Edward, attablé dans la cuisine, sans même s'arrêter pour le baiser matinal.

— Tu es rentrée tard, hier au soir, lui dit-il d'un ton accusateur.

— Ah oui ? Pas vraiment. Comme je suis contente qu'on soit samedi !

— Qu'est-ce qu'il y a de particulier, le samedi ?

— Le ciel se dégage, a dit Caroline, mais c'est parce qu'elle a trouvé un travail. Je devrais peut-être en faire autant. Caroline pense qu'elle pourrait m'en avoir un. Ça chasse les soucis, d'après elle. Je t'ai préparé des sandwiches, au cas où tu irais à la pêche ou te promener. Quant à moi, je vais faire du shopping, aujourd'hui...

— J'espérais que tu viendrais avec moi. Ecoute, je regrette de m'être moqué de ta tenue, hier.

— Ce n'est pas grave, pas grave du tout. Bon, il faut que j'y aille, j'ai beaucoup de choses à faire.

Cette indépendance toute nouvelle, cette fermeté audacieuse, ces paroles lancées d'un ton résolu, cette nervosité sous-jacente, tout cela atteignait Edward comme le souffle d'un vent glacé.

— Ed, disait-elle, qu'est-ce que tu as encore mangé cette nuit ? Il ne reste plus rien.

— Des vers, répondit-il d'un air sombre : il détestait qu'elle l'appelle Ed.

— Grillés ou frits ?

Cette histoire d'asticots le tourmentait. Un soleil généreux entrait par la fenêtre, éclairant d'une lumière différente les événements de la veille. Il regrettait maintenant, comme on regrette quelques verres de trop, d'avoir cédé à ses pulsions de méchanceté en allant déposer les appâts dans la cuisine du cottage. Tout semblait conspirer contre lui, y compris le sommeil, et le seul repère familier ce matin était le paquet d'appâts frais, déposé par le petit Stonewall aux aurores. Edward avait envie de hurler. Il détestait sa mère et son frère aîné, et subissait leur antipathie depuis la première blague enfantine qu'il leur avait jouée, peu différente de celle infligée à leur invitée. Décidément, ses plaisanteries se retournaient toujours contre lui. Et puis, il n'y avait pas que ça : l'homme aux cheveux blancs n'aurait pas dû prendre la canne de Mlle Gloomer ; Jo ne devait pas se mettre à penser d'abord à elle ; Julian n'aurait pas dû poser sa main sur son bras en disant qu'il était désolé. Dans un instant, Mère allait descendre et lui expédierait un baiser de loin, et toute cette haine patiemment tissée depuis si longtemps se déviderait comme une quenouille.

— Tiens, fit Jo posant un sac sur les genoux d'Edward. Rends-moi un service, tu veux ? Rapporte ses vêtements à Sarah, je veux dire Mlle Fortune et ne prends pas cet air ahuri ; dis-lui que je la remercie mille fois et demande-lui si elle dînerait ce soir avec nous, tu veux bien ?

— Julian a dit qu'il n'en était pas question, répliqua-t-il, sévère.

— J'aime beaucoup Sarah et moi aussi, j'habite ici.

Ce que lui demandait Jo n'était pas chose facile. En

traversant la pelouse, il se mit à espérer que Mlle Fortune avait déjà fait ses valises et quitté le cottage, car il se sentait pour le moins désarçonné par cette étrange envie de s'excuser auprès d'elle. Cela ne lui ressemblait pas.

La belle voiture rouge n'était plus là. Il s'approcha, regarda à l'intérieur par la fenêtre, remarqua que le ménage avait été fait. Le petit living semblait différent. Il y avait des fleurs dans l'évier de la cuisine ; un châle avait été jeté sur le divan miteux. Hettie gardait la porte, bêlant bruyamment. Edward lui donna un coup de pied, sentit son pied s'enfoncer dans l'épaisse toison, tandis que l'animal s'écartait d'un bond, rompu à de telles esquives et habitué à la brutalité du garçon. Il jeta le paquet de vêtements au pied de la porte d'entrée, avec l'espoir que cette abrutie de brebis les boufferait.

Il pouvait aller pêcher toute la journée, avec les sandwiches qu'il oubliait si souvent dans sa musette. Irait-il voir l'homme sur la plage ce matin, pour faire avancer le plan qui le débarrasserait de toutes les contraintes que sa famille lui imposait ? Apporterait-il un cadeau au fantôme ? Non, la matinée était trop avancée. Laissons-le attendre. Demain ou après-demain, la salope aurait quitté le cottage et les choses seraient plus claires.

Sarah regardait les pâtisseries dans la vitrine du café de la grand-rue. Petits pains au lait, galettes, scones, énormes sablés au beurre, qui présentaient tous cette légère imperfection des gâteaux faits maison. La serveuse, une fille dodue, servait d'épais sandwiches au pain de mie à une douzaine de consommateurs flanqués de chiens gras comme des saucisses. La vitrine du magasin d'en face, une mercerie, était remplie de pelotes de laine de toutes les couleurs, qui semblaient ironiquement rappeler aux femmes honnêtes la salutaire occupation qui les attendait durant les longs mois d'hiver.

Sarah, dont l'honnêteté répondait à des critères connus d'elle seule, avait rarement confectionné un gâteau. Non, la pâtisserie n'avait jamais fait partie de ses obligations envers aucun des hommes qu'elle avait connus, et cette pensée l'amusa.

— Prends-en un autre, disait une femme à son homme. C'est bon pour toi.

Sarah entra, le cœur léger. Si Julian la virait à cause de son manque de tact, est-ce que ça l'ennuierait ? Oui, elle en serait peinée. Elle avait examiné avec attention la liste des biens de la famille Pardoe. Ils possédaient ce café, deux chalutiers, les murs d'un pub, le salon de coiffure, la galerie de jeux, la moitié des magasins et plus d'une douzaine de maisons d'habitation. A vrai dire, ils possédaient l'âme même du village, pouvaient étrangler ce petit empire de bord de mer, serti comme une pierre semi-précieuse dans cette terre d'un brun grisâtre.

Sarah s'assit et se surprit à rêver d'Ernest mangeant un gâteau garni de vers de sable et à souhaiter qu'il s'étouffe avec ; imagina Malcolm refusant de manger du gâteau, et soudain son amant lui manqua intensivement, chose à laquelle elle avait soigneusement évité de penser jusqu'ici ; maintenant elle se rappelait son absence de préjugés, son côté chien curieux reniflant tout avec un enthousiasme sélectif, mais avec un côté racé, fin et élancé, très différent des autres. La nuit dernière, avant sa deuxième pinte de bière, Rick lui avait parlé de Stonewall et son chien. Et de quelle façon Stonewall gagnait son argent de poche en ramassant des vers pour les pêcheurs. Une information qu'elle s'était réjouie de connaître, un peu plus tard... cela avait atténué les effets de cette mauvaise plaisanterie où elle avait reconnu la main perverse d'Edward.

Le café arriva, léger et insipide, mais servi avec bonne humeur. Détaillant à nouveau l'inventaire des biens, Sarah éprouva une bouffée d'envie en imaginant le dilemme de la famille Pardoe et leur anxieuse attente de richesse. Personne ne devrait hériter de tant de choses pour passer ensuite sa vie à se morfondre. A une époque, Sarah avait considéré la richesse comme une fin en soi, le moyen de changer les choses et de forger un lien avec la liberté. Elle s'adossa au dur dossier de sa chaise et observa les gens se gaver de sandwiches, regrettant de ne pas avoir faim elle-même. Les rêves étaient une nourriture, comme l'argent, que l'on pouvait consommer par procuration en regardant simplement les autres en profiter. Incapable de définir ses propres ambitions, et encore moins de les réaliser, n'ayant pas non plus le désir de posséder des millions ou la tentation de voler, elle pouvait néanmoins conseiller les autres en matière de biens. Comment en faire bon usage, comment en jouir ou encore, si c'était la meilleure solution, comment les dilapider.

Un homme, dans un coin, éclata de rire. Il était vêtu de façon très ordinaire et s'empiffrait de crème glacée en manifestant un contentement bruyant. Il ne respirait pas l'opulence. Les enfants Pardoe auraient dû être plus heureux que lui et considérer le monde comme une délectable gourmandise, au lieu de macérer dans l'apathie, le manque d'amour et l'amertume. Leur argent était un privilège, leur comportement une aberration et, aujourd'hui, les frères allaient tenir conseil et la prier de s'en aller.

Une ombre se profila sur la table, tandis que la serveuse papotait. Rick inclinait sa haute taille vers Sarah. Il avait le visage moins marqué et lui souriait de toutes ses dents.

— Je ne reste pas, dit-il. Je voulais seulement montrer à Stonewall que vous n'êtes pas un fantôme.

— Je n'ai aucun doute à ce sujet, rétorqua-t-elle, son sourire creusant ses joues de deux charmantes fossettes.

— Moi non plus, dit-il en riant franchement. Alors, c'est un fantôme, Stoney ?

— Non, dit le garçon. Mais l'autre non plus.

— Oh, il y en aurait deux ? s'informa Sarah.

Stonewall se tortilla, déchiré entre le silence, un sentiment de perte et le désir de faire ce que suggérait Rick. Il sentait une complicité entre son héros et la jeune femme, et cela ajoutait à son naturel inquiet et à sa difficulté à convaincre Rick de la véracité de ses affirmations.

— Que veux-tu prendre ? demanda-t-elle en désignant la vitrine de gâteaux.

— Une glace ? dit Stonewall.

— Moi aussi, approuva-t-elle joyeusement.

Rick se leva pour aller passer leur commande. Sarah le regarda s'éloigner d'une démarche assurée.

Stonewall regarda Sarah et Sarah regarda Stonewall. Ce doit être une chouette bonne femme, pensait-il avec désespoir ; Rick l'aime beaucoup et, cette femme-là, je l'ai jamais vue avant. Elle, de son côté, trouvait le garçon d'une grande beauté.

— C'est un fantôme, dit Stonewall, quand sa glace arriva dans un grand verre, coiffée de crème Chantilly dans laquelle étaient plantées des gaufrettes, comme les voiles d'un bateau sur une mer blanche d'écume. J'l'ai vu entrer chez Mlle Gloomer.

— Je t'avais pourtant dit de rentrer chez toi et de pas en bouger, fit Rick d'un ton sévère.

Le garçon ignora l'interruption. A quoi pouvait bien servir une fenêtre, sinon à permettre de s'évader ?

— J'lai vu entrer, c'était hier au soir, et j'l'ai vu aussi

138

sur la plage en allant chercher des vers. Ed Pardoe le connaît, ce fantôme.

Rick avait l'air soucieux, à présent.

— Parle-moi de moi, dit Sarah, d'un ton moins dégagé qu'elle n'aurait voulu. De moi, avant que je ne sois la simple mortelle que je suis maintenant. De qui étais-je le fantôme ? Qu'est-ce que je faisais ?

Stonewall déglutit avec un hoquet une grosse cuillerée de Chantilly. Ils l'écoutaient avec une attention qu'il savourait autant que sa glace.

— Vous alliez souvent voir le docteur. Vous étiez mariée. A l'autre fantôme, j'crois bien. Celui qui parle avec Edward Pardoe. Vous vous êtes fait renverser par un bus ou j'sais pas quoi. Vous aviez le visage tout cousu. Un jour, vous êtes partie dans les criques, vous êtes pas revenue. J'vous ai vue, enfin, pas vous, bien sûr, mais l'autre avec des cheveux comme vous.

Stonewall devinait ce que Rick aurait voulu dire : qu'il ne devait pas manger sa glace aussi vite, que ça lui ramollissait la cervelle ; mais la femme l'écoutait intensément, le visage soudain plus pâle, ce qui rendait ses cheveux plus rouges que jamais. Rick, lui, se contentait de grommeler, même s'il semblait toujours incroyablement heureux.

— Pourquoi n'as-tu rien fait, idiot, quand tu as vu le fantôme entrer chez la vieille Gloomer ?

Stonewall baissa la tête.

— Parce que m'man aurait su que j'étais sorti par la fenêtre, crétin.

Sur ce, il but ce qui restait de glace fondue dans la coupe et, la mine satisfaite, s'essuya la bouche d'un revers de main.

Il n'en dirait pas plus. Ou alors, cela mériterait plus qu'une glace. Le désespoir était lisible dans ses yeux. Les autres étaient grands, importants ; lui n'était rien qu'un gosse dont on mettait toujours la parole en doute.

Après leur départ, Sarah se frotta les bras par-dessous les manches amples de son chemisier, cherchant instinctivement les minuscules cicatrices ornant la partie charnue près des épaules. Elles finiront par s'estomper avec le temps, lui avait assuré le chirurgien avec une bonne humeur effrayante ; personne ne les remarquera.

Suffit. Samedi après-midi, temps libre : les familles, les fantômes, les obligations morales et les mauvais souvenirs n'étaient pas de mise. Elle avait envie d'oublier jusqu'à l'espèce humaine, ses malheurs, sa misère et, par-dessus tout, sa présence ; envie que la mer les emporte tous, elle en premier. Envie aussi, tandis qu'elle remontait la rue en maudissant la foule de piétons, de se purifier, de se laver de toutes ses peurs dans l'immensité de l'océan dont elle rêvait depuis si longtemps. Une fois dans la voiture, où la chaleur renforça encore l'impression d'emprisonnement, elle jeta un coup d'œil à la carte d'état-major dont l'avait dotée Ernest et démarra, direction la côte. Elle savait ce qu'elle voulait : un endroit où les autres n'allaient pas. Un désert d'eau, de sable et de vent, où elle panserait ses blessures.

Elle conduisit vite, prenant par d'étroits chemins bordés de reines-des-prés, fréquentés par les observateurs d'oiseaux, jusqu'à ce que, finalement, la terre s'arrête là où le sable commençait. Ici, personne n'avait besoin d'un Coca ou d'une crème glacée.

Deux autres voitures étaient garées sur ce bout de terre ferme. Quatre personnes, assises sur des cannes-sièges, leurs jumelles braquées sur les chenaux et les criques, guettaient l'oiseau rare dans une immobilité si parfaite qu'elles semblaient faire partie du décor. Sarah les ignora tout comme ils l'ignorèrent, ne verrouilla pas la voiture, se contenta de fourrer son sac et ses clés sous le siège avant, et partit en courant vers la mer. Soumis depuis un an à la torture régulière de l'entraînement, son corps était élancé, ferme. Elle s'arrêta à une centaine de mètres des guetteurs indifférents, se débarrassa de tous ses vêtements et les laissa en tas avec ses chaussures par-dessus — la soie rouge de son chemisier étant censée lui servir de point de repère, puis reprit sa course vers la ligne bleue de l'océan. Le sable ondulait comme du reps et se faisait velours sous ses pieds dans le creux des chenaux à sec. Puis, parvenue à une vasque étroite où l'eau stagnante était chaude, elle décida d'abandonner sa course. L'eau était comme de la soie et la brise, un ventilateur silencieux. La baignoire de sable semblait avoir été spécialement moulée pour son corps, et elle s'y allongea en se disant qu'un sybarite millionnaire aurait payé une fortune pour un bonheur pareil. Comme elle s'aspergeait d'eau le ventre et les cuisses, elle sentit avec un petit frisson de dégoût les fines cicatrices sur son abdomen, identiques à celles de ses bras et de son dos, et qui la faisaient penser à des asticots. Elle aurait voulu les poncer au sable jusqu'à ce qu'elles disparaissent mais d'une certaine façon, dans l'eau, elles lui semblaient moins repoussantes et elle cessa de les imaginer se tortillant comme la vermine sur une carcasse, dévorant sa raison et son désir de vivre. Le soleil était hypnotique ; incapable de broyer du noir sous son éclat bienfaisant, elle se détendit comme un chat devant l'âtre et se laissa bercer par la brise et le silence.

Dix, quinze minutes, elle ne savait pas combien de temps elle était restée ainsi, ni ce qui l'avait tirée de sa somnolence, des cris au loin ou la sensation de froid qui la gagnait tout entière. Elle rouvrit les yeux et constata que l'eau avait monté ; elle l'entourait de tous côtés, venait lécher avec avidité ses seins nus, passait par-dessus ses jambes, les soulevait doucement comme pour l'inviter à flotter. Pendant un instant, elle fut tentée de se laisser tirer, de dériver tel un vaisseau sans gouvernail, mais elle se redressa, vit la surface de la vasque se plisser sous la brise et se releva, inquiète, désorientée, encore à moitié dans ses rêves. De là où elle se tenait, elle pouvait mesurer combien la mer avait monté. Le vent soufflait plus fort. Du regard, elle chercha ses vêtements sur la plage, mais ne put voir la tache sanglante du chemisier. Deux minuscules silhouettes, à côté d'une toute petite voiture, battaient des bras, criaient et sautaient frénétiquement, comme si elles encourageaient quelque équipe invisible. Elles lui parurent aussi lointaines que les premières vagues étaient proches.

Sarah se mit à courir. Le retour n'avait rien à voir avec l'insouciance de l'aller, quand elle avait imaginé fouler une poussière d'or sous ses pieds. A présent, les chenaux lui semblaient plus profonds et l'eau s'y engouffrait en force, entravant ses jambes et réveillant en elle une peur primitive. Le premier fut facile à franchir ; le deuxième la fit haleter ; le troisième chenal se dressa devant elle comme un moteur alimenté de haine. Elle ne s'arrêta pas pour essayer d'apercevoir ses vêtements, continua de courir, les bras levés moulinant l'air, l'eau montant parfois jusqu'à sa taille, pour se retirer en menaçant de l'emporter, l'obligeant à s'arc-bouter. Enfin le sable se fit plus ferme ; elle pataugea jusqu'aux genoux dans un courant moins fort, puis jusqu'aux chevilles ; elle foula bientôt un sable encore sec et parcourut en marchant la distance qui la séparait de sa voiture. Le picotement des chardons et des oyas, qui marquaient la limite que ne franchissait pas la haute mer, lui fut comme une caresse. Une femme la regardait venir, des jumelles pendues à son cou, des chaussures de marche aux pieds, et son visage rougi sillonné de larmes.

— Comment peut-on être aussi bête ! hurla-t-elle. Il

142

voulait aller vous chercher, ajouta-t-elle, désignant l'homme qui, appuyé sur sa canne, frissonnait comme une feuille. Je l'aurais pas laissé faire ! Ça fait des heures qu'on vous appelle, mon mari était comme fou, mais vous n'entendiez rien. Ah ! je ne sais pas ce qui me retient de vous...

Puis une expression de soulagement chassa la colère de son visage.

— Ah, petite folle imprudente, vous ne connaissez donc pas les marées ? Vous avez dû avoir une de ces peurs !

Sarah se tenait devant elle, ruisselante, tremblante, humble et honteuse.

— J'aurais dû y penser. Je suis vraiment désolée de vous avoir causé une telle frayeur. Merci. Je me suis assoupie et ce sont vos cris qui m'ont réveillée. Merci mille fois.

Elle tremblait maintenant de tout son corps.

— Et vos vêtements... dit la femme, radoucie. Votre joli chemisier rouge...

Et dire qu'elle les avait crus trop intéressés par leurs oiseaux pour seulement la remarquer.

— Vous avez une chance de les retrouver, dit l'homme, par besoin de dire quelque chose pour se remettre de ses émotions. La mer les rejettera dans le port, ou quelque part sur la plage.

Sarah réprima une terrible envie de rire.

— Je vais remonter dans ma voiture pour me réchauffer.

— Voulez-vous une couverture ? Une serviette ?

— Non, je vous remercie.

Elle devait démarrer car, tant qu'elle ne le ferait pas, ils resteraient là, non par curiosité malsaine mais parce qu'ils étaient sincèrement inquiets pour elle. Et ça, elle ne pouvait le supporter. La chaleur du siège sous ses

143

fesses nues se répandit jusque dans ses reins ; le volant aussi était chaud entre ses phalanges blanchies et, à travers le pare-brise, elle voyait la mer avancer, formidable armée hérissée de hallebardes blanches en marche vers la terre, invincible, implacable, l'ennemie de toujours. Le couple avait regagné son propre véhicule et regardait Sarah.

Les roues arrière patinèrent dans les gravillons sableux, un bruit agréable. Les ornières du chemin menant à la route goudronnée lui donnèrent envie de chanter. A cause de la joie d'avoir survécu et des révélations qui en découlaient.

D'abord, si Elisabeth Tysall s'était couchée, ivre et droguée, dans une vasque remplie d'eau de mer chaude pour que la mort vienne la surprendre dans un sommeil bienheureux, elle avait choisi une méthode tentante, pleine de dignité, et c'était là un vague réconfort. La nature de la mort d'Elisabeth avait toujours tourmenté Sarah. Ensuite, Sarah venait de prendre conscience que son propre désir de mort n'était pas profond à ce point, même si ses dix doigts ne suffisaient pas pour compter le nombre de fois où elle avait souhaité mourir. Elle trouva une cigarette, l'alluma d'une main tremblante et ressentit un moment de véritable euphorie.

En cette fin de samedi après-midi, les gens revenaient de la plage, croisaient la voiture de Sarah et, sans vraiment regarder, remarquaient qu'elle avait les seins nus. Elle avait échappé à la noyade et sa nudité lui importait peu. Une voiture s'arrêta à côté de la sienne, attendant, comme elle, pour tourner à droite. L'homme la vit et siffla. Ses enfants, sur la banquette arrière, pouffèrent de rire en se tortillant. Sarah leur fit un petit signe de la main, rit en apercevant le mini-embouteillage causé par les vacanciers à la recherche d'une place près de la galerie de jeux. Elle s'arrêta juste devant. Une tête blonde appa-

144

rut à la fenêtre de gauche, le visage de Rick à celle de droite. La première détourna les yeux, mais pas le second.

— Encore perdue ?

Elle eut le temps de remarquer que les ecchymoses autour de son œil viraient au violet, annonçant le signe que c'était en bonne voie.

— C'est quoi, cette tenue ? Mission spéciale pour les Pardoe ? se moqua Rick, tout sourire.

— Pas vraiment. Ils veulent me virer. Je viens de prendre un bain.

— Si vous entrez chez eux comme ça, dit-il, ils ne vous lâcheront plus.

Il faisait chaud en ce début de soirée mais le ciel se troublait. Edward aimait ces mots : un ciel troublé. Quand il tiendrait enfin son héritage, il peindrait un ciel troublé, avec des anges repoussant les nuages et descendant pour le bénir. Il ferma les yeux et s'accorda une douce rêverie jusqu'à ce que Julian appelle chacun en bas dans le salon edwardien plongé dans une pénombre lugubre, aux chaises grinçantes, aux lourds rideaux de velours prune d'où tombaient des mouches mortes sitôt qu'on les tirait. Edward garda le silence pendant que Julian dirigeait la réunion comme un maître d'école, leur expliquant, y compris à Mère pour autant qu'elle lui prêtait attention, que l'avocate envoyée par l'exécuteur testamentaire de leur père ne répondait pas à leurs exigences ; n'étaient-ils pas d'accord avec lui ? Mère s'étranglait de rire et répétait : Non, non, non, tu as tout faux, mon petit Julian, tu as tout faux. Joanna était bouleversée, et se demandait si le fait d'avoir qualifié de vache leur visiteuse ou bien leur dispute, hier, au petit déjeuner, n'avait pas brusqué la décision de Julian. Edward se contentait d'acquiescer de la tête, et pensait surtout au chevalet attendant dans sa chambre et à son rendez-vous du lendemain avec le fantôme. Ils n'avaient nul besoin de cette avocate qui semait le trouble et faisait pleurer sa sœur.

A chaque fois qu'il regardait Joanna pleurer, Edward éprouvait dans tout le corps un tourment qui était aux antipodes du désir. Si seulement il pouvait ne serait-ce qu'un instant désirer quelqu'un d'autre : un garçon, une fille, même une femme, n'importe qui en fait, pourvu que ce ne soit pas cette belle enfant pulpeuse en train de renifler.

— Bon, alors c'est décidé, déclara Julian comme si tout le monde était d'accord.

Edward faisait face aux hautes fenêtres à la peinture écaillée et aux vitres encrassées par le sel du rivage — propriété des Pardoe —, que le vent emportait à travers les sinistres marais — propriété des Pardoe —, jusqu'à la maison — propriété des Pardoe —, alors que lui n'avait rien. L'amertume monta en lui comme une mauvaise toux. L'air était étouffant dans le salon, dont les fenêtres au bois gonflé par l'humidité ne s'ouvraient plus. Mère, boudinée dans sa robe en lamé, se tortillait en gloussant sur sa chaise et triturait l'ourlet de sa robe, quand le bruit d'une voiture la fit se lever d'un bond et courir à la fenêtre.

— Oh ! s'écria Mère. Oh, mes enfants !

Les autres la rejoignirent.

— Je ne sais pas qui est cette dame mais elle a besoin d'un verre, et moi aussi, dit Mère.

Mouse se tenait immobile ; elle n'était plus agitée de tics ou de trémoussements et il y avait dans sa voix une note amusée, qui sonnait presque comme un regret. Sacrée vieille bique, pensa Julian non sans tendresse.

Sarah Fortune descendit de voiture, et présenta le profil parfait de ses fesses tandis qu'elle se penchait à l'intérieur pour y prendre son sac. Elle se redressa et, aussi nue qu'à sa naissance, referma la portière d'un pied négligent. Sa chevelure rousse en bataille, les épaules tannées

146

par le soleil, elle semblait en pleine possession d'elle-même. Tout en sentant qu'elle ne devait pas regarder, Joanna écarquillait les yeux, le souffle coupé. Sarah s'éloigna d'un pas léger en direction des cottages, une main sur son sac en bandoulière, comme si elle portait un tailleur strict et se rendait à un rendez-vous d'affaires, insouciante des quatre paires d'yeux attachés à ses pas. Julian se mordit la lèvre dans un bref élan de sympathie. Oh Dieu, c'était terrible pour elle de ne pas savoir qu'ils étaient tous là à l'observer dans les moindres détails, avec l'attention minutieuse d'un jury ; elle en serait mortifiée. C'est alors que Sarah s'arrêta, balança son sac dans l'herbe et étira les bras vers le ciel. L'herbe sous ses pieds était humide et chaude, et elle semblait adorer ce contact. Les premiers feux du couchant baignaient le corps de la jeune femme d'une flamme douce ; soudain, elle prit son élan et exécuta une série de roues d'une grâce et d'une précision dignes d'une gymnaste de haut niveau. Puis elle ramassa son sac, le posa en équilibre sur sa tête et se remit en marche vers le cottage où ils l'avaient installée, tenant ses bras écartés pour maintenir l'équilibre. Hettie, la brebis, la suivit en bêlant piteusement, le pétale orange d'une pensée collé au coin de sa bouche.

Ils semblaient figés, métamorphosés en statues de pierre, jusqu'à ce qu'Edward rompe le charme en éclatant de rire. Joanna, qui avait oublié de respirer pendant une longue minute, l'imita, des larmes plein les yeux.

— Eh bien, dit Julian, reprenant ses esprits, voilà qui prouve, si besoin est, qu'elle n'est pas convenable.

Edward surprit sur le visage de son frère une terrible expression de désespoir.

Mère se tourna vers lui et, laissant tomber l'ourlet qu'elle mâchouillait, dit d'une voix fluette de petite fille :

— Est-ce que mon grand garçon va renvoyer cette dame parce qu'elle a enlevé ses habits ? Serait-il bête à

147

ce point ? Personne ne s'est jamais fait renvoyer pour s'être déshabillé, pas même un docteur.

Et elle ajouta d'une voix plus basse, plus plaintive mais parfaitement distincte :

— Si Julian se débarrasse de cette dame, sa maman cassera tout dans la maison. Est-ce bien compris ?

Il se retourna brusquement, surprit son regard dur et déterminé, et fit un pas vers elle. Mère recula et, portant de nouveau à sa bouche l'ourlet de sa robe, s'empressa de détourner les yeux. Julian regarda Edward, cherchant son soutien, mais le jeune frère aussi se défila, préférant fixer son attention sur le cottage à l'intérieur duquel avait disparu la nouvelle Eve. Quant à Joanna, elle lui opposait une sourde hostilité : les bras croisés, elle baissait la tête, les yeux fixes et brillants de larmes. Il comprit que la réunion s'achevait sans qu'ils aient pris de décision. Bizarrement, il s'en fichait.

— Ecoutez, dit Joanna, impatiente de briser la glace, je vais voir si elle a besoin de quelque chose. Elle a dû avoir un accident, ajouta-t-elle, rougissante.

— Permets-moi d'en douter, railla Edward.

— Va te faire foutre, répliqua Joanna avec plus de calme qu'elle n'en ressentait.

Edward était toujours en dehors des choses, n'éprouvait jamais rien, analysait tout ; il s'en foutait que quelqu'un ait froid, et maintenant il la regardait d'une façon qu'elle avait toujours trouvée déconcertante, sans jamais vouloir s'en faire l'aveu. Il s'approcha d'elle avec nonchalance et passa un bras autour de ses épaules.

— Qu'est-ce que tu ne donnerais pas, Jo, pour avoir un corps comme ça ?

Rouge de fureur, elle tourna la tête vers lui et se dégagea de son étreinte comme d'une chose répugnante.

De la cuisine leur parvint un fracas de verre brisé. Mouse envoyait son premier coup de semonce.

7

— Elle t'a quitté, hein ?

— On pourrait dire ça.

— Je m'y attendais.

Le sergent détective Ryan regarda Malcolm Cook, assis en face de lui. Pour avoir travaillé avec Malcolm sur plus d'une affaire, Ryan avait appris à connaître la race des avocats, une race qui manquait singulièrement de bon sens, surtout quand il s'agissait des femmes. Lui-même ne brillait guère dans ce domaine, d'ailleurs, oscillant entre la passion possessive et la coucherie passagère avec une inconnue dont il ne connaîtrait jamais le nom, en passant par la tendresse au quotidien et l'acceptation qu'on ne pouvait rien faire pour en garder une, car les femmes et la vie se liguaient toujours en une invincible conspiration. Aussi la seule aide qu'il pouvait apporter à Malcolm était de le pourvoir en alcool, jusqu'à plus soif.

— Je dois dire, Malc, que tu étais plus marrant avant que vous vous mettiez ensemble, Sarah et toi. Je me souviens d'un temps où tu étais un rigolo qui aimait bien boire, se taper la cloche et surtout pas lever son cul de sa chaise. Et puis tu t'es mis à la course à pied, tu es tombé amoureux, tu as perdu du lard et tu es devenu sérieux comme un pape. Merde, tu t'assois plus jamais, tu cours. Elle t'a lessivé, mon p'tit père.

— Va me chercher à boire.

— Ouais, deux doubles. Un paquet de chips ?

— Non.

Ryan n'aimait pas la façon qu'avait Malcolm de regarder fixement dans le vide, de descendre ses whiskies sitôt qu'ils arrivaient devant lui, sans jamais montrer le moindre signe de fièvre du samedi soir ni de tremblement de la main quand il levait son verre. Bref, la nuit s'annonçait longue et chère, même dans ce pub ordinaire comme ils les aimaient. Malc était un pote, pour autant qu'un avocat pouvait l'être, mais ce n'était pas une raison pour le laisser pleurer sur son épaule et tremper son veston.

Malcolm but moins vite, cette fois. Il sourit. C'est fou ce que ça le métamorphosait, de sourire.

— Ecoute, je ne suis pas venu ici pour pleurer mais pour boire, d'accord ? Pour boire et remuer une vieille histoire : Charles Tysall, notre bon ami commun. Mon père m'a encore asticoté. Oh, pas bille en tête mais par la bande, comme toujours. Le vieux n'est pas très en forme et il ne doit surtout pas s'agiter, mais sitôt que je prononce le nom de cette ordure de Tysall, il bondit et frise l'apoplexie. Il est en train d'en faire un saint, et tout ça parce qu'il est mort et était un de ses clients. Ses clients sont tous des héros, cette hypocrisie me rend malade. Je me retiens pour ne pas lui raconter ce que Tysall a fait à Sarah — à l'époque, tu te rappelles, nous lui avions délibérément tout caché — tout comme ce que le salaud a fait subir à d'autres femmes qui avaient la malchance d'être rousses. Je veux qu'il sache. Tout le monde devrait connaître la vérité, même les hommes vieux et malades.

— Tu lui en veux, on dirait.

— Il a réussi à éloigner Sarah. Il l'a envoyée à Merton, tu te rends compte ! Il a... précipité les choses.

150

— Je vois. Une vengeance, hein ? Tu perds la fille, et tu donnes au vieux bougre le choc de sa vie. Allons, Malc, à quoi ça te servira ?

— A rien.

— Et puis, ce qu'a fait Tysall à ta chérie n'a jamais fait l'objet d'une instruction, je me trompe ? Elle a refusé de porter plainte. Et tu la soutenais, par-dessus le marché. Je t'aurais tué.

Malcolm leva une main pour protester.

— Elle avait ses raisons, des raisons qui ne regardaient personne d'autre qu'elle. Je n'ai pas changé d'avis, à ce sujet. Et puis Tysall nous a épargné des tracas : quand le corps de sa femme a été découvert, il est allé là-bas et s'est noyé, comme elle. Ce que je voudrais savoir, c'est comment il a pu faire une chose pareille. Les nombreuses fois où j'ai essayé de le coincer pour fraude, et toi à cause des femmes qu'il battait, jamais il n'a montré un tempérament suicidaire... non, cet homme voulait vivre.

Une certaine satisfaction se peignit sur les traits de Ryan.

— Je n'y suis pour rien, dit-il. Il se trouve que, ayant croisé ce salopard dans un café, je lui ai glissé qu'il aimerait peut-être savoir où sa femme était enterrée. Je lui ai laissé entendre qu'un autre homme avait assisté à sa mise en terre, un homme qui l'avait aimée. Je savais que ça le rendrait fou. Il pouvait battre sa femme comme plâtre, lui lacérer le visage, mais ne pouvait supporter l'idée que quelqu'un d'autre la touche. Je ne pouvais pas me douter qu'il irait se noyer au même endroit : je voulais seulement qu'il souffre.

Ryan vida son verre de whisky. Il était temps de passer à la bière. Le whisky, il ne fallait pas en abuser ; il y reviendrait plus tard. Une chose le travaillait, une chose qu'il n'aimait pas, et que Malcolm non plus n'aimerait pas.

— Alors, Sarah est partie à Merton-sur-Mer ? C'est

pas son genre d'endroit, à mon avis. Pas très classe. Poisson et frites, des pubs crasseux, un camping. Des familles de beaufs et des loubards. Je vois mal Sarah dans un coin pareil.

Malcolm sourit de nouveau, un sourire que Ryan trouva plus triste encore que son expression naturelle.

— Tu ne connais pas Sarah. Elle a des goûts simples.

Il se tut, hésitant manifestement à poursuivre, puis se lança, d'une voix légèrement précipitée :

— J'aimerais savoir si elle ne va pas découvrir là-bas des... choses qui pourraient lui faire du mal. Des rumeurs qui pourraient raviver des blessures. Tu as dû rencontrer les flics de Merton au cours de ton enquête. Tu sais ce que les gens racontaient, pas moi ; les avocats ne savent jamais rien. Combien de temps après sa disparition a-t-on découvert Charles Tysall et comment a-t-on identifié le corps ?

Ryan avait ce regard fuyant que Malcolm connaissait trop bien : l'expression d'un officier de police qui d'ordinaire distillait les informations au compte-gouttes, mais soupesait en ce moment même les conséquences qu'il pouvait y avoir à dire la vérité. Malcolm réprima un frisson à la pensée de ce qu'il risquait d'apprendre.

— La police de Merton m'a téléphoné après que le cadavre a été découvert, dit Ryan, prudent. Je leur ai fourni une description ; elle correspondait. Plusieurs témoins avaient vu Tysall se diriger vers la mer, alors que la marée commençait de monter. Suicide ou accident, impossible de savoir. Et puis il y avait ce médecin, qui connaissait un peu Tysall et beaucoup sa femme, d'après la rumeur publique.

Il marqua une pause pour donner à cette dernière information tout le poids qu'elle méritait.

— Il faut préciser que le docteur, avant de voir le macchabée, avait entendu dire qu'il devait s'agir de Tysall

152

qu'on avait vu deux jours plus tôt partir vers la mer et ne pas revenir. Alors il a identifié le corps comme étant le sien. Note, ajouta-t-il, un peu tendu et s'agitant sur sa chaise, qu'il y a trois à quatre noyés chaque été sur ce bout de côte, très rarement identifiés. Des matelots tombés de cargos, des pêcheurs suicidaires. Bon Dieu, je n'aimerais pas vivre dans un bled pareil. Trois pubs, une église, rien à foutre de la journée. Mais Mme Tysall, elle, adorait ça.

Il regrettait d'avoir parlé. Ces réserves que lui inspirait cette identification pour le moins bâclée auraient dû rester ce qu'elles étaient, les siennes. Peut-être que s'il tournait assez longtemps autour du pot, Malcolm finirait par ne plus savoir où il en était. Aucune chance, pensa Ryan en observant le visage en face de lui : calme, à peine coloré par l'alcool, alors qu'il sentait ses joues en feu. Il aurait dû le savoir. Une fois qu'on avait sorti le chat du panier, on pouvait toujours courir pour l'y remettre.

— Connaître un peu quelqu'un ne me semble pas suffisant pour identifier son cadavre sans le moindre doute, dit l'avocat. Sais-tu qu'il arrive régulièrement à de proches parents de ne pas reconnaître leurs morts ? Si tu crois qu'une personne est morte et qu'on te montre un cadavre, la boucle te paraît bouclée. Merde, ça m'a donné soif, cette histoire.

Il se dirigea vers le bar du pas souple du coureur, tout en cherchant son portefeuille. Il ne faut jamais déconner avec les avocats, pensa Ryan, amer, surtout quand ils savent boire. Il caressa la tête soyeuse de la chienne de Malcolm qui parut lui sourire. En voilà une bonne femelle, toujours obéissante, aimante, ne posant pas de questions, ne racontant jamais de mensonges.

— Juste une chose, dit Malcolm en se rasseyant. Tu as donné à la police de Merton une description de

Charles qui correspondait à celle du corps, m'as-tu dit. D'où la tenais-tu ?

Ryan plissa le front, cherchant sincèrement dans sa mémoire. Il connaissait Charles Tysall, pour ça oui, il le connaissait par l'épais dossier de ses malversations et de ses violences envers les femmes : un assassin en puissance dont la passion était de détruire, recherchant sans cesse la perfection dans les idées et chez les femmes, pour la foutre en l'air sitôt qu'il la trouvait ; mais Ryan n'avait jamais rencontré cette crapule que deux fois dans sa vie. Sa défunte épouse, qu'il avait conduite à l'hôpital dans sa voiture, il l'avait vue à plus de deux reprises, elle, et chaque fois un peu plus méconnaissable. Ryan se détendit.

— Je leur ai donné la description que je tenais d'Elisabeth Tysall, un jour qu'on attendait ensemble aux urgences. Elle m'a fourni un détail.

— Lequel ?

— Qu'il était monté comme un âne.

Dans le cabanon, l'homme se fit du thé. Il avait volé le petit réchaud dans une caravane, la cartouche de gaz dans une cabane voisine, et l'eau venait du lac près du camping. Il aimait ces petits cabanons, qui lui rappelaient les maisons de poupée. Ils s'alignaient le long de la plage publique de Merton ; de dimensions et de formes irrégulières, peints de couleurs vives, tous décorés de façon très personnelle, comme s'ils allaient durer toujours. Bâtis en planches et sur pilotis, exposés aux vents et aux embruns, ils étaient loués pour la saison et censés résister aux grandes marées. Certains tenaient effectivement le coup, plus par chance qu'autre chose, et abritaient dans la journée quelques rares familles qui souhaitaient pour leurs enfants d'autres divertissements que ceux d'une galerie de jeux en bordure d'un quai encombré de voitu-res. Les estivants, à Merton, débordaient d'énergie et d'appétit pour les frites, les sucreries, les pintes de bière et les tasses de thé. Les restes étaient abondants, et l'homme aux cheveux blancs s'en réjouissait.

Mon nom est Charles et je n'ai pas de nom, chantonn-ait-il en se balançant d'avant en arrière sur un tabouret, contemplant le jour se lever en ce dimanche matin. Mon nom est Charles. Il lui arrivait de l'oublier. Tout comme il oubliait ce qu'il avait été quand il portait ce nom, jusqu'au moment où la mémoire lui revenait. Le caba-non, le dernier de la rangée, gîtait légèrement et le tabou-ret sur lequel il était assis étant de guingois, lui-même penchait un peu de côté. La canne à la tête de canard l'aidait à rétablir l'équilibre. La nuit, il était interdit de rester dans les cabanons, de crainte que le vent ne se lève et n'encourage la faim jamais assouvie de la marée. Les gens se conformaient au règlement. Et Charles les mépri-sait, tout comme il méprisait ceux à qui il volait de quoi survivre.

Des gens sans nom venaient chaque jour gambader sur la plage, avec leurs jeux, leurs chiens, leurs délicieux bam-bins ; ils allaient tout droit, jamais à gauche ni à droite. Il pouvait marcher au milieu d'eux comme s'il était invi-sible. Quand ils formaient une foule, ils cancanaient comme le vol d'oies qui étaient passées au-dessus de sa tête à l'automne précédent, quand il avait décidé que sa nouvelle vie lui allait comme un gant. Qu'avait-on besoin de prestige, quand on pouvait réapparaître et revendiquer ce qu'on possédait de droit ? Qu'avait-on besoin d'un luxueux appartement quand un cottage vide pouvait le remplacer ? Par exemple, celui où Edward l'avait surpris. Il devait découvrir qui avait enterré Elisabeth. Et quand il lui aurait infligé le châtiment qu'exigeait sa propre notion de la justice, alors il pourrait rentrer chez lui.

Il était nécessaire pour un homme sans nom d'avoir un but. L'observation attentive et pleine de mépris de ses semblables lui avait enseigné qu'ils se passaient volontiers de dessein, se contentant d'exister, telles des bêtes apathiques.

Un enfant s'efforçait de grimper les marches branlantes du cabanon. Une petite chose potelée, avec une couche sur le derrière et des cheveux bouclés, grognant sous l'effort. Charles passa la tête par la porte ouverte et, sifflant comme un serpent, fit une méchante grimace à l'enfant, qui, pleurant de peur, repartit en se dandinant, oh, le joli petit tendron ! Il aurait pu le faire rôtir. Cette pensée lui donna le vertige.

La marée était basse ce matin, la salope, abandonnant une immense étendue de sable et de boue aux jeux bruyants de tous ces imbéciles, qui ignoraient combien c'était difficile de rester propre. C'est l'envie d'eau fraîche qui le poussa vers le village, le rendit imprudent.

Du souci quotidien de manger et de se laver, le second était le pire. Il descendit les marches du cabanon en s'aidant de sa canne, remonta le talus et s'en fut vers les dunes où il avait rendez-vous avec Edward, si le jeune homme daignait venir. Ses sandwiches seraient les bienvenus : cela lui éviterait de faire les poubelles. C'est seulement quand il avait faim que son envie de détruire prenait une telle importance. Une rage hypoglycémique, aurait-il dit à l'époque où il avait un nom. Il n'en avait plus. La moitié des mots lui échappaient. Quelques fragments de poèmes, la voix cynique et hantée de Browning, voilà tout ce qui lui restait de la lecture de plus de mille livres.

« Au moment où elle fut mienne, blonde,
parfaitement pure et bonne, je ne trouvai
qu'une chose à faire, je fis de sa chevelure

156

une longue tresse que j'enroulais trois fois autour de sa gorge et serrai, serrai... »

Tout en chantonnant, il tira des poches déformées du survêtement trouvé derrière l'église le paquet de lettres froissées et la fiche médicale qu'il avait volés, en prenant de grandes précautions, dans le cabinet du Dr Pardoe.

« Cher Julian, lut-il en mimant la voix de sa femme, comme c'est bon de savoir que je te verrai bientôt... Ta tendre Elisabeth. »

Oh oui, il t'aimait, chère Elisabeth ; le bon docteur t'aimait à en mourir ; vois ce qu'il a fait pour toi, par peur du scandale. Vois ce dernier billet doux mentionné sur ta fiche médicale, cette gentille prescription de somnifères en quantité suffisante pour assommer un régiment.

Charles sans nom regarda vers la mer.

— Tu espérais m'échapper ? murmura-t-il. Jamais.

Le soleil incendiait les longues flaques d'eau laissées par la mer en se retirant. Il pouvait mettre le feu à la maison des Pardoe, oui, voilà ce qu'il pouvait faire ; il avait déjà pénétré dans cette maison une bonne douzaine de fois sans jamais être inquiété, ses occupants étant bien trop fous ou préoccupés d'eux-mêmes pour s'en apercevoir. Charles entendait déjà le craquement du feu, imaginait les flammes dans la nuit, voyait les Pardoe se précipiter dehors en hurlant ; il les attendrait, les frapperait un par un à coups de couteau ou de gourdin, jusqu'à ce qu'enfin il écrase sous ses talons ces mains qui avaient touché sa femme, l'avaient enterrée sans sa permission.

Images de carnage apaisantes ; le dimanche était jour de grâce. Charles s'attendait à entendre sonner les cloches, là-bas, à l'église, mais il ne percevait que le vent dans les pins et les plaintes désolées des mouettes. Bientôt, il rentrerait chez lui. Il lui faudrait être propre et correctement habillé, ce jour-là. Mais où se trouvait sa maison ?

Edward détestait l'idée même d'aller à l'église et aimait à répéter que la religion était l'opium du peuple. Joanna s'y rendait pour accompagner sa mère et aussi pour fleurir la tombe de son père. Bien évidemment, M. Pardoe ne reposait pas avec le commun des mortels ; il était enterré dans l'ancien cimetière, à l'ombre de l'église, et non dans une des rangées de tombes qui s'étiraient dans le champ, derrière. Cette concession, il l'avait obtenue du vicaire longtemps auparavant, en échange de la générosité de ses dons. Voilà à quoi pensait Joanna, assise à côté de Mère, et comprenant pour la première fois que les gens pouvaient jalouser ce privilège accordé à feu son père. Elle songeait aussi que sa vie serait infiniment plus facile et agréable si sa famille n'était pas aussi riche, et si seulement elle pouvait prétendre simplement à la sympathie des autres, au lieu de devoir se considérer comme d'une race à part, ne pouvant entrer dans un magasin sans qu'aussitôt le gérant ne pense à son loyer. Peut-être Rick l'aimerait-il si elle ne possédait rien, mais dans sa situation, elle ne pourrait jamais être l'égale de quiconque, même ici dans cette église en compagnie des anciens, entonnant le même hymne solennel.

Mère chantait d'une voix forte et fêlée, articulant des sons plutôt que les paroles ; le visage en partie dissimulé par les plumes de son chapeau, elle portait sous son éternel imper une autre robe du soir, pourpre celle-là, qui froufroutait autour de ses pieds chaussés d'escarpins roses, et sa figure était toute rouge de son bain de soleil de la veille. Personne ne s'en émeut, pensa Joanna, alors pourquoi m'en ferais-je ? Mère était populaire, l'avait toujours été ; les hommes l'entouraient à la sortie de la

158

messe, prenaient de ses nouvelles, lui témoignaient leur sympathie. Joanna s'étonna elle-même de l'avoir remarqué. Pauvre petite Mouse, objet de tant de compassion.

De l'autre côté des plumes, Julian prit doucement le livre de cantiques des mains de sa mère et le remit à l'endroit, de façon qu'elle puisse au moins faire semblant de lire les paroles. Elle ignora le geste. Aux premières notes du dernier cantique de l'office, il sentit plus qu'il ne vit Sarah Fortune quitter le banc du fond, dernière arrivée, première à partir, ses cheveux dissimulés sous un chapeau de paille. Il ferma les yeux à la fin de la dernière prière, n'ayant rien d'autre à l'esprit que la série de roues exécutées avec maestria par Sarah Fortune dans l'herbe du jardin.

L'éclat du soleil les frappa cruellement quand ils sortirent en clignant les yeux, les derniers accords de l'orgue mourant derrière eux, les cloches prenant le relais. Des groupes se formaient dans l'allée entre les tombes, les femmes avec les femmes, les hommes avec les hommes, une séparation vieille comme le monde. Julian compta un bon nombre de têtes chenues, réunies plus par l'habitude — signe que la vie continue — que par la foi ou le devoir de vertu. Ce devait être le cas du père de Rick, de la galerie de jeux, toujours aussi déférent envers le docteur, même en sachant que ce dernier avait constaté plus d'une fois sur son fils les traces de sa violence d'alcoolique, à chaque fois expliquées par la chute du garçon dans l'escalier. Le père de Rick, son cousin, PC Curl, le flic du village et d'autres, parmi lesquels se comptait Julian, avaient peut-être besoin du pardon de Dieu mais ne priaient jamais pour l'obtenir, croyant sans doute, à la différence de Julian, que leur visite dominicale à l'église suffisait à effacer l'ardoise.

— On peut vous dire un mot, Doc, avant que vous ne filiez vers vos obligations ?

S'il aimait qu'on le croie pris à toute heure par ses patients, il détestait le respect dont il faisait l'objet. Cette déférence lui aurait été droit au cœur si elle avait récompensé son savoir-faire et son dévouement, mais il ne se leurrait pas : c'était l'influence et l'argent des Pardoe qu'on saluait là. Et c'était bien cela qui l'isolait de la communauté, rien d'autre, pas même sa brusquerie, qu'ils toléraient.

— Vous pensez pas, Doc, qu'il serait temps de s'occuper sérieusement de cette histoire de fantôme ? J'veux dire, ça suffit comme ça après ce qu'est arrivé à Mlle Gloomer, non ? Et c'est peut-être ce salopard qui a visité la poissonnerie et un tas d'autres endroits. C'est pas plus un fantôme que vous ou moi.

— Il n'a blessé personne, que je sache, dit Julian.

Hormis la frayeur causée à cette brave Gloomer, il se moquait pas mal qu'un pauvre vagabond fauche de-ci de-là, et il détestait toute idée de chasse à l'homme. Mais il ne s'étonna pas que la suggestion vienne du père de Rick, un violent, et de PC Curl, qui dramatisait toujours les problèmes de loi et d'ordre public.

— Mon neveu l'a vu plusieurs fois, murmura Curl.

Julian ne put s'empêcher de rire. Il avait un faible pour Stonewall Jones, un gamin têtu, discret, incroyablement courageux quand il s'agissait d'une entaille au bras, de la varicelle ou de n'importe quel malheur qu'il avait pu endurer, mais sans doute pas une source d'informations très fiable.

— C'est pas drôle, Doc. Il faut faire quelque chose.

— Quoi, par exemple ? Fermer nos portes à clé, garder nos yeux ouverts et laisser vivre ce malheureux ?

Après tout, ce qu'ils voulaient, c'était surtout parler. Ils s'empressèrent d'opiner du bonnet. Ils passeraient le mot, voilà tout ; le devoir civique n'irait pas plus loin par une aussi belle journée, où le repas dominical préludait

160

à la sacro-sainte sieste, une obligation par ces temps de canicule. La chaleur les rendait paresseux, éveillait en eux un désir de laisser-aller. Le père de Rick crocheta de son index le col de sa chemise et tira sur le nœud de sa cravate qui l'étranglait. Joanna appela son frère. Elle était flanquée d'un côté du vicaire, de l'autre du bedeau. Ce dernier embrassa la joue poudrée de Mère, qui à son tour le serra dans ses bras, maculant de poudre de riz la veste noire du vieil homme, qui ne s'en offusqua pas.

Nous pourrions faire un tour en voiture dans les rues, pensa soudain Julian avec dérision. Mère saluerait ses sujets comme une reine. Elle est la seule d'entre nous qu'ils aiment : elle demande si peu. Ils franchirent la grille du cimetière. La voiture de Sarah Fortune n'était plus là.

— Juste une minute, dit Julian.

Il retourna sur ses pas, traversa le cimetière au pas de course, se dirigeant vers l'allée dans laquelle était enterrée Elisabeth Tysall.

La pierre provisoire signalant la tombe lui faisait honte. Or quelqu'un avait arraché les mauvaises herbes, jeté ses vieilles roses et disposé deux vases de fleurs, l'un à la tête de la tombe, l'autre au pied.

Les grelots de la camionnette du glacier continuèrent d'appeler les fidèles longtemps après que les cloches de l'église se furent tues. Garée sur le chemin longeant le camping et menant à la plage, à côté d'une buvette, elle était comme un mirage dans un désert et attirait du monde.

— Qu'est-ce que t'as, Stoney ? Tu supportes pas la chaleur ou quoi ?

Rick servit une double glace couronnée de caramel fondu à un gamin qui avait intérêt à la lécher vite fait s'il ne voulait pas qu'elle dégouline sur sa chemisette car,

161

avec ce soleil, la glace, sitôt sortie du bac, fondait instantanément. Rick passait les commandes à Stonewall, derrière lui, prêt à pêcher dans le congélateur un Mystère, un banana-split ou un de ces esquimaux en forme de vaisseaux spatiaux qui avaient tant de succès cet été, mais tellement phalliques d'apparence que Rick et Stonewall ricanaient à chaque fois qu'ils en vendaient un, surtout aux filles.

— Rien, ça va, répondit Stonewall, bougon.

— A chaque fois que tu dis ça, je sais que tu mens.

Rick, lui, était en forme aujourd'hui, et il plaisantait avec les clients ; les marques autour de ses yeux lui faisaient une tête de pirate, il servait les boules de glace d'une main experte, sa chemise éclatait de blancheur, et il faisait un clin d'œil chaque fois qu'il rejetait en arrière la mèche qui lui tombait sur le front.

Dans une demi-heure, les vacanciers commenceraient de remonter de la plage et ce serait le « coup de froid » ; ils n'auraient pas assez de leurs quatre mains pour servir. Rick vérifia le stock en sifflotant.

— Allez, Stoney, parle-moi.

Stonewall regarda au loin par l'auvent de la camionnette. Le dernier client de la queue venait de partir.

— Tu sors avec cette rousse, hein, Rick ?

C'était donc ça, un petit frisson de jalousie, un sentiment d'insécurité qui remontait à la surface, comme s'il ne l'avait jamais quitté depuis que le garçon avait perdu son vrai père et hurlé dans son sommeil.

— Bien sûr que non. Je l'aime beaucoup, c'est tout. Sois gentil avec elle, si tu la vois, Stonewall. Elle m'a rendu un fier service, vendredi soir.

Rick se tordit de rire. Il se gondolait comme ça depuis samedi matin, se racontant sans doute des histoires drôles, mais Stonewall n'y comprenait rien.

— Et Jo dans tout ça ?

162

Rick s'arrêta net.

— Ça n'a rien à voir, dit-il, sèchement.

Stonewall donna un coup de pied dans la porte. Il était malheureux sans savoir pourquoi.

— Haut les cœurs. On a des choses à faire après. Mon père a dit qu'il fallait qu'on débusque ton fantôme, celui aux cheveux blancs. C'est bien de mon père, ça, d'envoyer les autres faire le boulot à sa place.

Sur ce, il se remit à siffloter.

— Alors, tu m'as cru ? demanda Stonewall d'une voix tremblante. Non, tu m'as pas cru. Tu as fait semblant, au café, pour faire plaisir à cette femme. Tu m'as cru seulement quand les autres m'ont cru. T'as jamais cru que ce fantôme avait pris mon chien.

Le collier raidi par la mer n'avait pas quitté sa poche depuis qu'il l'avait retrouvé. Rick pouvait le voir à la bosse que faisait son short, juste au-dessus de ses minces jambes brunies par le soleil et piquetées de taches de rousseur.

— Et puis, quand tu partiras à la recherche de ce fantôme, continua-t-il d'une voix rendue aiguë par l'inquiétude, tu me diras de m'en aller. Quand tu auras une fiancée, tu me diras aussi de m'en aller. C'est ce que tu feras. Ils font tous ça.

Il pleurait, maintenant, et les larmes ruisselaient, laissant des traînées claires sur son visage poussiéreux. Un client arriva. Rick lui servit trois esquimaux phalliques, prit l'argent et fit coulisser la fenêtre, fermant boutique momentanément. Puis, s'accroupissant devant Stonewall, il lui essuya le visage avec un torchon et passa son bras autour de ses frêles épaules secouées de sanglots.

— Ecoute-moi, espèce de tordu, et écoute-moi bien. T'es mon pote, mon meilleur pote, t'entends ? Et si j'peux pas t'avoir tout le temps avec moi, ça change rien, t'es toujours mon meilleur pote. Je fréquentais déjà Jo

Pardoe quand j'avais ton âge, elle et moi c'était comme toi et moi aujourd'hui, je l'aimais pareil ; mais on a grandi, on a changé et si on se voit moins souvent, c'est probablement de ma faute.

Stonewall se moucha dans le torchon et s'essuya les yeux.

— Tu l'aimes plus que tu m'aimes, murmura-t-il, honteux de prononcer un mot pareil ; dire con ou putain lui était plus facile.

— Mais dis donc, dit Rick en passant sa main dans les cheveux en brosse de Stonewall, un geste que le garçon faisait toujours semblant de détester mais qu'il adorait autant que son chien Sal adorait les caresses, c'est une super coupe que t'as là. Et pour ce qui est de t'aimer, eh bien, j't'aimerai toujours et rien ni personne viendra jamais entre nous, pigé ? Et si j'aime une femme, il faudra qu'elle t'aime aussi. Jo t'aime déjà, même si son frère te paye jamais les vers que tu lui apportes, comme ce matin encore. Il attrape jamais rien à la pêche, tu sais, alors lui apporte plus rien, tu m'entends ? Plus rien...

Il se tut. Un client pressait son visage sur la vitre. Rick lui fit signe de patienter. Il voulait aller jusqu'au bout de ce qu'il avait à dire, car c'était très important.

— Y a des fois où je serai occupé et toi aussi, de ton côté, mais j'aurai toujours du temps pour toi, que j'sois bien luné ou pas. Et le premier connard qui te veut du mal, je lui arrache la tête. Bien sûr que je t'aime, Stoney, plus que n'importe qui. Et ça sera toujours comme ça, jusqu'à ce que tu me dises toi-même d'aller au diable. D'accord ? J't'aimerai jusqu'à la mort, petit, et essaie pas de m'en empêcher.

On cogna à la vitre. Rick se redressa, mit en branle les clochettes et reprit son sifflotement. Le ciel au-dessus d'eux s'était assombri ; pour une fois, les gens quittaient la plage plus tôt. Une semaine de chaleur, une saison sèche ; bien que les affaires soient bonnes et son père satisfait, quelques gouttes de pluie lui auraient fait plaisir. Un jour, Stonewall et lui posséderaient peut-être un empire. Alors, ils se montreraient généreux avec les gens qu'ils aimaient, et rien qu'avec eux.

— Trois Mystères, cria-t-il par-dessus son épaule. Et que ça saute !

Stonewall lui fila un coup de pied dans le tibia, histoire de montrer qu'il avait repris vie, ouvrit la glacière comme s'il s'agissait d'un coffre à bijoux et présenta les trois glaces avec une révérence. Suivirent quatre autres Mystères, deux cornets doubles, cinq esquimaux rigolos, quatre torpilles au caramel, six pots de crème à la vanille et une bombe glacée, Stonewall toujours aux anges et aux commandes. Il sentit soudain une main peser sur son épaule, la main de Rick, bien sûr.

— Te montre pas, Stoney. J'crois bien que voilà ton fantôme.

Grand, très grand, l'homme sans nom marchait sous le ciel menaçant qui accentuait la blancheur de sa chevelure. Aurait-il traîné les pieds, les bras chargés du barda familial, avec gosse hurleur, panier de plage, serviettes de bain mouillées, bouteilles thermos et chien en laisse, il serait passé inaperçu. Les autres se pressaient vers l'abri de leur caravane ou de leur voiture ; lui marchait d'un pas indécis.

— Grand, dit Rick à Stonewall, accroupi à ses pieds. Je veux dire, vraiment grand.

Il ne dit pas « beau » pour décrire ce long corps amaigri, ce visage fin et émacié hâlé par le soleil, ce regard de faucon, car pour Rick ou pour Stonewall, aucun être ayant dépassé la cinquantaine ne pouvait être séduisant ; on ne comptait tout simplement plus à cet âge.

— Cheveux blancs, une vraie crinière, un peu de barbe, un pantalon de survêtement pas à sa taille ?

Vigoureux hochement de tête de Stonewall, et joie pure de se voir enfin accorder le crédit réclamé depuis si longtemps. L'homme s'arrêta devant la fenêtre du camion, les pommettes hautes et les joues creuses noires de barbe, et dit d'une voix de patricien :

— J'aimerais beaucoup goûter de ce que vous vendez mais, hélas, je n'ai pas d'argent.

Rick se pencha en avant jusqu'à sortir le buste par la large ouverture, l'air de vouloir confier un secret, et, la main en écran devant sa bouche, chuchota :

— Pour tout vous dire, m'sieur, on a fait une bonne journée et c'qui reste risque de fondre. Prenez-en une, c'est la maison qui régale. Seulement, pas un mot à personne, ajouta-t-il en se tapotant la narine d'un air voyou, tandis que Stonewall lui agrippait les chevilles en étouffant de rire.

La glacière était à sa droite. Rick plongea la main à l'intérieur, prit un cornet double et le remplit de deux boules de glace. L'homme s'en empara sans remercier ni sourire et, à la stupeur de Rick, goba littéralement la glace, cornet compris, en deux bouchées qui firent descendre et remonter sa pomme d'Adam. Incroyable. Le type aurait pu avaler un pamplemousse. Probable qu'il n'avait plus de dents. Une queue s'était formée entre-temps, et la discrétion eut raison de l'envie du fantôme de réclamer une autre glace. Il s'éloigna sans un mot.

— J'crois bien qu'il avait faim, marmonna Rick.

— C'est pas un fantôme, donc, dit Stonewall en se relevant.

— Il reste quatre cornets, dit Rick. Je suis sûr qu'il les aurait tous bouffés.

— Il a peut-être mangé Sal.

— Passe-moi le miroir, Stoney. Le bonhomme m'a fait dresser les cheveux sur la tête.

166

Ses cheveux se dressaient sur son crâne tels des fils barbelés, et personne n'y pouvait rien, pas même elle. Mme Pardoe les maintenait enserrés sous un chapeau ou un turban, selon l'occasion ou la saison. Retenant d'une main son boa et de l'autre sa coiffe branlante, elle s'en fut en direction des trois cottages en prenant soin de marcher sur la pointe des pieds pour éviter que ses talons hauts ne s'enracinent dans la pelouse.

Les roses autour de la porte semblaient reconnaissantes envers la pluie qui tombait du ciel en gouttes aussi grosses que des pétales, affaissant les bords de son chapeau et trempant ses plumes. Mme Jennifer Pardoe frappa à la porte de ce qui était sa propriété de façon insistante. La porte était ouverte. Elle entra, très agitée, et s'arrêta net comme un pantin mécanique dont la pile vient de rendre l'âme, tandis que le battant se refermait en claquant derrière elle.

Sarah Fortune se leva de derrière les papiers s'empilant sur la table de la petite salle à manger. La chaleur semblait l'avoir fatiguée et elle était contente qu'il pleuve. Mme Mouse Pardoe aussi. Elle ôta sa toque et son imper, et prit une chaise.

— Dieu, quel soulagement, dit-elle. Pourriez-vous faire un peu de thé ? Je n'en peux plus.

Elle avait des gestes précis et vigoureux. Finis les tremblements, finis les gloussements, une vieille dame normale de soixante-cinq ans, bizarrement habillée, seulement un peu excentrique. Elle s'assit confortablement, saisit avec désinvolture les papiers sur la table, parcourut le testament de M. Pardoe, et le reposa avec un petit sourire.

— Vous travaillez, ma chère ? C'est mauvais pour les yeux. Vous n'aimez pas la simplicité de ce testament ? C'était mon idée, vous savez.

— Voulez-vous que je tire les rideaux ? demanda Sarah. Au cas où nous aurions de la visite ?

— Ils sont tous sortis, ma chère. Ne vous inquiétez pas, j'ai les oreilles plus longues que des antennes, et d'ailleurs pourquoi croyez-vous que j'aie gardé cette brebis envers et contre tous ? Parce que sitôt que Hettie entend une voiture approcher, elle me prévient par ses bêlements, je redeviens gâteuse et tout le monde me ménage, vous comprenez ?

— Je vous comprends parfaitement, répondit Sarah.

Le visage de Mouse Pardoe s'éclaira d'un grand sourire.

— Je savais que je pouvais compter sur vous. Ernest me l'avait dit.

8

— Feu mon mari était une espèce de tyran, dit Jennifer Pardoe. Plein de charme et aussi plein de merde. (Elle eut un léger renvoi après l'emploi de ce mot grossier dont le son semblait résonner agréablement à ses oreilles.) A part ça, il était adorable, bourré d'énergie. Je l'aimais de tout mon cœur, sans espoir, mais cependant lucide. J'ai toujours désapprouvé ses ambitions et considéré, maintenant encore, que la propriété, c'est du vol. Mais il n'a jamais tenu compte de mes opinions, du moins jusqu'à ce qu'il prenne de l'âge et se calme un peu. Il a commencé à m'écouter et j'ai fini par prendre le dessus. Il n'était pas ce qu'on appelle un homme respectable, mais il avait la passion de la respectabilité. Dommage que tant de choses arrivent trop tard.

Elle se tut pour avaler une gorgée de thé avec la grâce d'un agriculteur assoiffé, et regarda Sarah par-dessus la tasse qu'elle tenait à deux mains.

— Non, dit-elle, répondant à une question suspendue dans l'air, je ne suis pas le moins du monde respectable. Vous non plus. J'ai toujours considéré la notion même de respectabilité comme une perte de temps.

Sarah approuva d'un imperceptible hochement de tête.

— Bref, poursuivit Mme Pardoe, nous nous sommes

fait certaines confidences, mon mari et moi, bien avant qu'il meure, ce qui d'une certaine manière nous a placés à égalité. Mais je n'en dirai pas plus maintenant. Il a cessé de se préoccuper de ses biens, et a fait le testament que vous avez lu parce qu'il me faisait confiance. Il faisait confiance à Julian aussi, mais Julian était ivre du matin au soir, à l'époque ; oh, pas d'alcool, mais d'amour. Et un amour malheureux, qui plus est. Et puis mon mari est mort, bêtement, dirais-je. Son cœur a lâché, ce qui est malencontreux quand on se trouve sur le toit. Tout le monde m'est tombé dessus pour me dire ce qu'il fallait que je fasse. J'étais comme assiégée, et si j'avais réussi sur la fin à me faire entendre de ma chère moitié, j'étais incapable d'en faire autant avec les enfants. Ils refusaient de m'écouter et chacun tirait à hue et à dia. Je savais précisément quoi faire de tous ces biens que nous possédons, et mon mari s'était rendu à mon point de vue, ayant reconnu que cette accumulation de titres de propriété avait surtout été une sorte de jeu pour lui. Mais je savais aussi que jamais on ne me laisserait faire à mon idée.

— Qui pouvait vous en empêcher ?

— J'avais à peine suggéré comment nous devrions disposer de notre fortune qu'Edward me frappait. Je l'ai trop gâté, petit ; j'ai été trop indulgente. C'était un si joli bébé, dit Jennifer Pardoe, comme si cela expliquait tout. Comme je vous l'ai dit, personne ne m'écoutait. La tradition d'ignorer mon opinion était bien trop ancrée, et comme je ne supporte ni les conflits ni les confrontations, j'ai donc décidé de jouer les folles. Je me suis réfugiée dans le royaume des doux dingues, et j'ai fait en sorte qu'on me prête attention. Et de l'attention, on vous en donne, quand vous êtes folle. J'en ai bien profité jusqu'ici, même si ce n'est pas toujours facile. Un fou peut se donner en spectacle, s'exhiber, ce que je ne me serais jamais permis avant ; s'habiller comme on veut, dire ce qui vous

170

passe par la tête, c'est formidable, vous savez, vous devriez essayer un jour.

— Prendre un bain de soleil au milieu des choux ?

— Oui. C'est extraordinaire. Mais si je ne passais pas pour dérangée, il y a longtemps qu'on aurait appelé l'ambulance. Oh, je suis peut-être un peu piquée, je vous l'accorde. J'aime me promener avec la brebis, parler aux oiseaux. Jamais je ne pourrais faire ces choses si j'étais saine d'esprit.

— Pourquoi pas ?

— Ma chère, dit Mme Pardoe en se penchant pour tapoter le genou de Sarah, je sais que vous avez une formidable aptitude à comprendre toutes choses, mais il y en a une que vous ne pouvez savoir à votre âge : on perd tout pouvoir quand on devient vieux, ce qui vous oblige à créer une autre forme de pouvoir.

Elle marqua une pause pour consulter sa montre en plastique à l'effigie de Mickey Mouse.

— Il faut que je vous laisse. Nous reprendrons cette conversation une autre fois. Je me demande si Rick m'apportera ma glace et mon journal, aujourd'hui. A vrai dire j'en doute, avec cette pluie.

Elle avala une dernière gorgée de thé et reposa sa tasse. Toutes les confessions, pensa Sarah, avaient besoin d'un accompagnement liquide. Elles ne pouvaient sortir d'une bouche sèche.

— Rick est amoureux de votre fille, dit Sarah. Un sentiment partagé, je crois.

Mme Pardoe acquiesça d'un signe de tête.

— Un amour juvénile, j'espère.

— Mais réel.

— Eh bien, Joanna ne pourrait souhaiter meilleur prétendant. Un brave garçon, travailleur, tout comme l'était M. Pardoe. Avec un peu de chance, il ira loin. Il faut que j'y aille, vraiment.

Sarah aurait aimé la retenir, mais elle ne pouvait rien contre une telle détermination.

— Je suppose, dit Mme Pardoe, que je devrais m'équiper d'une canne si je dois tenir encore longtemps mon rôle de vieille gâteuse. A propos, jeune fille, avez-vous une idée de ce qu'il devrait advenir de cette propriété ?

— Oui. Elle vous revient. C'est bien vous qui avez donné ces instructions à Ernest, n'est-ce pas ? Pas Julian ?

— Bien sûr. Mais il fallait que cela passe pour une idée d'Ernest, surtout pas de moi. Je lui ai dit que je voulais que les enfants comprennent qu'ils avaient déjà tout ce dont ils avaient besoin, qu'ils en prennent conscience d'eux-mêmes, sans l'aide de quiconque. Je voudrais qu'ils découvrent que chacun bâtit son propre destin et que l'argent rend seulement la tâche plus dure, en vous isolant des autres dont on a tant besoin.

— Et pourquoi m'a-t-il choisie, moi ?

Mme Pardoe détourna le regard, mit son chapeau et laissa les plumes pendouiller sur son visage.

— Ces fichues plumes, elles devraient être en arrière, mais c'est plus drôle comme ça, non ?

Mouse rencontra le regard de Sarah.

— Mon vieil ami Ernest ne fait jamais rien sans avoir une bonne douzaine de raisons.

— J'ignorais qu'il fût aussi intelligent.

— Il ne l'est pas, il est seulement malin. Il a dit de vous...

Sa première hésitation, comme si les symptômes de la folie revenaient avec le port de son drôle de chapeau.

— Oui ?

— ... que vous étiez un catalyseur. Ou peut-être un chatalyseur ? Ça signifierait un chat capable d'analyse. Est-ce qu'un catalyseur peut faire quelque chose pour Hettie ? Cette bête me rend folle.

Sur ces paroles, Mme Pardoe repartit en direction de la grande maison en chantant sous la pluie.

Catalyseur, ce n'était certainement pas ce qu'Ernest avait dit, pensa Sarah. Jamais il n'aurait employé un tel mot. Pas plus qu'il n'aurait compris que quiconque jouant un rôle autre que le sien propre — telle Mme Pardoe jouant à la folle — se retrouve tôt ou tard prisonnier de ce rôle.

Mlle Gloomer était mourante. En revenant de chez elle, Julian arrêta sa voiture devant ce qu'il ne considérait plus tout à fait comme son havre depuis la mort de son père, et demeura les mains sur le volant, à observer les fenêtres à travers la pluie. Mère se levait et se couchait tôt ; il n'y avait pas de lumière dans la chambre d'Edward, dont les fenêtres donnaient sur la côte. Quand je pense à lui, je ne devrais pas me dire qu'il est mauvais et bon à rien. Je ne devrais pas me réjouir du fait que Joanna et lui sont sortis chacun de son côté, de peur de ce qu'ils pourraient faire pour se consoler par une nuit pluvieuse comme celle-ci. J'ai l'esprit mal tourné, se reprocha-t-il.

Il regarda la pelouse qui, à sa grande honte, ressemblait à du foin. La nuit était fraîche et la pluie faisait briller l'herbe. Demain, en fonction du temps, peut-être faucherait-il ; mais ce soir, tout ce qu'il voyait c'était cette vision de Sarah, nue, dans l'herbe verte. Puis il sortit de la voiture et ce fut comme un automate qu'il se dirigea vers les cottages, faisant chuinter l'herbe mouillée sous ses pas. Il pourrait toujours dire qu'il avait cru entendre un intrus, qu'il était venu prendre de ses nouvelles — Joanna lui avait raconté son aventure de l'après-midi —, qu'il n'avait pas eu le temps de passer plus tôt, ce qui était un mensonge. Il pourrait parler de la pierre tombale d'Elisabeth Tysall et demander son avis à Sarah, mais cela lui faisait encore peur. Tout cela était grotesque et il allait faire demi-tour quand il la vit dans la lumière crue de l'ampoule extérieure : elle était devant sa porte, penchée sur la brebis qui ne cessait de bêler et qu'elle essayait de calmer d'une voix douce. Il pressa le pas. Elle ne parut pas surprise de le voir.

— Oh, c'est vous. Vous tombez bien. Il faut absolument faire quelque chose pour cette pauvre bête.

— Pourquoi ? demanda-t-il, une pointe de protestation dans la voix.

— Parce qu'elle n'a pas cessé de bêler toute la soirée et de cogner sa tête contre la porte. Il m'a fallu un moment pour comprendre que ce n'était pas pour quémander ma compagnie. L'une de ses cornes fait pression sur son œil.

Julian s'accroupit. L'animal tressaillit et Sarah l'immobilisa contre le chambranle. Julian remarqua que la corne gauche était enveloppée d'un chiffon mouillé encore chaud, et constata avec horreur que la pointe, au lieu de pousser presque parallèle au front, s'inclinait jusqu'à érafler la partie inférieure du globe oculaire, qui présentait déjà une vilaine ulcération.

— Elle souffre, et demain la plaie sera couverte de mouches, dit Sarah. J'ai essayé d'écarter la corne, et elle m'a gentiment laissée faire, mais la corne est trop dure. C'est pour cela que je l'ai enveloppée d'un linge chaud, dans l'espoir que ça la ramollirait.

Julian jura tout bas. L'élevage avait été une des dernières lubies de son père. A moins que ces brebis aient été une idée de Mère ? Redonner vie aux terres, avait-elle dit...

— Je n'y vois pas grand-chose dans cette lumière, marmonna-t-il, sentant la bête trembler sous ses mains. Ça ne vous ennuie pas que je l'examine à l'intérieur ?

C'était étrange de se retrouver dans la lumière vive de

174

la petite cuisine, où une bouilloire était sur le feu, tandis que Hettie essayait d'échapper à Julian qui la serrait entre ses jambes.

— La chaleur a effectivement ramolli la corne. Vous pouvez lui tenir le museau ?

Sarah obéit. La terreur qui se lisait dans l'œil de l'animal semblait emplir la pièce. Lentement, concentrant toutes ses forces dans ses mains, Julian finit par tordre et écarter largement la pointe de la corne. Sarah s'empressa ensuite de nettoyer la blessure, mais Hettie se mit à ruer et à se débattre. Elle en avait assez. Ils la libérèrent et la laissèrent foncer vers la porte.

— On dirait une femme sortant de chez le coiffeur avant que ce soit terminé, dit Sarah.

Elle s'était approchée de l'évier pour se laver les mains et les avant-bras. Julian en fit autant.

— Je ne vous aurais jamais imaginée en infirmière, dit-il d'un ton badin.

— L'occasion fait le larron, répliqua Sarah sur le même ton. Voulez-vous un verre ?

Toute animosité semblait avoir disparu entre eux. Il faisait frais à l'intérieur du cottage, bâti pour repousser la chaleur en été et la garder en hiver. Sarah était vêtue d'un chandail de coton jaune à manches courtes, largement échancré en V sur la poitrine. Ses cheveux propres semblaient mousser ; ça sentait bon le shampooing, le savon et le parfum, de quoi oublier les relents de musc de Hettie et les odeurs médicamenteuses ramenées de chez Mlle Gloomer. Ils s'installèrent dans le petit living. Un grand châle recouvrait le canapé ; une vilaine lampe avait été posée par terre pour mieux diffuser la lumière, transformant la pièce de telle façon que même le faux feu de cheminée semblait irradier de chaleur. A la première gorgée, il put juger de l'excellence du whisky et vit qu'elle sirotait le sien en connaisseuse.

— Vous êtes passé par chez moi pour me dire que j'étais virée ? demanda-t-elle sans rancœur, comme si la réponse importait peu.

— Non, on vous garde, mais uniquement à cause de votre évident savoir-faire avec les brebis. D'où vous vient ce don ?

Elle haussa les épaules. Son chandail avait un peu glissé en arrière, et il remarqua deux petites cicatrices au cou, comme celles que laisse l'ablation d'un grain de beauté.

— Je ne sais pas. Je n'ai aucun don particulier, mais les animaux sont plus faciles que les gens. Je vous en sers un autre ?

Il avait vidé son verre en un clin d'œil et il accepta d'un hochement de tête. Elle se leva avec grâce et son bras passant dans la lumière, il aperçut trois autres cicatrices au-dessus du coude, fines raies blanches sur la peau brunie. Elles n'avaient rien de repoussant mais leur vue l'emplit d'une soudaine angoisse.

— Nous avons parlé d'Elisabeth Tysall vendredi, dit-il brusquement. Que savez-vous d'elle ?

Sarah sentit son regard fixé sur les marques de son cou, et remonta son chandail.

— Je ne l'ai pas connue de son vivant ; j'ai fait sa connaissance plus tard, si je puis dire. Son mari me considérait comme son double. Je sais qu'il la maltraitait atrocement et qu'elle s'est donné la mort ici, à Merton. J'ai découvert comment hier. Vous savez, s'il faisait aussi chaud qu'hier et si elle était suffisamment ivre et droguée pour se coucher dans une vasque et s'endormir, elle a eu une mort paisible, n'a rien senti venir.

— Vous le pensez ?

— Oui, à condition qu'elle n'ait pas eu peur, que mourir soit devenu pour elle la seule issue possible.

Julian la regardait avec attention. Etait-elle sincère ? Il voyait bien à présent qu'elles ne se ressemblaient pas,

Elisabeth et cette femme assise par terre, contre le canapé. Elles avaient peu de points communs, mis à part la couleur des cheveux et le même genre de beauté.

— J'aurais aimé la connaître, ajouta Sarah avec tristesse.

Julian avala une gorgée de whisky et reposa son verre. Ne pouvant résister davantage à cette occasion de se décharger un peu du poids de sa culpabilité, il se mit à parler.

— Les Tysall avaient un cottage ici. Pour être exact, un que nous leur avions loué, mais Elisabeth l'avait arrangé de telle façon qu'il était un peu le leur. Ils semblaient très riches, mais pas comme nous ; je ne pense pas qu'ils avaient des biens. Merton n'a rien de fascinant, c'est le moins qu'on puisse dire, mais Elisabeth s'y plaisait. Charles, son mari, malgré sa jalousie maladive, la laissait libre de venir ici, probablement rassuré par l'absence de tentations dans ce pays de culs-terreux : pas de casino, pas de théâtre, rien. On ne risque pas d'apparaître dans le carnet mondain en allant faire une partie de flipper à la galerie de jeux.

Il posa sur elle un regard plein de sous-entendus, mais ne rencontra que deux grands yeux innocents.

— Elle adorait la marche à pied. Moi aussi. A cette époque, le paysage m'enchantait encore.

Il se souvint de boire lentement ; il se sentait déjà légèrement ivre, parlait plus vite.

— Alors, nous nous sommes promenés ensemble. J'avais rencontré Charles deux fois, quand mon père les avait invités à la maison pour boire un verre. Charles a vu en moi un péquenaud, ce que je suis. J'ai revu ensuite Elisabeth plus longuement, lorsqu'elle est venue consulter à mon cabinet. J'ignore comment c'est arrivé. Je ne pouvais plus la quitter du regard. La vie n'était qu'un grand vide entre nos rencontres. Ne pas la voir de toute une semaine — et cela arrivait souvent — équivalait à une semaine en enfer. Elle m'écrivait des lettres, se moquait gentiment de moi, me tenait à distance. Elle était honnête, et m'a mis en garde contre la jalousie de Charles. Je lui ai demandé de le quitter : Pour vous, je combattrai le monde entier, s'il le faut. Mais elle me répondait : Non, vous ne me connaissez pas, et personne ne gagne jamais contre Charles. Et puis, un week-end qu'elle était venue à Merton, elle a succombé. Je ne saurais décrire ce que j'ai vécu, dit-il simplement. Je passerais pour un gamin si j'essayais de le raconter.

Il se laissa aller contre le dossier du canapé, manifestement épuisé.

— Je me souviens lui avoir dit que je la trouvais tellement belle que je ne pouvais même plus regarder une autre femme ; et qu'allais-je devenir si elle ne restait pas avec moi pour la vie ? Abandonne-le, épouse-moi, je lui répétais. Il n'y aura jamais d'autre femme dans ma vie, tu es tellement parfaite. Ne dis pas ça, me répondait-elle. Je t'en prie, ne dis pas ça.

Il se mit à trembler, tendit gauchement la main vers son verre, renversa un peu de whisky par terre.

— Deux semaines plus tard, elle est revenue. Vous savez comment c'est quand quelqu'un vous manque tellement que vous avez mal. J'étais dans une colère noire parce qu'elle ne m'avait pas donné signe de vie depuis son départ, ni lettre ni coup de fil, rien, et bien sûr, impossible de la joindre à cause de Charles, mais j'étais quand même fou de bonheur de la revoir enfin. La parfaite Elisabeth, l'incarnation de mes rêves les plus fous, mais elle avait perdu sa perfection, elle n'était même plus belle. Quand elle est entrée dans mon cabinet, elle était méconnaissable. Son visage avait été lacéré. Peut-être avec un éclat de verre, difficile à dire avec tous ces points

178

de suture et ces hématomes qui la défiguraient. Je ne pouvais pas la regarder tellement c'était horrible.

Julian se tut un instant, le regard perdu, jouant avec son verre, les paumes moites de sueur.

— Bien sûr, je lui ai demandé comment, pourquoi. Je pense que ma réaction de répulsion était due en partie à un sentiment de culpabilité, je croyais que notre aventure était la cause de cette horrible punition. Elle avait du mal à parler, à cause d'une profonde entaille au coin des lèvres. Elle m'a dit que cela n'avait rien à voir avec moi, que Charles avait agi sur un coup de folie. Je n'en ai pas cru un mot. J'étais à la fois effondré, révolté et effrayé, et je me suis conduit comme le dernier des derniers. Je lui ai prescrit des doses massives de tranquillisants et de somnifères, et conseillé de dormir pendant vingt-quatre heures, car cela aiderait à la cicatrisation. J'ai prévenu la pharmacie qu'elle allait passer prendre des médicaments, je ne lui ai même pas proposé de rester avec elle ; je suis sorti et je me suis soûlé. A mort.

Il vida son verre.

— Puis-je en avoir un autre, s'il vous plaît ? Je vous promets que je n'ai nulle intention de renouveler l'expérience. Je n'ai plus jamais été soûl depuis, et ce n'est pourtant pas faute d'avoir essayé.

Il ferma les yeux et écouta le glouglou de la bouteille de whisky. Une mesure généreuse, assez pour le remettre d'aplomb. La main qui toucha la sienne, quand il prit le verre qu'elle lui tendait, était chaude, encourageante.

— Je suppose que c'est le lendemain qu'elle a disparu, alors que je pouvais à peine soulever la tête de mon oreiller, ayant tout juste la force d'annuler mes rendez-vous du samedi. J'ai appris plus tard qu'elle avait appelé au centre médical pour me voir. Elle n'a pas dû être bien reçue en dépit de son état. Ils pensaient qu'elle me faisait du mal et n'aimaient pas trop ses façons assez hautaines.

J'imagine qu'une femme aussi belle a le droit de se montrer dure et sur la défensive, trop de gens doivent avoir envie de l'approcher.

Il serrait doucement son verre de whisky. Sarah sentit chez lui un homme qui possédait une grande maîtrise de lui-même, qui ne buvait pas pour le plaisir mais pour oublier.

— J'ai d'abord pensé qu'elle était retournée chez son mari. J'ai reçu une lettre de lui quelque temps plus tard : il cessait de louer le cottage. J'en ai été soulagé, mais je me sentais toujours coupable. Hélas, ma culpabilité d'alors n'était rien comparée à celle que j'éprouvai quand, l'année suivante, on la découvrit dans une crique, à quelques centaines de mètres de la jetée. Le corps d'une morte refaisant surface dans le monde des vivants.

— Comment se fait-il qu'elle ait été ensevelie pendant un an dans le sable ?

— Personne ne le sait et si certains savent, ils ne diront jamais rien. Mais les criques changent tout le temps de forme. Il se peut qu'un pan de banc de sable se soit effondré sur elle, jusqu'à ce qu'une tempête plus forte que les autres ne le disperse. La veille de sa découverte était un jour de tempête et de grande marée. C'est à la longueur de ses cheveux, principalement, qu'on a pu estimer la date de sa mort. La police a enquêté, son mari a déclaré que comme elle n'était jamais revenue à Londres, il avait pensé qu'elle était partie pour l'Amérique, d'où elle était originaire. Elisabeth gisait sous le sable un jour après m'avoir parlé. J'aimerais pouvoir en douter, hélas, c'est impossible. J'aurai toujours la certitude que c'est moi qui l'ai tuée. Elle est venue me demander de l'aide et moi, son amant, je lui ai donné les moyens de se suicider. J'ai été la goutte d'eau qui fait déborder le vase.

Il n'avait pas touché à son whisky. Le silence était pesant. Julian toussa, douloureusement.

— Charles est venu voir le corps. Il m'a téléphoné, et je lui ai dit qu'il pouvait séjourner dans leur ancien cottage s'il le désirait ; mais tout ce qu'il voulait savoir, c'est comment sa femme avait pu passer un an enfouie dans le sable. J'étais furieux contre lui, bref, je lui ai dit que je ne voulais pas le savoir, je lui ai dit en criant qu'il aurait dû l'aimer mieux que ça. Mon père venait juste de mourir, et mon attitude ne l'encourageait pas à me faire confiance. Charles voulait que je le conduise à l'endroit où on avait découvert Elisabeth. J'ai refusé tout net. Le lendemain, on m'a appelé pour aller chercher un corps que la marée venait de ramener. Je savais que ce devait être lui. Vous savez ce que j'ai fait ? Je l'ai bourré de coups de pied, et j'ai perdu par la même occasion le peu d'estime qui me restait pour ma personne. Puis je suis rentré enterrer mon père. J'ai alors été frappé par certaines évidences qui ne cessent de me hanter. (Il se mit à compter sur ses doigts.) Un, je ne mérite pas le titre d'être humain, et encore moins celui de médecin. Je l'ai tuée, vous comprenez. Deux, j'aurais mieux fait de me suicider.

Sarah se leva pour se rendre à la cuisine où elle remit la bouilloire à chauffer. Un papillon de nuit entra par la fenêtre, voleta devant le miroir où Joanna avait admiré son nouveau look et dans lequel se reflétait la lumière de la lampe. Julian ne supportait pas le bruit du battement d'ailes.

— Café ? demanda Sarah.

— Oui.

Il se leva, cueillit le papillon entre ses mains et le relâcha dans la nuit. Sarah revint, posa le plateau par terre à côté de la lampe, reprit sa place contre le divan, aux pieds de Julian. Il n'y avait rien de soumis dans sa pose, seulement le désir qu'il lui prête attention.

— Maintenant, vous allez m'écouter, lui dit-elle, parce

181

qu'il y a une chose que vous devez savoir. Ne me demandez pas d'où je tiens cela, contentez-vous de me croire sur parole : Elisabeth Tysall ne s'est pas suicidée à cause de vous. Elle en avait l'intention bien avant de revenir ici la dernière fois, et rien n'aurait pu l'en dissuader. Elle avait écrit une lettre à Ernest Matthewson, lettre qu'elle avait déposée à sa banque avec ordre de la lui faire parvenir quand la nouvelle de sa mort serait confirmée. La banque a suivi ses instructions. Ernest était malade à ce moment-là, c'est sa femme qui a intercepté la lettre et me l'a remise. Je l'ai montrée à un ami... et à personne d'autre. Elisabeth y disait exactement ce qu'elle allait faire, comment et où. Elle racontait aussi qu'elle avait eu plusieurs aventures dans le passé, toutes pour punir Charles qui ne l'aimait plus, et que son suicide était la seule manière de se venger d'avoir été défigurée ; qu'elle ne pouvait rien dire à son sujet tant qu'il était vivant, mais elle espérait bien que l'on découvrirait son corps, et qu'avec toutes les marques de blessures témoignant de ce qu'elle avait subi, Charles serait démasqué. Elle connaissait mal les rouages de la justice ; Charles n'aurait pas été poursuivi. Elle écrivait également qu'elle n'avait plus envie de vivre, et cela depuis longtemps. En tout cas, elle n'avait pas besoin de vos tranquillisants, elle possédait tout un arsenal de pilules. Elle précisait qu'on trouverait une autre lettre sur elle, mais la mer a dû l'emporter.

Sarah changea de position. Le sang battait aux tempes de Julian. Tout se mêlait, la colère, le soulagement, le souvenir du désir, désir qui avait longtemps dormi avec les morts et qui, maintenant, reprenait vie.

— Cela ne veut pas dire, poursuivit Sarah d'une voix douce, que votre réaction face à son visage défiguré n'a pas été affreusement cruelle, et vous pouvez en avoir honte, mais votre attitude n'a pas influencé la suite des événements. C'est Charles qui l'a tuée, pas vous. Quant à donner des coups de pied dans un cadavre... un cadavre ne sent rien. Votre père venait de mourir. Le chagrin nous pousse souvent au bord de la folie. Quand mon mari est mort, j'avais envie de tuer, de mutiler, de torturer. Vous n'avez rien fait de tout cela.

Julian se penchait en avant, reprenant espoir, le regard plongé dans les yeux mouchetés de Sarah, des yeux insondables, généreux, remplis de solitude, mais non de tristesse. Il ne bougea pas quand elle prit son visage entre ses mains et l'embrassa. Le baiser dura, il eut un léger mouvement de recul, puis y répondit en gémissant, abandonnant toute résistance.

— Sarah, Sarah...

— Ne pensez à rien, murmura-t-elle. A rien. Sauf à exterminer vos démons.

Il crut aussi l'entendre dire qu'il n'était pas question de laisser Charles Tysall détruire d'autres vies, mais il n'écoutait plus très bien ce qu'elle disait, seulement le froissement de leurs vêtements. Il la suivit à l'étage, entra dans la douce pénombre de la chambre, fit valser sa chemise et tomba avec elle, leurs corps chauds et doux emmêlés, de nouveau prisonnier d'un baiser qui semblait ne s'être jamais arrêté. Se rappelant son corps menu, il n'osait la serrer trop fort et tremblait. Elle l'apaisa, le guida en elle, jusqu'à l'extase, et il s'entendit crier. En redescendant sur terre, il aurait volontiers pleuré. Au lieu de cela, il s'endormit comme un bébé.

Les roues de la voiture patinèrent sur le gravier. Le bruit n'était pas celui d'un beau gravier bien ratissé qui crépite, mais le frottement de pneus usés sur des cailloux usés enfoncés dans la boue après une pluie chaude. La pêche : pourquoi un homme aimerait-il pêcher ? se demanda Edward, assis derrière le volant. Surtout pêcher comme il le faisait, clandestinement, de nuit le plus souvent, pour le romantisme des vagues au clair de lune, mais surtout par honte, parce que lui, qui cherchait à acquérir une maîtrise de cet art que les autres hommes lui envieraient, n'avait encore jamais réussi à remonter une seule prise. Le poisson ne mordait pas, restait sous l'eau à se moquer de lui. Ses cannes à lancer étaient le nec plus ultra ; ses appâts, ceux recommandés par tous les ouvrages, ce que lui jurait aussi Stonewall, ce sale gosse dont la muette servilité dissimulait mal le mépris. Si Edward reconnaissait qu'il avait besoin d'un professeur il lui faudrait se montrer humble pour apprendre. Oh, il savait lancer, mais cela s'arrêtait là. C'était comme tout le reste... son échec était en proportion de l'effort. Si seulement son père avait bien voulu lui apprendre !

La maison semblait vide.

— Joanna ! cria-t-il dans l'escalier, se souciant peu de réveiller la maisonnée. Comment osaient-ils dormir alors qu'il avait besoin de compagnie et de nourriture, dans cet ordre ? Silence. La voiture de Joanna n'était pas là ; cette idiote devait encore traîner dehors avec une de ses copines. Il jeta ses affaires de pêche sur la table de la cuisine, vida rageusement ses poches : boîtes d'hameçons, flotteurs, plombs, sandwiches enveloppés soigneusement dans du papier sulfurisé par Jo, cette grosse vache. Il posa si violemment la boîte d'hameçons que le couvercle sauta, et que les petits hameçons, pas plus gros que l'ongle du pouce, se répandirent tout autour. De la main, Edward en fit glisser quelques-uns dans le tiroir de la table. Dans la maison, on trouvait partout des signes de son désir obsessionnel, mais toujours frustré, de pêche miraculeuse. Mère, Julian et Père avaient laissé proliférer les cannes, les moulinets, les bobines de fil. Ils pensaient tous que la pêche ferait de lui un homme. S'il ne l'avait pas entendu mille fois, alors il ne l'avait jamais entendu.

— Joanna !

Rien. Edward monta dans sa chambre, affamé et désœuvré, et regarda par la fenêtre. Une fine bruine avait succédé à la pluie, et le ciel commençait à s'éclaircir ; demain il ferait beau de nouveau. Sans savoir pourquoi, il en éprouva de la colère. La maison de poupée était toujours recouverte de son bout de tissu. Il abattit son poing sur le toit de contre-plaqué, l'entendit craquer et se fendre en deux, tandis que les figurines à l'intérieur ricochaient contre les parois. Incapable d'examiner l'ampleur des dégâts, il se tourna vers la fenêtre ; incapable de regarder la mer, il baissa les yeux en direction des cottages.

Une lumière brillait à une fenêtre. Hettie la brebis paissait devant la porte flanquée de rosiers. Une lumière en bas, une autre, plus tamisée, en haut. La voiture de Julian était garée à son emplacement habituel. Edward devina soudain où se trouvait son frère. Et cette découverte lui donna la nausée.

Mais peut-être se trompait-il. Il dégringola l'escalier et gagna l'arrière de la maison où se trouvait la chambre de Julian, juste à côté de celle de Jo. Les deux portes étaient entrouvertes, les pièces plongées dans l'obscurité, vides. Il se hâta de regagner sa chambre et sa fenêtre.

La lumière au-dessus de la porte d'entrée, illuminant la pelouse, semblait inviter le voyageur à entrer. Il revit Sarah Fortune, marchant nue vers le cottage, son sac à main en équilibre sur la tête, un merveilleux modèle à coucher sur la toile... à coucher dans son lit. Sauvez-moi du désir, se répéta-t-il avec toute la ferveur de cette prière qu'il détestait. Sauvez-moi.

Il redescendit dans la cuisine, trébucha sur sa canne, jura, glissa sur le journal dans l'office, jura derechef. Il prit la miche de pain, en arracha un morceau, sentit une présence derrière lui et se retourna. Mère. Encore coiffée de son chapeau à plumes, un manteau de tweed par-dessus la même robe. Elle était là, stupéfaite et visiblement effrayée, ce qui n'était pas pour déplaire à Edward. Reculant devant lui dans la cuisine, comme une esclave, elle s'appuya d'une main sur la table et poussa aussitôt de petits cris comme un perroquet, joignit les mains comme pour une prière avant qu'il ne la frappe. Un coup de poing, pas plus, visant ce chapeau ridicule, mais un coup fort, la faisant se plier, agripper le dossier d'une chaise, avec un hameçon ou deux plantés dans la paume. Le souffle coupé, elle faillit tomber mais se redressa en prenant appui sur la table, les jambes un peu tremblantes. Son chapeau était de guingois, les plumes lui balayaient l'oreille gauche d'où une goutte de sang commençait à tomber lentement. Elle fixa la paume dans laquelle deux hameçons étaient fichés et elle poussa un soupir très théâtral.

— Qu'est-ce que j'ai fait, Ed chéri ? Qu'est-ce que j'ai fait ?

Un courant d'air froid souffla de la porte de derrière. Joanna s'arrêta sur le seuil, les cheveux humides et fri-sottants, et regarda le tableau que formaient la mère et le fils. Mère s'assit très calmement et entreprit d'extraire les hameçons, grimaçant à peine, marmonnant tout bas. C'étaient ces crochets armant la pointe qui ferraient la gueule du poisson sans lui faire mal, comme l'avait expli-qué cent fois Edward à Joanna. Par contre, plantés dans la paume d'une main, les hameçons n'étaient pas indo-lores.

— Là ! s'écria Mère, triomphante, en sortant le pre-mier et en l'observant à la lumière avant de se remettre au travail. Il suffit de pousser dans un sens puis dans un autre, et on tire. Fastoche !

186

Joanna poussa un soupir de soulagement. Un jour, il y aura un accident, la pêche était un sport idiot. Et puis la goutte de sang qui perlait à l'oreille de Mère s'écrasa soudain sur la table, petite flaque rouge que Mère s'empressa d'effacer de sa main blessée qu'elle lécha avidement. Plus de trace, envolée. Elle s'aperçut alors de la présence de Joanna. Brusquement sur la défensive, Mère coula un regard apeuré en direction d'Edward.

— Ça y est ! dit-elle, gaiement, en retirant le second hameçon. Au lit ! Temps depuis longtemps d'aller au lit ! Aurais pas dû me lever !

Edward remplissait la bouilloire au robinet de l'évier. Joanna fixait d'un regard dur le dos voûté de son frère, tout en escortant sa mère hors de la cuisine.

— As-tu faim ? demanda-t-elle, comme elles montaient lentement l'escalier. Tu veux un sandwich ?

— Non merci, sans façon.

Puis, comme une réminiscence après coup :

— Il ne faut pas porter de boucles d'oreilles, ma chérie, elles peuvent te blesser si tu tombes mal.

Joanna était soulagée que Mère ne veuille pas de sandwich. Redescendre dans cette cuisine à l'air confiné et étouffant, se retrouver dans cette atmosphère lourde d'accusations non formulées, face à ce frère en qui elle n'avait plus confiance, était pour l'instant au-dessus de ses forces.

La marée se retirait. Accroché à un câble dans le port, un chemisier rouge pendait, telle une chasuble mise à sécher après la messe du dimanche tandis qu'une paire de sandales flottait entre deux eaux, dérivant avec le poisson.

Julian Pardoe se réveilla dans les bras de Sarah, libéré de sa culpabilité et de sa souffrance.

— Sarah ?

— Oui ?

— Quant le chagrin vous rend fou, que faites-vous ? Qu'avez-vous fait la première fois ?

— Ça, répondit-elle d'une voix endormie. Seulement ça.

Puis, dans un murmure :

— Je n'ai jamais été très bonne comme avocate, jamais très bonne en rien, d'ailleurs, mais ça, je sais faire. En droit, on procède lentement. Ce n'est pas drôle du tout. C'est de la pure arithmétique... Il existe tellement d'autres bonnes façons de soulager son désespoir.

Il ne comprit pas ; cela n'avait pas d'importance. Il l'attira contre lui, sentit sous ses doigts les étranges cicatrices, remit les questions à plus tard et opta pour la plus ancienne des médecines.

9

Ils pourraient aller pêcher le fantôme et se couvrir de gloire. Stonewall et Rick étaient dans le bateau, une vieille barque pourrie avec un moteur poussif — un demi-cheval, disait Rick —, mais suffisant pour les criques et, si vous aviez le courant descendant avec vous, capable de remporter les Jeux Olympiques. Ils attendaient que la marée monte, dans cette aube presque laiteuse qui faisait toujours frissonner Stonewall. L'embarcation mouillait tranquillement dans le port, en bordure du quai. Stonewall se pencha par-dessus bord avec sa ligne, cherchant des crabes qu'il pourrait vendre comme appâts ou, plus vraisemblablement rejeter s'il en attrapait, mais ce fut une chemise de femme d'un beau rouge qu'il trouva, séchant sur la corde d'amarrage ; il la prit, la noua autour de sa taille comme une ceinture de corsaire, absurdement heureux de sa trouvaille. Rick était étendu sur le dos, les yeux au ciel.

Un bruit de pas désagréablement familier le fit se relever, et il vit Edward Pardoe passer à quelques mètres de là dans ses gros souliers d'hiver. Rick monta sur le banc central de la barque, prit appui des deux mains sur le rebord du quai et sauta dessus en souplesse. Tout à sa marche, jetant de brefs regards aux cygnes qui dérivaient avec la marée, Edward ne remarqua rien. Rick posa un doigt sur ses lèvres à l'attention de Stonewall qui venait de le rejoindre. Dissimulés derrière une voiture, ils suivirent des yeux Edward qui prenait la route menant à la plage, au camping et aux bois.

Rick claqua des doigts et désigna la silhouette d'Edward d'un signe de tête impératif, une parodie d'ordre militaire que Stonewall comprit sur-le-champ. Exécutant un salut moqueur, il se lança à la poursuite de la silhouette qui rapetissait tandis que Rick, poursuivant son rôle, le regardait s'éloigner avec ses tennis trouées, la main en visière devant les yeux. Le soleil était maintenant levé ; la mère de Stoney lui en voudrait si le gamin n'était pas rentré pour le petit déjeuner, mais bon, ils avaient encore le temps. Qu'est-ce que ce salopard d'Edward foutait dehors ? Ce n'était pas le genre à se lever aux aurores pour rien, plutôt le genre à ne pas se lever du tout s'il pouvait l'éviter. Rick cracha par terre, ça lui faisait toujours du bien, même si c'était une habitude récente et qui lui faisait honte.

La première fois remontait à quelques semaines à peine, quand Edward était venu le voir à la galerie pour le mettre en garde au sujet de Jo. Qu'est-ce que ça peut te faire qu'elle sorte avec moi ou un autre ? avait dit Rick. J'vais pas lui faire de mal. Ne t'approche pas d'elle, c'est tout ; elle ne t'aime pas, elle fait semblant et se moque de toi dans ton dos, avait lâché Edward d'une voix traînante, alors laisse-la tranquille ou sinon tu risques de perdre ta chère galerie, et ton père et toi seriez obligés de chercher du travail ailleurs. C'est alors que Rick cracha, davantage en réponse à la première partie du message qu'à la seconde, se sentant impuissant ; comme toujours ; c'était l'histoire de sa vie.

Les Pardoe, comme son père, avaient toujours eu le dernier mot. Mais c'était fini, ce temps-là. Il tourna la tête en direction de la galerie, son royaume. Même avec un père comme le sien, lui, Rick, était assez bien pour n'importe qui. Il y avait bien réfléchi, et aujourd'hui, il irait chercher Joanna Pardoe.

Il traversa la rue, ouvrit les portes de la galerie de jeux, entra et abaissa tous les interrupteurs, l'un après l'autre. Et il se sentit tout ragaillardi, dans cet espace violemment illuminé qu'emplissait la voix magnifique et rauque d'une chanteuse de rock.

Stonewall crut deviner où se rendait Edward, la route qu'il avait prise offrant peu de choix. Peut-être ce gros paresseux allait-il se chercher des vers pour une fois, mais il n'avait ni pelle ni seau. Le chemin menait au camping, à la plage ou aux bois. Stonewall ne voyait pas en quoi les caravanes pouvaient intéresser un Pardoe. Edward marchait sur le sentier courant le long de la route déserte à cette heure, et Stonewall le suivait à une cinquantaine de mètres, invisible malgré son éclatante ceinture rouge. Cette filature l'irritait plus qu'elle le réjouissait, car sa fierté souffrait de devoir se cacher d'un être aussi méprisable qu'Edward Pardoe, qui lui devait de l'argent pour tous les paquets d'appâts. Il avait faim aussi. Il décida de couper par le camping, car il était presque sûr qu'Ed se rendait à la plage. Il se glissa comme une ombre parmi les caravanes encore endormies, ressemblant à de grosses limaces sur le sable. Il atteignit les bois, où le vent gémissait doucement, suivit plusieurs sentiers à travers les pins odorants, jusqu'à ce qu'il atteigne la lisière où commençait le domaine du sable et de la mer. La crête des dunes bordant la plage montait et descendait, entrecoupée de couloirs d'accès creusés par les hommes ou les éléments. Stonewall scruta la plage ; c'était là, non loin de l'endroit où il se tenait lui-même, qu'il avait surpris Edward et le fantôme en grande conversation. Ils s'étaient rencontrés en pleine nature, comme deux duellistes.

C'était des semaines auparavant. Cette fois-ci, il perçut d'abord le son de leurs voix et faillit tomber sur les deux hommes assis à l'abri du vent sur la pente raide qui descendait des bois à la plage. Le fantôme portait les mêmes vêtements que la fois précédente, et tenait entre ses mains une canne que le garçon reconnut aussi : la canne de Mlle Gloomer. Stonewall se jeta à terre comme s'il avait reçu une balle et resta immobile, les mains sur la tête. Il pouvait à peine les entendre, à cause du vent dans les arbres et des cris des mouettes, plus loin sur la grève. Son ventre gargouilla, il péta et faillit s'excuser à haute voix. Les gens ne faisaient pas cela dans les films vidéo, et l'idée de pouvoir péter une nouvelle fois l'empêcha de ramper plus près d'eux.

Rick m'aime : il me l'a dit.

Le soleil commençait à filtrer entre les branches au-dessus de lui, et lui réchauffait la nuque. La lumière était intermittente, comme celle de la discothèque au-dessus de l'Ark Royal. Stonewall sentit un frisson de peur le parcourir et se mit à observer les puces de mer sautillant devant son nez. Qu'est-ce que tu as fait à mon Sal, toi avec tes cheveux blancs comme ceux de l'instituteur ? Le collier de Sal, toujours dans sa poche, lui rentrait dans l'aine. La peur fit place à la colère, puis à un sentiment d'importance : il avait sous les yeux ce fantôme auquel les autres commençaient à croire, maintenant. Celui-là, Rick et lui n'allaient pas tarder à le coincer.

Rick m'aime. On peut faire tout ce qu'on veut.

Une araignée arpentait sa toile perlée de rosée tout près du nez tacheté de son de Stonewall. Edward et le fantôme ne parlaient sûrement pas avec la décontraction propre aux vieux amis. Leur conversation était hachée, brève, ils évitaient tout le temps de se regarder, préférant le spec-

192

tacle de la mer au loin, ils n'étaient pas à l'aise, pas comme Rick et lui.

— Je vois que vous avez une nouvelle canne, disait Edward. Où l'avez-vous eue ? Je vous croyais sans argent.

— Oh, j'ai rendu visite à une vieille amie, pour prendre le thé et bavarder, naturellement. C'est presque par inadvertance que j'ai pris cette canne en partant.

Edward claqua plusieurs fois la langue en signe de réprobation.

— Vous ne devriez pas vous conduire de cette façon, dit-il avec humeur.

— Il faut qu'un homme mange. Je n'aurais pas dû non plus pénétrer par effraction dans le cabinet de votre frère, cependant ça n'a pas eu l'air de vous poser un cas de conscience.

Silence, sur fond de gémissement du vent et de ressac, au loin.

— Vous... vous avez trouvé ce que vous cherchiez ?

— La fiche médicale d'Elisabeth Tysall fait état d'une ordonnance de somnifères dangereux. Toutes les caractéristiques d'un crime passionnel, de mon point de vue.

— Oh non, pas tout à fait, protesta Edward. C'est exagéré de...

— Pas du tout, le coupa l'homme. J'ai aussi les lettres qu'il a reçues d'elle. Et celles, pleines d'amertume, qu'il lui a écrites mais n'a pas envoyées. Pourquoi ne les a-t-il pas gardées chez lui ?

— A cause de la curiosité de ma mère, je suppose.

— Je le tuerais volontiers, dit l'homme calmement. C'est le but, n'est-ce pas ?

— Vous voulez dire que Charles Tysall pourrait le tuer ?

— De ses mains nues, dit l'homme, laconique. Bien qu'à mon avis il mérite une mort plus raffinée.

Edward, inquiet et nerveux, croisa et décroisa les jambes. Les yeux bleus perçants de Charles cessèrent de contempler le rivage pour plonger dans ceux du jeune homme. Curieux comme ce regard semblait flou et combien l'homme avait plus que jamais l'air d'un vagabond. Seuls ses propos étaient parfaitement maîtrisés.

— Oui, cela servirait mieux vos desseins, je suppose, même si nous n'en avons parlé qu'à demi-mot. Pour vous, ce serait l'idéal si votre mère mourait aussi dans l'accident. Vous et votre sœur adorée seriez alors les maîtres de ce paysage.

— Oui, peut-être, marmonna Edward.

Il aurait préféré que ses vœux restent implicites et, surtout, qu'ils s'accomplissent sans qu'il ait à savoir comment. Dans la lumière du matin, ses rêves prenaient une coloration violente et vulgaire ; les projets perdaient tout leur charme en devenant réalité.

— Cette femme, dont je vous ai parlé, est encore chez nous, fit-il avec précipitation. Sa présence risque de compliquer les choses.

— Celle que votre sœur appelle la vache ?

— Ma sœur n'en parle plus en ces termes. Ecoutez, nous devrions réfléchir à tout cela.

— Réfléchir ? Mais je ne fais que ça.

— Je veux dire, attendre quelque temps encore...

— Vous avez changé d'avis ?

— Non, non.

— Vous préféreriez sans doute ne pas savoir ?

— Prenons un autre rendez-vous, disons dans deux jours ? Je vous ai apporté la clé d'une caravane, tout le confort moderne, quatrième rangée à gauche, au bout... Qu'y a-t-il ?

L'homme riait d'un rire sans joie, désagréable à l'oreille, qui secouait tout son corps et faisait trembler la canne entre ses mains.

— Rien. Il est trop tard pour changer d'avis.

Croyez-vous sincèrement que je vais m'installer dans un endroit de votre choix, où vous pourrez me trouver à votre gré ?

— Si je l'avais voulu, je vous aurais dénoncé à la police, protesta Edward.

— Pour que je répète nos conversations ? Allons donc !

Edward était forcé de prendre conscience qu'il existait entre eux un rapport de force. Il avait refusé de le reconnaître jusqu'ici, mais il existait bel et bien depuis leur première rencontre, niant le contrôle qu'il pensait exercer sur cet homme, détruisant l'illusion que lui, Edward, était un bienfaiteur, et l'homme en face de lui son serviteur reconnaissant.

— Ne faites rien avant que je ne vous le dise.

L'homme haussa les sourcils et écarta les mains d'un air innocent.

— L'idée ne m'en serait pas venue à l'esprit. Est-ce que votre charmante sœur vous a préparé des sandwiches, aujourd'hui ?

— Oui, mais je suis désolé, je les ai oubliés.

Edward s'en fut sans un regard en arrière et se mit à courir le long de la plage, mais il courait gauchement, lourdement, soudain inquiet d'être si loin de chez lui. L'homme se leva enfin, prit vers la gauche et disparut.

Stonewall avait manqué toute la conversation, sauf le passage concernant la caravane. Il demeurait à plat ventre, ne sachant si c'était l'apathie due à la faim qui l'empêchait de se relever pour suivre le fantôme ou bien le soleil qui lui avait tapé sur la tête pendant sa longue observation de l'araignée. Il pensa à la colère de sa mère, se demandant s'il ne valait pas mieux attendre un peu plus longtemps ici que le courroux maternel se transforme en inquiétude. Après dix minutes d'indécision, il se dit que cela risquait d'aggraver son affaire. Il réfléchit aussi à ce qu'il devrait inventer comme mensonge pour expliquer sa sortie à l'aube un lundi matin, tenté par une balade dans la barque de Rick. Et à ces préoccupations venaient se mêler le souvenir douloureux de Sal et celui de ces lundis, jour de football à l'école, où il s'apercevait à mi-chemin qu'il avait oublié ses chaussures. Stonewall détes-tait les lundis matin comme celui-ci : c'étaient des jours de culpabilité.

Rick m'aime.

Il se remit debout à contrecœur et se retourna pour dévaler la dune jusqu'aux bois. Il s'arrêta net, fit un pas en arrière, le cœur battant, trébucha et tomba lourde-ment sur le derrière, le souffle coupé. L'homme aux che-veux blancs se tenait devant lui, le dominait de sa haute taille, le clouait dans le sable de son regard, s'appuyant sur sa canne comme quelqu'un qui n'en a nul besoin.

— Je te connais, dit l'homme. N'est-ce pas ? Et tu me connais.

Stonewall secoua frénétiquement la tête, tenta de se relever, mais le sable glissa sous ses pieds. Oui, il recon-naissait cet homme, maintenant. Cela faisait un an, jour pour jour, qu'il l'avait vu partir à pied par les chenaux encore secs, avait essayé de l'en empêcher en lui disant que la marée allait monter aussi vite qu'un cheval au galop, et s'était fait repousser rudement en guise de remerciements. C'était le même qui était là, mais plus grand et plus maigre et avec cette tignasse toute blanche. Il devait avoir vécu comme un animal pour changer autant. Il avait les bras comme des baguettes, il était sale.

— Tu joues les espions pour le docteur, dit l'homme d'une voix basse. Tu n'es qu'un sale petit mouchard. Tu lui ressembles même, au docteur. Est-ce que tu l'as aidé à l'enterrer ? Est-ce que vous avez posé vos sales pattes sur elle, lui et toi ? C'est son chemisier que tu as là ? Tu lui as touché les seins ? Réponds-moi !

Le garçon ouvrit la bouche pour protester, j'ai jamais rien fait, j'sais pas de quoi vous parlez, laissez-moi tranquille, qu'est-ce que vous avez fait de mon chien ? Mais il ne put articuler un mot, put seulement pousser un cri perçant.

Stonewall s'était pris la tête à deux mains : le pommeau de la canne de Mlle Gloomer brisa trois de ses doigts. Le deuxième coup l'atteignit au crâne ; il sentit l'os craquer, mais n'eut pas plus mal que le jour où le dentiste lui avait arraché une dent ; il eut à peine conscience du troisième coup. Son corps se plia, tomba en avant, roula sur la pente à travers les aiguilles de pin ; les chardons et les ronces lacérèrent ses vêtements. Ni douleur, ni aucune sensation ; ses yeux captèrent des éclairs de lumière à travers les pins, le gémissement du vent se fit rugissement puis ce fut le silence total. Il cessa d'apercevoir le soleil, éprouva une légère surprise quand son corps eut un soubresaut et puis ne bougea plus, roulé en position fœtale, les mains toujours sur la tête comme le lui avait appris Rick au cas où il chuterait. Puis il sentit confusément qu'il était contre un arbre dont l'écorce lui écorchait la joue, et alors seulement il eut mal. A cette ultime douleur se mêlèrent l'humiliation et le sentiment vague d'être au mauvais endroit au mauvais moment, avec une envie de pleurer, comme un bébé. Il ne pouvait fermer les yeux, mais il ne voyait de toute façon plus rien.

Rick m'aime.

L'homme, en haut de la dune, regarda froidement le garçon recroquevillé contre un pin. S'il descendait achever ce qu'il avait commencé, il accrocherait ses vêtements aux ronces, or il n'en avait pas d'autres pour rentrer chez lui. Où que ce fut.

Un petit déjeuner agréable avec un grand frère de bonne humeur, remarqua Joanna. Mère prenait le sien dehors au soleil ; aucun signe d'Edward et pas d'agressivité dans l'air. Mère s'était vêtue de son mieux pour célébrer le premier jour de la semaine, et coiffée d'un turban avec broche. Joanna avait beau avoir nourri de tout temps un faible pour Edward, elle devait reconnaître que c'était Julian qui se comportait le mieux envers Mère, s'adaptant à ses enfantillages, rentrant dans son jeu, sauf, parfois, quand elle s'approchait trop près du poêle. Elle remarqua le bleu sur la joue de Mère, l'empreinte précise de sa boucle d'oreille, et le fait qu'aujourd'hui Mouse cherchait moins à attirer l'attention sur elle par ses facéties de timbrée. Elle portait une robe turquoise aux manches en pattes de mouton, les mêmes chaussures de tennis roses que la veille. Joanna la voyait jeter les miettes de son petit déjeuner aux oiseaux, et la sentait nerveuse. Elle-même l'était, avait envie de raconter à Julian la scène qu'elle avait surprise — ou cru surprendre —, la veille au soir entre Edward et Mouse, quelque chose de terrible. Mais la loyauté interdisait ce genre de révélation, qu'elle refusait d'approfondir. Son imagination lui jouait un tour : Edward était incapable de frapper Mère. Ce devait être dû au débordement d'énergie dont ils souffraient tous depuis l'arrivée de Sarah Fortune.

— Jo, ne t'ennuie pas à faire de la cuisine aujourd'hui, suggérait Julian gentiment. Mère n'en fera pas une affaire, et puis il fait trop beau pour rester enfermée devant les fourneaux. A propos, il y a longtemps que je voulais te le demander, que devient ce garçon que tu voyais ? Rick, de la galerie de jeux ? Un gentil garçon. Je lui ai recousu le genou l'année dernière et il s'est montré stoïque. Je sais que nous ne parlons jamais de ces choses, mais je voulais te dire qu'il me plaît bien, ce gars...

— Ça, c'est la meilleure ! s'écria Joanna d'une voix sifflante.

— Que veux-tu dire ?

Mère regagnait la cuisine. Sa robe, relevée d'un côté, était coincée dans l'élastique de sa culotte. Elle exécuta un tour de valse puis invita Hettie, la brebis, à la suivre à l'intérieur.

— Est-ce que Hettie peut entrer ? demanda-t-elle sur un ton poli. Elle va beaucoup mieux, aujourd'hui, et je l'ai invitée à prendre le café.

— Jamais pendant la semaine, seulement le week-end, m'man, tu le sais, répondit calmement Julian. Joanna, que veux-tu dire ? Qu'est-il arrivé à Rick ? Vous avez rompu ou quoi ? J'espérais que...

Joanna explosait littéralement de rage. Comment pouvait-il être aussi hypocrite, alors qu'il projetait de placer Mère en maison de repos où la malheureuse ne pourrait même plus s'habiller comme elle aimait ? Alors que c'était lui qui avait interdit à Rick de la fréquenter, le menaçant de le chasser de la galerie ?

— Non, nous n'avons pas rompu, Rick et moi, dit-elle d'une voix vibrante de colère. Mais c'est difficile pour un garçon de fréquenter une fille, quand le grand frère de la fille le menace de lui enlever son gagne-pain s'il continue de voir sa chère sœur. Ça te rappelle quelque chose ? Et ne me raconte pas de mensonge. Rick était déjà assez timide comme ça. Et toi, tu l'as définitivement découragé.

Elle plongeait les assiettes dans l'eau savonneuse d'une main tremblante. Le calme de Julian ne faisait qu'accroître sa fureur.

— Jo, commença-t-il de dire.

— Ne m'appelle pas Jo ! hurla-t-elle.

Mère éclata de rire et retourna dehors en chantonnant avec une étrange satisfaction. Julian attendit que les gestes de Joanna se fassent moins brusques, et la rejoignit pour essuyer la vaisselle qu'elle mettait à égoutter, regrettant soudain de ne pas l'aider plus souvent dans ce genre de tâche. La vie est trop courte pour mettre des tartes au four, lui avait dit Sarah Fortune à leur réveil, le matin-même ; cela l'avait fait rire, le faisait sourire, à présent. J'aime ma sœur, pensa-t-il, mais je ne le dis jamais. J'aime ce pays, sinon cette maison, et je ne suis pas le plus mauvais docteur qu'ils aient eu. Je peux vivre si je me laisse vivre.

— La porte est là, dit-il. A ta place, je descendrais tout de suite au village et je demanderais à Rick lequel de tes frères l'a menacé. Tout ce que je peux te dire, c'est que ce n'est pas celui que tu accuses. Oh, et n'oublie pas que c'est peut-être tout simplement par peur qu'un homme fuit une fille splendide comme toi. Les beautés dans ton genre ignorent à quel point elles sont terrifiantes. Vous nous paralysez.

Tenaillée par un terrible doute, elle se méfiait encore. Il était tellement plus facile de blâmer que d'agir.

— Splendide, hein ? dit-elle avec un reste de colère dans la voix.

— Oui, splendide ! dit Mère, qui se tenait sur le seuil et hochait la tête comme Hettie.

— Ou d'une grande beauté, si tu préfères, dit gravement Julian. Si seulement tu pouvais te voir comme les autres te voient.

— Qui, par exemple ? répliqua-t-elle, en écartant d'un geste vif une mèche de ses yeux.

Il feignit de réfléchir à l'opinion de quelqu'un qui comptait pour Joanna. Pas le vicaire, ni le gentil bedeau qui embrassait toujours Mère après la messe, ni aucun homme de leur connaissance.

— Sarah Fortune, par exemple. Elle me l'a dit sans

que je lui demande quoi que ce soit. Seule une jolie femme peut en apprécier une autre.

La porte d'entrée claqua. Ils entendirent Edward tousser, sa manière habituelle d'annoncer son arrivée. Joanna n'avait ni l'envie ni la force de lui faire face. Cependant elle restait là, à s'essuyer les mains avec un torchon, muette, flattée, calmée, essayant encore de faire taire dans sa tête le concert de voix qui la mettaient en garde contre tout ce qu'Edward lui avait dit.

— Viens prendre un peu plus de café, m'man, disait Julian.

Il essayait de distraire sa mère de ses efforts pour faire entrer Hettie dans la cuisine, comme si elle avait besoin d'un chien de garde, mais aussi de détourner son attention de Joanna qui, il le savait, était incapable de prendre une décision si elle se sentait observée. Regarde-les, ces deux-là, pensait Joanna en voyant Julian verser du café à Mère, ce n'est pas possible qu'il ait envisagé de la placer en maison de repos, comme me l'a dit Edward. A la fin, ne voulant plus penser à aucun d'eux, elle se débarrassa de son tablier et sortit précipitamment.

Les rayures de sa robe légère virevoltaient autour d'elle, tandis qu'elle avançait à grands pas sur la route. Sur les conseils de Sarah Fortune, elle avait commencé par piller sa garde-robes avant de s'offrir des vêtements qui lui plaisaient vraiment. A sa place, comment Sarah aborderait-elle Rick ? Calme, directe, sans rougir ni tourner autour du pot, lui disant : Est-ce que je peux te parler ? C'est ce que Sarah lui avait conseillé quand elles en avaient parlé. Elle lui avait dit aussi : Il faut que tu saches la vérité, s'il t'aime ou pas, et si c'est non, trouve quelqu'un d'autre. Elles avaient discuté longuement pendant que Jo se préparait.

A cette heure-là, la galerie de jeux était un espace vide rempli de bruit, pas encore prêt à accueillir la foule de badauds qui arriveraient plus tard, encombreraient le quai de voitures et s'assiéraient, tels des pantins, pour mâcher leurs frites. Joanna ne lissa pas sa robe, n'arrangea pas ses cheveux, mais entra, marcha droit vers Rick occupé à astiquer ses machines qui s'appelaient Thunderbirds, Street Fighters, Guerre des Etoiles, Kung-Fu, de quoi remplir un cimetière en s'amusant. Il s'arrêta et la regarda.

Et son visage s'illumina d'un sourire radieux. De la pénombre, derrière lui, surgit la silhouette massive de son père. Il posa une main noueuse sur l'épaule de Rick, et de l'autre souleva sa casquette pour saluer Joanna. Fauxcul, pensa-t-elle ; une brute d'hypocrite. Les marques sur le visage de Rick étaient encore visibles. Elle regarda tour à tour le père et le fils, d'un air de défi. Le père baissa les yeux, le fils dit :

— Viens, on prend la camionnette.

Rick prit la direction des bois par la route de la plage et donna du carillon, ignorant les enfants qui lui faisaient signe de s'arrêter. Après le camping, une route criblée d'ornières signalée « chemin non carrossable » s'enfonçait dans les bois ; Rick s'y engagea et coupa le moteur deux cents mètres plus loin. L'esprit grégaire de la race humaine l'avait toujours étonné. C'était vraiment de la perversité, car il suffisait de quitter les sentiers battus, à quelques centaines de mètres à peine de deux mille autres personnes, pour ne plus rencontrer âme qui vive. A les voir se serrer ainsi les uns contre les autres, on pourrait croire qu'ils s'aiment, avait-il dit à Stonewall.

— Je voulais te parler, tu sais, dit Rick à Joanna en appuyant ses coudes sur le volant, mais puisque tu es venue la première, c'est à toi de commencer.

Elle avait les mains posées sur les genoux, et il remarqua qu'elle s'était rongé les ongles. Il l'entendit prendre une profonde inspiration.

— Rick, est-ce que je te plais, ne serait-ce qu'un peu ? Mais c'est une question idiote, tu ne peux pas dire non, n'est-ce pas ?

— Oh, je pourrais, mais ce ne serait pas la vérité. Bien sûr que tu me plais, répondit-il, furieux de ce chevrotement ridicule dans sa voix. Toi et Stonewall, vous êtes tout ce que j'ai au monde. Seulement ton frère Edward m'a dit que tu te moquais bien de moi, et j'peux pas dire que ça m'ait plu.

— Edward ? répéta-t-elle lentement, d'une voix douloureuse.

— Qui d'autre que lui pourrait balancer ce genre de saloperie ? Il m'a dit aussi qu'il pouvait confier la galerie de jeux à quelqu'un d'autre. Je n'aurais pas dû le prendre au sérieux, dis-moi ? Je n'aurais pas dû ?

Elle s'était mise à pleurer, peut-être de soulagement, ou peut-être d'avoir été si abominablement trahie.

— Non, tu n'aurais pas dû le croire. Jamais nous n'aurions fait une chose pareille. Ni père, ni Julian, Edward... Tu sais ce que nous devrions faire de tout ces trucs que nous possédons ? Les rendre à ceux à qui ça appartenait, nous en débarrasser et ne garder pour nous que le nécessaire.

Elle se sentait gênée de pleurer autant.

Il faisait frais dans les bois. Ils marchèrent un moment en silence, se dirigeant d'instinct vers la mer. On ne pouvait vivre ici sans être toujours attiré par la mer, hiver comme été. Rick avait envie de faire l'amour à Joanna, ici-même sur le tapis d'aiguilles de pins, il en rêvait depuis des mois ; mais cet acte signifiait tant pour lui, il avait si peur de ne pas pouvoir, de ne pas savoir, qu'il passa son bras autour de la taille de son aimée et s'en tint là. Les pleurs se calmèrent, lentement.

— J'ai été si malheureuse, Rick, dit-elle avec un grand soupir. J'ai essayé de ne pas l'être mais c'est impossible.

— Toi et moi, enfin ensemble, dit-il, resserrant son étreinte autour de sa taille fine. Mais, dis donc, tu as fondu ! Arrête de maigrir, par pitié.

Elle avait envie de rire, encore envie de pleurer ; elle se tourna vers lui au moment où il se tournait vers elle, et se blottit contre sa poitrine. Il la serra contre lui, enfouit ses doigts dans la douceur de ses cheveux, le regard baissé avec recueillement sur cette tête blonde nichée contre lui.

Ils se remirent en marche, bras dessus bras dessous, à la recherche d'un endroit plus isolé pour s'asseoir, où ils pourraient profiter de la chaleur du soleil sans y être trop exposés.

— Je le tuerai, Edward, murmura-t-il. Il était dehors ce matin aux aurores. J'ai demandé à Stonewall de le suivre, histoire de rigoler.

C'était une découverte douloureuse pour Joanna que d'entendre parler de son frère dans ces termes. Elle espérait encore que tout cela n'était qu'un malentendu, une mauvaise plaisanterie qu'elle tirerait au clair un peu plus tard.

— Stonewall n'a pas dû récolter grand-chose : Edward rentrait à la maison au moment où je partais.

Rick s'arrêta, un peu troublé, pas suffisamment cependant pour cesser de faire attention aux battements de son cœur. Quelques pas de plus à ce rythme, et il mourrait. S'asseoir à côté d'elle, la serrer dans ses bras, c'est tout ce qu'il voulait. Le reste pouvait attendre.

Il sentit sous ses pieds la douceur du sable qui formait un creux accueillant à l'ombre d'un arbre, à mi-chemin de la crête au-delà de laquelle commençait l'immensité de la plage où brillait une lumière trop crue pour deux âmes en quête de tendresse. Ils s'assirent, à la fois calmes et un peu gauches, lui subitement armé de toute la patience du monde : avec le temps pour allié, tout se passerait merveilleusement

— Tu m'aimes vraiment, Jo ? Tu es sûre ?

Dans sa bouche, le diminutif était doux à entendre ; émerveillée elle tourna vers lui son visage rayonnant de beauté, puis son expression changea lentement. La tendresse de son regard fit place à la perplexité et presque à de la douleur.

— Quelqu'un nous épie, murmura-t-elle. Là-bas.

Rick se tourna dans la direction qu'elle indiquait et cria :

— Qui est là ?

Il fouilla du regard le jeu d'ombres sous les branches des pins, tendit l'oreille, ne perçut que le souffle du vent. Scruta encore, les poings serrés, prêt à se battre, puis distingua un point rouge.

De derrière un tronc d'arbre sortirent une main et une manche, un mince filet de sang formant une grosse goutte vermillon au bout des doigts. Rick n'aurait pas reconnu une simple main, mais il connaissait la couleur de ce tissu rejeté par la mer. Stonewall, stupide espion, sale petit farceur.

— Sors de là, espèce de crétin ! beugla Rick.

Lentement, la main glissa. Tous deux regardaient, fascinés, prêts à rire. La tête de Stonewall, les cheveux et le visage poisseux de sang, les yeux fixes comme ceux d'un aveugle, apparut en premier. Le gamin leva la main en un semblant de salut puis, une légère trace d'écume rosâtre autour de la bouche, s'écroula devant eux.

Peu après le départ de Julian, avant huit heures supposa-t-elle sans vérifier à sa montre, Sarah éprouva une violente douleur qui la fit s'asseoir au bord de l'antique

baignoire et se prendre la tête à deux mains. Le cliquè-
tement de la plomberie et du robinet qui, par miracle,
déversait l'eau chaude de son bain, empêchait tout souvenir, entravait toute réflexion, lui donnait envie de hurler. La douleur diminua, remplacée peu à peu par un
sentiment de panique, parce qu'elle savait que cette souffrance n'était pas la sienne mais celle de quelqu'un
d'autre et qu'elle n'y pouvait rien, incapable d'en deviner
la source ou le remède, ne pouvant que prier qu'elle s'en
aille.

Ce n'était pas la première fois que se manifestait cet
étrange phénomène. Quelqu'un souffrait-il de solitude
dans la maison voisine, elle le sentait aussi infailliblement
qu'un Exocet repère sa cible à sa chaleur. Mais cette fois,
elle n'était que douleur, physique et mentale, comme si
elle était devenue l'écho de la souffrance d'un autre. Pour
s'en débarrasser, elle n'avait plus qu'à prier à sa manière,
elle qui ne croyait en aucun dieu et maudissait le don qui
lui était échu.

Une forme de télépathie, disait Malcolm, dédaigneux.
A l'époque où elle n'avait pas encore fait la connaissance
de Charles Tysall et de Malcolm, elle avait agrémenté ses
revenus en se livrant à une prostitution sélective, moins
avide de profit que de plaisir et de liberté, telle une femme
à la recherche d'un savoir-faire. Jamais elle ne s'était
considérée comme une thérapeute, seulement une personne dénuée de ces principes moraux fondés sur l'interdit, la frustration et le besoin de se punir. Et puis elle
aimait coucher avec des hommes, à condition qu'ils lui
plaisent. Affection ou respect, telle était la clé. Quelques-uns préféraient bavarder, mais ils étaient peu nom-
breux. Etre une pute au grand cœur, savoir écouter, avant
ou après, peu importe, mais avec un intérêt non feint.

Sarah se lava avec soin, effaçant l'odeur de sa nuit
d'amour non sans regret. Avec Malcolm, elle avait eu une

206

vie plutôt sage, mais cela ne signifiait pas la disparition de son étrange pouvoir ni de ses instincts. La race des Malcolm vivait selon des règles qui n'étaient pas les siennes. Elle ne voyait pas ce que les siennes pouvaient avoir de surprenant, ni ce qu'il y avait d'étrange à désirer suivre sa nature.

Elle-même ne se trouvait pas bizarre, jusqu'à ce qu'elle se regarde dans le miroir dégoulinant de buée accroché en face d'elle, l'odeur de sexe enfuie, la douleur se résumant à une sourde migraine et des élancements dans les côtes et les jambes. Elle ne voulait pas se voir mais ne pouvait pas fermer les yeux. Elle ouvrit en grand le robinet d'eau chaude pour faire plus de vapeur, puis frotta les petites cicatrices laissées par Charles Tysall ; il était toujours en vie, elle en était sûre à présent, comme du fait qu'il venait de graver d'autres cicatrices dans la chair d'une nouvelle victime. La douleur se raviva. Elle regarda la vapeur s'élever, espérant un instant que quelqu'un allait tendre la main vers ses épaules nues et effacer d'une caresse ce qu'elle comparait à des vers. Personne n'avait jamais pu le faire, même Malcolm, en dépit de tous ses efforts.

Sarah resta là, à contempler le reflet trouble de son visage dans la glace, s'efforçant de garder les yeux ouverts de peur que d'autres yeux innocents ne se ferment.

10

« Tous partis ! Sont tous partis ! »

Laissée à elle-même, Mme Jennifer Pardoe avait tendance à parler toute seule, une bizarrerie anodine, se disait-elle, en comparaison du rôle de folle qu'elle jouait en permanence. Parfois, cependant, elle ne savait plus très bien qui elle était. Elle se surprenait à agir de façon étrange, même en privé. Elle avait cessé depuis longtemps de faire quoi que ce soit dans la maison. Jouer les dingues devant la famille était assez épuisant comme ça, même si, depuis quelque temps, cela lui demandait moins d'efforts. En même temps, Mouse Pardoe était plus qu'heureuse de pouvoir justifier son existence en cirant un meuble, en faisant un peu de pâtisserie, en promenant l'aspirateur. Elle n'avait jamais eu l'intention de faire de Joanna une esclave mais avait espéré, non sans malice, que l'avalanche des tâches ménagères finirait par pousser Jo à se rebeller et à obliger les hommes à lui donner un coup de main. Hélas, son stratagème n'avait pas fonctionné : Joanna était une ménagère-née, avec une authentique vocation de femme au foyer.

Mouse soupira. Une jolie fille de dix-huit ans avait mieux à faire qu'à penser à la cuisine ou supporter que son frère marque partout son territoire avec son horrible matériel de pêche, ces signes pitoyables de la vanité masculine. M. Pardoe avait fait de même. Si Mme Pardoe rangeait — très vaguement — la cuisine et l'office, c'était surtout pour effacer les traces de ses propres incursions dans le garde-manger aux premières heures du jour, et en faire retomber la faute sur les hommes de la maison. Elle pouvait aussi succomber à la tentation de confectionner un de ces horribles gâteaux auxquels personne ne toucherait, ce qui lui offrait un prétexte pour clamer son indignation. Personne n'avait mangé celui qu'elle avait fait pour l'arrivée de Sarah Fortune.

« Ils sont chacun dans leur petit monde, ma chérie », dit-elle à Hettie, qui se tenait en sentinelle sur le pas de la porte, rusé chien de garde l'avertissant toujours à l'approche de quelqu'un par un léger bêlement qui rappelait à Mme Pardoe le bruit d'une toux à l'église, ce petit raclement poli derrière un mouchoir. A ce propos, le bedeau qui l'avait accueillie si chaleureusement dimanche à la messe venait prendre le thé cet après-midi, comme il le faisait tous les lundis depuis des années, une habitude bien agréable. Mme Pardoe émit un gloussement qui se transforma en un rire bruyant qu'elle s'empressa d'étouffer dans une serviette à dessert, le menton posé sur la table. Oh oui, je viendrai pour le thé. Il y avait des phrases comme ça qui la faisaient rire : le vicaire lui promettant de lui passer « un coup de bigo », ou Joanna demandant innocemment : « Où est passé l'embout de l'aspirateur, celui en caoutchouc pour les fentes ? » L'embout en caoutchouc pour les fentes ! Mouse, assise en bout de table, resta le menton appuyé sur ses doigts croisés, le corps secoué de rire jusqu'à ce qu'elle reprenne son sérieux.

Il y avait quelque chose qu'elle voulait dire à Sarah Fortune. Quelque chose d'important. Oh, ma pauvre

Mouse, ta mémoire fout le camp. Peut-être était-elle cinglée pour de bon, après tout.

En dégageant la table devant elle pour y poser sa tasse de thé, elle repoussa un paquet d'hameçons. Du même acier, mais plus gros que ceux qu'elle s'était plantés dans la main la veille au soir. Elle les regarda avec une vague haine. Les petits jouets d'Edward ; Edward, allant à la pêche pour faire comme son papa ; s'en servant d'alibi, comme son papa. Puis elle sentit monter en elle l'envie de s'amuser un peu, de jouer un sale tour. Elle cacherait tous les moulinets, jetterait les plombs, ferait des nœuds aux lignes, balayerait tous les hameçons. C'était pour rire, mon chéri, dirait-elle. Pour jouer ; comme toi quand tu m'as frappée, hier.

Il y avait un pot de beurre sur la table, une bouteille de lait, du pâté de foie et du fromage dans le garde-manger, ainsi que de grandes tranches de pain de mie dans la corbeille à pain. Elle préparerait des sandwiches pour les hommes, puis ferait non pas un gâteau mais des scones, pour quand ils reviendraient. Ils ne les mangeraient jamais, et ça les agacerait de voir gâcher de la nourriture.

Julian songeait qu'il serait toute sa vie hanté par le carillonnement de la camionnette du glacier. Ils le croisèrent sur la route, alors qu'il regagnait à pied le centre médical depuis le cimetière, où il était allé faire la paix avec Elisabeth Tysall et avait mesuré à vue d'œil les dimensions de la pierre tombale qu'il ferait poser. Se hissant dans la camionnette il demeura stupéfait par la quantité de sang sur les vêtements de Jo, impressionné aussi par le calme de sa sœur et la façon dont ils avaient allongé et roulé le garçon dans une couverture pour qu'il soit au chaud et le plus à l'aise possible. Il décida qu'ils rouleraient ainsi jusqu'à l'hôpital distant d'une dizaine de kilomètres, appeler l'ambulance leur ferait perdre trop de temps. La camionnette était un véhicule stable et lui, un homme pragmatique.

On attendait toujours d'un médecin qu'il sache quoi faire, et lui ne savait pas. Le sang, l'angoisse lui embrouillaient l'esprit, alors qu'il était capital qu'il donne à tous l'impression d'assurer. Les petites routes qu'ils suivaient étaient envahies de reines-des-prés, et la camionnette avançait comme une faucheuse. Joanna conduisait prudemment. Rick tenait doucement la main de Stonewall dans la sienne, pendant que Julian pressait une serviette sur la tête du gamin tout en marmonnant un diagnostic médical présumé juste, tandis que Stonewall, oscillant entre inconscience et délire, essayait désespérément de communiquer des lambeaux de pensées.

— Parle-lui, dit Julian à Rick. Dis-lui n'importe quoi, pourvu qu'il garde les yeux ouverts.

Ouverts, les yeux de Stonewall l'étaient, mais comme deux disques noirs, fiévreux, roulant comme ceux d'une bête affolée. Rick se mit à lui parler.

— Hé, Stoney, qu'est-ce tu penses d'Omen III ? T'es d'accord avec moi que ça vaut pas un clou ? J'crois qu'on devrait prendre celui avec les tigres. Et Street Fighters VIII ? Un peu fastoche, hein ? De toute façon, t'es tellement fortiche avec ces jeux que tu peux tous te les faire, pas vrai ? J'vais te dire, j'te passerai le catalogue et tu commanderas celui que tu veux. J'te donnerai un chouette coussin pour t'asseoir. Tu s'ras comme un roi. Non ? Alors un poster de Madonna ? Qui t'a fait ça, Stoney ?

— Fantôme, dit le garçon d'une voix distincte. Celui... qui s'est noyé...

— Le fantôme, tu dis ? J'connais pas ce jeu.

— Fantôme, répéta Stonewall.

Il leva la main pour protester, mais l'effort le força à

fermer les yeux. Rick détourna la tête, le regard étincelant de fureur.

— J'le trouverai, ce salaud, gronda-t-il tout bas. Hé, doc, je continue comme ça ?

— Oui, dit Julian. C'est très bien. Continue à lui poser des questions.

— Sur les fantômes ?

— Sur n'importe quoi, pourvu que ça le tienne éveillé.

La journée avait été longue. Les gens étaient grincheux, les estivants râleurs ; ils réclamaient des nourritures aux senteurs méditerranéennes par cet été caniculaire, et se rebellaient contre les frites. Il manqua y avoir une bagarre générale au camping quand la supérette tomba à court de glaces et que la camionnette du glacier s'avéra introuvable. Dans le salon de coiffure, la chaleur était suffocante, les bavardages languissants, rien que des vieux potins et pas la moindre actualité à se mettre sous la dent ; sans le désirer vraiment, tout le monde attendait le bel orage, pas les trois gouttes de pluie de la veille.

Quand les nouvelles filtrèrent — Stonewall Jones se serait cogné la tête contre un arbre et aurait été transporté à l'hôpital dans la camionnette de Rick —, elles n'eurent pas plus d'écho que l'accident de circulation survenu dans la matinée sur la route de Norfolk, ou que la bicyclette balancée dans le port par un estivant ivre, qui l'avait louée à Mme Walsingham. Quelqu'un se rendit chez la mère de Stonewall, mais elle était déjà partie pour l'hôpital, comme toute autre mère l'aurait fait. Dans le salon de coiffure, où trois femmes ruisselaient sous leur casque (40 % de réduction pour les personnes âgées), on attendait Mme Pardoe, en robe bleu turquoise, dorée ou argent, et embaumant la Lavande de Yardley.

212

On l'attendit jusqu'à midi, puis jusqu'à une heure. On regarda le ciel, la pluie aussi se faisait désirer.

Charles remarqua le premier les signes annonciateurs de l'orage. Il observait depuis la porte de son cabanon tous ces imbéciles d'estivants anglais, qui auraient dû savoir que la pluie et le froid n'étaient jamais très loin sur cette côte. Il les voyait se tâter, lever des regards incertains vers le ciel noircissant à vue d'œil, s'interrogeant : Pleuvra-t-il ? Et courant enfin se mettre à l'abri aux premières grosses gouttes, mais trop tard pour éviter la saucée.

Avec un regard de mépris vers le ciel et la pluie, il se mit en route à la suite de la horde déroutée qui remontait de la plage, et se demanda s'il pourrait mendier une autre glace.

Mais la camionnette n'était pas là. Rien à manger, seulement le va-et-vient de cette brûlure entre son ventre et sa tête, qui sembla s'atténuer alors qu'il marchait, comme un prisonnier, avec ceux qui se hâtaient vers leur caravane ou le village.

Il était au-delà de la faim ; la haine lui tenait lieu de nourriture, et il n'avait qu'à toucher la feuille de papier dans la poche de sa veste pour l'attiser, comme un feu. D'autres visions lui venaient, des scénarios de vengeance et d'échec. Roulant dans l'herbe, gémissant dans le noir, tentant en vain d'échapper aux coups d'un homme ; enfonçant un long éclat de verre dans le cou d'une garce rousse ; le chien sur la plage, ses mains autour de son cou. Mais comment s'appelait la femme ? Ah ! Sarah ! Qu'avait-il fait à Sarah ? Il y avait des bancs le long de la route. A l'approche du village, Charles s'assit. Le ciel était noir, les maisons se dessinaient avec précision. L'averse, brève et violente, s'arrêta momentanément, laissant la place à cette lumière étrange, annonciatrice de tempête.

Sarah, elle s'appelait. Encore une rousse, la putain. Il l'avait désirée dès l'instant où il l'avait aperçue dans l'entrée de l'étude d'Ernest Matthewson, la perfection et l'innocence mêmes, souriante comme une fillette qui aurait découvert que la vie n'est qu'une formidable plaisanterie. Son manteau rouge détonnait avec sa chevelure, une anarchie de couleurs délibérée, qui atteignait une sorte de perfection quand elle y ajoutait cette touche de sophistication sans prétention qui semblait être sa marque. Ernest lui avait parlé d'elle. Ernest répondait toujours aux questions des clients importants comme Charles Tysall. Notre chère Sarah, avait-il dit ; une jeune femme célibataire, brillante, ambitieuse. Charles lui avait couru après. L'avait invitée à dîner, l'avait fait attendre ; avait découvert en elle une agaçante indifférence, l'avait suivie, fait suivre. Il était obsédé par ce double d'Elisabeth, ce modèle idéal de future épouse qui ne serait que loyauté. Parfaitement pure et bonne, belle et blonde... Beaucoup de femmes étaient prêtes à sauter à travers des cerceaux comme des chiens savants sur un simple claquement de ses doigts. Pas celle-là. Pas cette petite pute qui couchait avec jeunes et vieux, juges, avocats, s'avilissait avec des médiocres, et l'ignorait, lui, pétri de dons, lui préférant une vie insouciante et dégradante. Imparfaitement pure, imparfaitement bonne.

Cette pensée le rongeait, comme un rat ronge une corde. Rien ne pourrait calmer sa faim, maintenant. Charles examina ses mains, remarqua les veines, les phalanges rendues plus proéminentes du fait de sa maigreur, puis vit avec stupeur que ses doigts croisés reposaient sur le pommeau de la canne volée à Mlle Gloomer. L'idiot. Ce vol était connu, et la canne reconnaissable à son pommeau. Il l'avait prise parce qu'il la voulait, et elle était

214

logiquement devenue sienne. Comme une épouse, ou une maîtresse. Jusqu'à ce que l'une d'elles se refuse à lui et appelle un homme au secours. Cet homme l'avait battu, et il avait perdu tout son pouvoir jusqu'au jour où il était sorti vainqueur de la mer.

Charles boutonna sa veste par-dessus la canne, le pommeau formant une bosse au niveau de l'épaule et le bout ressortant comme une minuscule troisième jambe. Il se remit en marche, traversa le quai à présent déserté, sauf par ceux qui s'étaient réfugiés dans leurs voitures, mais ne pouvaient pas le voir à cause de la pluie ruisselant sur les vitres et de la condensation à l'intérieur. De la galerie de jeux, bondée, s'échappait un flot de musique, de sons électroniques, d'odeurs de barbe à papa et d'oignons frits qui donna la nausée à Charles. Il remonta le col de sa veste et poursuivit sa marche, tel un homme innocent pressé de rentrer chez lui. Chez lui, c'était le cabanon sur la plage, la salle des machines au rebut derrière la galerie de jeux, le porche de l'église. Il ne connaissait pas d'autre chez lui.

Se souvenant de son but, il prit la direction de la maison des Pardoe.

— Un peu plus de thé, mon cœur ?

Mouse Pardoe était dans son lit à côté du bedeau, chacun tenant une tasse de thé dans une main et une cigarette dans l'autre, la courtepointe remontée sur leurs genoux. Tout le monde applaudissait au grand dévouement du bedeau qui visitait les malades et les personnes âgées (dont il était lui-même l'une des plus valides), mais seuls Mouse et lui savaient que ces visites hebdomadaires n'étaient pas exactement philanthropiques. En fait, ils se connaissaient au sens biblique. Ils se fréquentaient depuis très longtemps, un lien que Mme Pardoe avait noué avec

215

d'autres hommes du village répondant à ses critères. Avant tout, ils devaient la traiter avec une affection non possessive pendant les longs voyages d'affaires de M. Pardoe, et leur discrétion devait être encore plus prononcée que le poids de leur corps. Elle les aimait petits et propres, ce qui la changeait du physique de bûcheron de son mari. De telles infidélités furent au début une manière de se venger de celles de son époux, un prêté pour un rendu, puis elles devinrent une délicieuse habitude. Il fallait bien vivre sa vie.

A présent, elle et le bedeau se satisfaisaient d'un câlin et du délicieux réconfort de la confiance partagée. A leurs yeux, la seule attitude chrétienne valable se résumait à trois principes : ne jamais juger personne, ne jamais faire de mal à quiconque, profiter tant qu'on le pouvait des présents de Dieu.

Le bedeau allait dire oui à un peu plus de thé, et peut-être à un soupçon d'alcool pour aller avec le tambourinement de la pluie sur les vitres, quand Mouse, tant par instinct que grâce à son ouïe fine, entendit le bêlement d'alarme de Hettie devant la maison, juste sous sa fenêtre. Elle ne gâtait pas cette brebis pour rien. Elle porta un doigt à ses lèvres ; le bedeau reposa avec soin sa tasse dans la soucoupe, sourit sans montrer d'inquiétude car ce n'était pas la première fois qu'ils étaient dérangés. Tout ce qu'il avait à faire était de passer du lit à la chaise et d'adopter la position moins confortable d'un bénévole de l'Eglise d'Angleterre, pendant que Mouse défroisserait sa jupe et remettrait son chapeau. Puis elle parlerait d'une voix forte et le tour serait joué. Cette fois, elle secoua la tête.

— Attends, dit-elle. Pas de voiture. Je vais voir qui c'est.

La migraine de Sarah se dissipa avec la pluie et les grondements du tonnerre. Elle avait passé la matinée à classifier les propriétés des Pardoe, les baux, les estimations de vente, les valeurs par zone de construction. A chaque fois qu'elle allait se faire un café dans la cuisine, elle en profitait pour regarder par la fenêtre. Il n'y avait pas d'autre voiture que la sienne, garée devant la grande maison. Mme Pardoe n'aimait peut-être pas être seule quand il y avait de l'orage, mais ce ne fut pas par compassion que Sarah traversa la pelouse : elle aussi avait besoin de compagnie, envie également de reprendre cette conversation de la veille qui avait soulevé plus de questions encore et l'avait rapprochée de cette femme dont elle ne pouvait qu'admirer le manque de scrupules.

La brebis gambada vers elle puis s'éloigna de nouveau, apparemment rassurée. Sarah entra par la porte de derrière dans la cuisine, où aucun bruit ne perturbait la touffeur de cet après-midi. Une pile de sandwiches assez surprenants traînait sur la table, de grosses tranches de pain de mie grossièrement tartinées de fromage et de pâté, empilées les unes sur les autres en un édifice comique, digne d'un enfant à sa première leçon d'instruction ménagère. Puis, une rangée de scones aux raisins, tout plats, à côté desquels ceux de la pâtisserie locale étaient un modèle de raffinement.

Mais Sarah avait un autre motif pour venir ici, en dehors du fait qu'elle voulait profiter de ce que Mme Pardoe était seule : elle avait besoin de lait. Comme il lui paraissait impoli d'appeler, elle prit le couloir menant à la porte d'entrée principale, entra dans la salle à manger et le salon, sentit la chaleur d'une présence récente, l'odeur de la cire, remarqua sur une table les fleurs mortes de leur dîner de mardi, les rideaux à demi tirés et, sur la première marche de l'escalier menant aux étages, une plume de chapeau. Consciente de son indiscrétion, Sarah monta sans bruit et s'immobilisa sur le palier du premier. De l'une des chambres de devant lui parvint un murmure de voix. La porte en face d'elle était entrouverte. Sarah s'en approcha, regarda à l'intérieur.

La chambre d'Edward, certainement. Il y avait un chevalet devant la fenêtre qui offrait la plus belle vue dans la maison. Ce fut la vue qui l'attira d'abord, puis la toile sur le chevalet, une version étrange, inspirée par la haine, de ce même paysage. Elle s'en détourna, troublée, et porta son attention sur une maison de poupée, dont le toit était effondré mais les pièces intactes et remplies de petites figurines enlacées dans de grotesques étreintes. L'embarras la fit rougir : elle se comportait comme une espionne. Elle ne pouvait pas appeler Mouse, pas maintenant qu'elle se trouvait à l'étage. Elle redescendit à la cuisine sur la pointe des pieds.

Elle n'avait plus qu'à prendre un peu de lait, pour son quatorzième café de la journée. Un grand et vénérable réfrigérateur ronronnait dans un coin, un appareil des années 50, aux formes rondes. A l'intérieur, elle trouva de tout sauf du lait, et n'osa pas prendre celui qui était sur la table. Puis elle se souvint d'avoir vu Joanna sortir des briques de lait de l'office. Elle en poussa la porte.

Il y avait là-dedans assez de provisions pour tenir un siège ; des pots de confiture par douzaines, certains pleins, d'autres vides ; du miel, des paquets de sucre, assez de thé pour une année, six briques de lait, dont deux ouvertes et tournées, mais aussi des tartes à moitié mangées, une laitue flétrie, deux choux du jardin plus tout jeunes, quatre miches de pain, du lard, une terrine de pâté, une douzaine de boîtes de pêches et d'ananas au sirop, du thon et des sardines à l'huile, du maïs et des légumes secs. Le gâteau au chocolat qu'elle avait vu le soir de son arrivée était là aussi, personne n'y avait touché et son aspect ne s'était pas amélioré avec le temps malgré

218

la fraîcheur de cave régnant dans la pièce. Par terre, il y avait un journal trempé et froissé, incongru parmi les vivres.

La porte claqua derrière elle, plongeant l'office dans la pénombre, car la seule source de lumière pénétrait par une petite lucarne, protégée par une moustiquaire qui n'avait pas empêché les mouches d'entrer et de voler paresseusement autour de l'ampoule éteinte, dédaignant même le gâteau. Sarah éprouva le désir pervers de soulever le journal par terre, une façon de tester son courage, car elle savait ce qu'il contenait : des vers. Leurs semblables s'étaient trouvés sur le sol de sa cuisine récemment.

— Oh, merde... entendit-elle jurer de l'autre côté de la porte.

Quelqu'un, dans la cuisine. Une toux rauque. Sarah se figea, soudain consciente de sa situation : elle était une visiteuse certes autorisée à franchir la porte de cette maison par accord tacite, mais pas à fouiller dans l'office. Et puis son oreille lui disait que cette toux et ce bruit de pas n'étaient pas ceux d'Edward, de Julian, de Joanna ou de Mouse. Leurs voix avaient chacune un timbre qui les différenciait ; or celle-ci, quoique vaguement familière par son intonation distinguée, n'appartenait à personne de la maison. Dehors, Hettie la brebis bêlait avec une agressivité pathétique.

— Bon Dieu.

Ce n'était qu'un juron, mêlé de stupeur, lâché par l'intrus alors qu'il butait contre la table de la cuisine. Une chaise grinça, un silence, un bruit de déglutition, un rot de satisfaction. Sarah s'approcha de la porte. Sans doute faussée par l'humidité, cette porte claquait mais ne fermait jamais. Elle jeta un œil par l'entrebâillement, mais l'angle de vue ne lui permettant de voir qu'une partie de la table, elle entrouvrit le battant de quelques centimètres. Un vagabond, grand, maigre, avec des cheveux blancs lui tombant dans le cou en une queue de rat — mais pas un rat sympathique de dessin animé —, s'emparait de la dernière tranche de l'horrible sandwich tout en buvant à grands traits au pot de lait, dévorant les scones des yeux...

Mouse Pardoe enfonça son chapeau sur sa tête et descendit au rez-de-chaussée. Tiens, elle avait perdu une plume ; elle la ramassa sur la dernière marche, la piqua dans son corsage et, pour faire son entrée dans la cuisine, adopta sa démarche de vieille dame digne et sénile. Un homme était assis à la table ; il enfonça un doigt dans un scone puis le porta à sa bouche, et l'avala sans mâcher. Il portait une veste qu'elle avait déjà vue ; elle provenait des affaires de M. Pardoe abandonnées dans la penderie à l'étage, se rappellerait-elle plus tard. Pour l'instant, elle devait se concentrer sur son rôle. Faisant tourner entre ses doigts la plume trouvée dans l'escalier, elle pénétra d'un pas léger dans la cuisine.

— Hello... oo, susurra-t-elle. Hello, hello... oo !

Une sorte de roucoulement suave auquel aurait pu répondre un pigeon.

— Feriez-vous du thé, par hasard ? demanda-t-elle en se dirigeant vers l'évier. Oh, soyez chou. J'en voudrais bien un peu mais je ne sais pas comment m'y prendre. Rien de tel qu'un homme pour vous secourir.

Il se leva lentement, souleva la bouilloire posée au bord de la cuisinière, la secoua. Elle lui prit l'ustensile des mains avec un sourire maniaque, et la reposa bruyamment, ses larges hanches se balançant sur quelque rythme secret, chantonnant, puis chantant en s'accompagnant de gestes théâtraux :

« Dites-moi, gentes dames, est-ce l'amoour,
Est-ce l'aamoour que cette fièvre qui me trooouble ?

Répondez, gentes dames, qui savez tout de l'aa-moour. »

Puis elle lui sourit de nouveau, se pencha sur la bouil-loire qui commençait à chauffer, tira par jeu l'oreille gau-che du monsieur et lui souffla dans la droite :

— J'ai un ami là-haut, si vous voyez ce que je veux dire, lui dit-elle avec un clin d'œil langoureux.

Mouse jouait bien. Sarah, derrière la porte, salua sa performance. Mouse Pardoe méritait un Oscar, mais l'homme, manifestement, n'appréciait pas le flirt.

— Venez-vous souvent ici ? demanda-t-elle. Mais oui, bien sûr. Je vous ai déjà vu. Vous êtes un ami de mon fils Edward, et je vois que vous portez une veste de mon défunt époux. Oh, oh, vous avez mangé ces sandwiches. Petit imbécile !

Elle était de l'autre côté de la table et ramassait les scones avec de petits gestes brusques, tournant le dos à la cuisinière.

C'en était trop pour l'homme. Il avait grimacé quand elle lui avait pincé l'oreille ; ce contact avait mis fin à l'état de transe dans lequel le jeu de Mme Pardoe l'avait plongé, comme si cette vieille folle, quittant soudain la scène, reprenait une dimension humaine, menaçante. Qu'elle lui enlève maintenant les scones, alors qu'il avait encore faim, accrut son irritation. Il se déplaça, gauche et rapide à la fois, la canne, toujours coincée sous sa veste, cognant contre les chaises tandis qu'il faisait le tour de la table. Il la saisit par les bretelles de sa robe, l'attira contre lui puis, la faisant pivoter face à la cuisinière, lui prit les mains, les plaqua contre la bouilloire et les y maintint.

Sarah ne comprit pas tout de suite. Les actes de pure méchanceté sont difficiles à saisir, ils provoquent une espèce de paralysie plutôt qu'une réaction instantanée. Puis un cri perçant, à la fois de peur et de douleur, jaillit de la bouche de Mouse Pardoe ; elle se mit à lutter, mais

Charles la coinçait de tout son poids contre la Rayburn, et lui tenait fermement les mains sur la bouilloire qui commençait à fumer. Enfin, Sarah comprit.

Elle agit sans réfléchir. Tandis que le cri de Mouse se faisait gémissement, elle surgit de l'office avec le journal à la main, et en projeta le contenu à la tête de Charles. Inertes, bruns, humides, les vers reprirent vie dans le cou de l'homme, s'écrasèrent en grésillant sur la cuisinière, atterrirent sur ses mains et autour de ses pieds. Il fit un bond en arrière, glissa sur la chair rampante, se rattrapa au dossier d'une chaise, regarda par terre, vit des serpents.

Il leva les yeux, et rencontra le regard de Sarah qui se tenait à un mètre de lui, le journal encore à la main. Ils se reconnurent progressivement. Elle aurait dû s'en douter, pensa-t-elle après coup, rien qu'à cette manière qu'il avait d'étreindre la victime qu'il s'apprêtait à torturer. Elle aurait dû y penser immédiatement car elle n'avait rien oublié.

Les gémissements de Mouse Pardoe se firent plus forts, se transformèrent en sanglots. Un bruit de pas, lourds, précipités, résonna à l'étage. Charles s'éloigna des deux femmes à reculons puis, sans quitter Sarah des yeux, il tendit les mains vers les scones et le carton de lait sur la table, les attrapa à l'aveuglette, comme s'il avait mémorisé leur position, et les fourra dans ses poches. La canne cogna fortement contre les pieds d'une chaise. Oubliant la peur et le danger, Sarah avança vers lui, ivre de colère, ne désirant rien d'autre qu'un châtiment violent. Un grondement sortait de sa gorge, ses mains ressemblaient à des griffes ; elle cracha, comme un chat :

— Charles... espèce de pourriture.

La porte donnant dans le couloir s'ouvrit à la volée, et le bedeau surgit. Emporté par son élan, il heurta Sarah qui s'apprêtait à frapper, le visage blême de rage. Il agrippa ses mains en criant :

— Au nom du Ciel, que se passe-t-il ?

Charles en profita pour se glisser dehors, sous la pluie. Sarah se débattit, hurlant à son tour à l'adresse du petit homme rondouillard qui s'accrochait à elle :

— Tu vas me lâcher, espèce de larve ! Tu vas me lâcher !

— Non, criait maintenant Mouse Pardoe, le corps tremblant mais la voix ferme. Non, ne faites pas ça, Sarah. C'est la dernière chose à faire.

Sarah redescendit sur terre. Mouse avait raison. Personne ne devrait jamais poursuivre un fantôme.

Le tonnerre s'éloigna, mais la pluie persista, dégringolant du ciel avec violence. Mlle Gloomer adorait ça. Après une tasse de thé particulièrement délectable, elle se leva de son fauteuil pour chercher sa canne, se réprimanda pour cet automatisme, tendit la main vers cette nouvelle canne qu'elle aimait moins, puis se ravisa, décidant de ne pas bouger du tout, et étendit un plaid sur ses genoux. Le gentil docteur, qui ignorait qu'il était un brave homme, devait lui rendre visite vers six heures. Il n'était pas obligé de le faire et ne resterait sans doute pas longtemps, détestant s'imposer ; un garçon très respectueux de l'intimité d'autrui. Le cambriolage l'avait secouée et affaiblie, mais pas au point de l'empêcher de réfléchir. Ce dont on a besoin dans la vie, disait-elle à un public imaginaire, comme elle le dirait au docteur quand il serait là, c'est de pouvoir tout pardonner sans restriction. Les gens sont de petites choses, voyez-vous, de petites choses affairées, des bébés, des animaux, ils font ce qu'ils peuvent ; ils sont indifférents, égoïstes, ils n'aiment rien tant qu'eux-mêmes, oui, c'est ainsi qu'ils sont. Si vous ne voulez pas devenir comme eux, docteur, fondez une famille.

Sur cette pensée, dont elle lui ferait part quand il passerait pour un petit verre de sherry, Mlle Gloomer, femme de courage et d'obstination, quitta le monde des vivants. Elle mourut dans son fauteuil, avec aux pieds ses chaussures d'hiver et d'été, en pensant aux enfants et au peu de choses qu'elle regrettait dans sa vie à part son incapacité à faire un gâteau — pourquoi se tracasser quand on pouvait en acheter de bien meilleurs chez le pâtissier ? Quand Julian arriva, elle était déjà froide. Il s'assit à côté d'elle, pressa doucement sa main déformée par l'arthrite, puis se releva pour appeler l'ambulance. Il revint s'asseoir près d'elle, ferma les yeux et la bouche de Mlle Gloomer, et observa son visage aux traits apaisés.

Rick ramena Joanna chez elle, l'embrassa d'un baiser absent qu'elle comprit instinctivement, puis il regagna le village et gara la camionnette devant la galerie. Bien sûr qu'il vivrait, le petit bonhomme, il avait intérêt ; en acier, son crâne, avait dit le docteur, un coup de plus sur la tête, et c'est la canne qui se cassait. Il s'extirpa lentement de son siège ; il se sentait faible soudain. Il n'entra pas tout de suite dans la galerie mais alla un peu plus loin, sur le quai, acheta une portion de poisson-frites qu'il avala debout, sans y penser, indifférent à la pluie. Manger, se donner des forces, c'était tout ce qui comptait. Il rota, et partit travailler.

— T'es en retard, mon garçon, on a fait un beau chiffre, aujourd'hui. Où t'étais encore ? demanda son père.

Rick le saisit par les revers de sa veste en grosse toile, le secoua à lui en faire claquer les mandibules, puis l'assit de force par terre. Aucune parole ne fut prononcée lors de ce bref échange de vues, les respirations haletantes suffirent à elles seules à établir un précédent.

— Ecoute, p'pa, dit Rick en relevant son père d'un geste distrait. Faut que tu fasses quelque chose d'utile, demain.

— Ah ouais, c'est quoi, fiston ?

Il y avait presque du respect dans sa voix.

Rick marqua une pause.

— Faut qu'on ait cette galerie à nous, rien qu'à nous, qu'on doive plus rien à personne. Mais d'abord, on va retrouver ce fantôme, p'pa. Stonewall s'en tirera, mais cette ordure a failli l'avoir. Faut qu'on l'épingle.

Inconsolable mais affichant un air de défi, Malcolm Cook se tenait devant l'élégant miroir qui agrandissait la petite entrée de l'appartement de Sarah. Il ne s'attendait jamais à retrouver les lieux tels qu'il les avait vus la fois précédente vu que Sarah, qui aimait acquérir de beaux objets, les changeait sans cesse de place, quand elle ne s'en débarrassait pas. Malcolm, qui était tout le contraire, préférait investir dans un mobilier sobre et durable.

A côté de lui, la chienne, toujours insensible aux souvenirs hantant les lieux, sentait bien, en revanche, l'agitation de son maître.

Recommence. Ouvre cette porte et réfléchis. Vois les choses de son point de vue à elle. Est-ce qu'une autre couleur sur les murs aurait changé quoi que ce soit dans sa tête ? Regretterait-elle cet appartement, théâtre d'une épreuve atroce ? S'il voulait comprendre Sarah, il devait refaire lui-même pas à pas le calvaire de la jeune femme. Il se revit alors mettant toute son énergie à nettoyer les taches de sang, tant de sang qu'il en était stupéfait. Et cela le fit frissonner.

Voilà donc ce qu'il avait d'abord fait pour elle, pendant

qu'elle était en convalescence : recouvrir toutes les traces du drame de trois couches de peinture. Peut-être était-ce une erreur, de même que ses exhortations à oublier ce qui s'était passé. Peut-être aurait-il mieux fait de la pousser à revivre l'événement, à exorciser sa douleur. Or il n'avait fait que lui répéter : Regarde-moi. Je t'en supplie, regarde-moi, prends-moi au lieu de regarder en arrière ; je suis ici pour toi, rien que pour toi.

L'air était étouffant dans cet appartement fermé. Il eut envie d'ouvrir les fenêtres, puis préféra se représenter les lieux dans l'obscurité. Il se força à réfléchir. Qu'est-ce qui avait été le pire pour elle lors de cette nuit de juillet dernier, une nuit capitale pour lui car elle avait poussé Sarah ensanglantée et brisée dans ses bras ?

Il revint à la porte d'entrée, se retourna, fit comme s'il entrait ici pour la première fois, comme elle l'avait fait elle-même ; insouciante, adorable, amorale Sarah, retrouvant son domaine avec une vague excitation ; apercevant dans le miroir le reflet de Charles Tysall qui la guettait, dans sa chambre. Et elle se tournant pour fuir, mais trop tard. Charles déjà sur elle, l'immobilisant entre ses bras, la forçant à se regarder dans le miroir tandis qu'il lui arrachait ses vêtements, déversant sur elle sa haine et son dépit, la traitant de pourriture. Puis brisant le miroir en une pluie d'éclats de toutes tailles, de grands, tranchant comme des dagues, jusqu'aux plus minuscules imitant la poussière d'étoile. Charles jetant, roulant Sarah nue sur ce lit de souffrance, l'y maintenant tandis qu'elle luttait pour lui échapper, attendant qu'elle s'épuise pour en finir, pour lui lacérer le visage, lui trancher la gorge, se fichant pas mal de se couper lui-même les doigts.

Malcolm frissonna de nouveau, la bouche sèche et le regard halluciné, comme cette nuit-là, quand, entraîné par la chienne et sa louable passion pour les portes ouvertes, les lieux inconnus, les odeurs de viande fraîche, il était monté jusqu'à chez elle. Charles avait eu le temps de frapper la chienne au cou avec le plus gros éclat de verre, manquant de peu la tuer. Du sang de chien, mêlé à du sang humain ; la même odeur.

Tant de sang, tant de verre, il n'avait pas su comment la prendre ou la bouger. Toute l'horreur d'un abattoir, sans les commodités. Il l'avait enveloppée dans des serviettes blanches, aussitôt trempées, tout contact avec sa peau lui arrachant de petits cris qu'elle étouffait en se mordant les lèvres. Elle ne pouvait ni se tenir debout, ni s'asseoir, ni rester allongée, une créature lardée de verre qui emplissait la pièce de ses gémissements.

De quoi Sarah se souvenait-elle le plus quand elle touchait ces petites cicatrices laissées par la myriade d'éclats qui s'étaient enfoncés dans son cou, ses épaules, ses bras, son ventre, son dos ? Elle les touchait souvent ; elles me démangent, disait-elle, s'excusant comme si elle avait éternué. Il s'efforça d'analyser la douleur sous un angle qu'il n'avait jamais envisagé, trop pressé d'offrir son réconfort, sa chaleur, l'oubli et une panacée à l'amour.

L'humiliation, ce devait être ça le souvenir le plus cuisant de Sarah. Oui, la honte de son incapacité à lutter, de sa lâcheté, de sa panique, des supplications adressées au bourreau. La honte d'avoir pleuré devant lui, de l'avoir imploré de lui laisser la vie et un peu de dignité. La honte encore de n'avoir pas senti venir le coup, de ne pas avoir mesuré pleinement l'obsession de Tysall, de n'avoir pas réagi quand il en était encore temps. De quoi anéantir l'âme de quiconque en laissant à la place un vide plein de haine.

Face au miroir, il ressentait maintenant ce qu'elle avait ressenti. Si Malcolm avait eu honte de sa maladresse flagrante, ce n'était rien comparé à l'humiliation de Sarah. Il aurait dû la faire parler. Personne ne peut avoir d'avenir en occultant le passé, et une pareille souffrance, il le comprenait maintenant, ne vous quitte jamais complètement. C'est comme s'il avait soigné une blessure avec un bandage, alors que la chirurgie s'imposait.

Sa conscience professionnelle le rappela soudain à l'ordre. Une dure journée de travail l'attendait le lendemain. Et le jour suivant. Ensuite, seulement, il organiserait ses rendez-vous de façon à pouvoir aller la retrouver, une démarche qu'il ferait par amour, non par désir de possession.

Quand il aurait retrouvé son calme. Quand il pourrait penser à elle non comme il désirait qu'elle soit, mais comme elle était : à jamais marquée, imparfaitement pure, fidèle aux seules règles qu'elle s'était données.

11

Edward rentra chez lui en frissonnant. L'humidité presque tropicale le faisait rêver d'un pays étranger et d'un bain, mais il ne pouvait se résoudre à entrer. Il avait passé sa matinée à l'agence immobilière, incapable de chasser de ses pensées l'homme aux cheveux blancs. S'il regardait dehors dans la rue, il ne voyait que des têtes blanches. Même son patron dont la chevelure blanchissait lui avait paru plus menaçant que méprisant.

Edward détestait son travail à plein temps à l'agence. Ce nouvel emploi, une sinécure, était celui qui lui plaisait le moins, car il lui rappelait sans cesse les biens immobiliers que possédait sa famille, entretenant ainsi les pires de ses rêves. Pas une seule belle demeure parmi tous ces titres de propriété, reconnaissait-il, mais y avait-il une seule belle demeure dans tout le village ?

Aujourd'hui, il avait perdu toute agressivité ; il se sentait nu, vulnérable et mauvais. Il se reprochait de ne pas avoir été capable de mettre un nom sur cet homme aux cheveux blancs, mais cela lui avait paru sans importance, vu qu'il ne faisait rien d'autre que jouer avec le fantôme. Il aurait dû pouvoir manœuvrer cet homme, mais travaillant à l'agence, il connaissait tous les logements vacants et il avait pu héberger l'indésirable pendant trois mois.

Une façon comme une autre d'alimenter les rêves romantiques, mais aussi malveillants, qui nourrissaient son existence et la lui rendaient supportable. Il avait pensé jouer un mauvais tour à son frère et sa mère, mais la réalité, l'expression de haine qu'il avait lue sur le visage de l'homme, dépassaient maintenant de beaucoup ce que sa propre lâcheté pouvait permettre. Edward avait pu frapper de temps à autre sa mère, il pouvait détester son frère, mais désirer les écarter de son paysage n'était pas la même chose que de vouloir leur mort.

Ce malaise, qui avait commencé avec le cambriolage de Mlle Gloomer, s'était accru, Dieu sait pourquoi, avec la présence de Sarah Fortune et, depuis sa rencontre matinale avec le fantôme, lui pesait sur l'estomac comme s'il avait mangé tous les horribles gâteaux de Mère. Et cela avait empiré avec ce qu'il avait entendu ensuite, quand ses deux collègues étaient revenus de leur déjeuner au pub, dont les Pardoe étaient aussi propriétaires. A travers les relents de sandwiches fromage-oignon, arrosés de bière brune, qu'ils exhalaient en parlant, il avait appris que Stonewall Jones avait rencontré le fantôme dans les dunes, et que ce salaud lui avait défoncé le crâne à coups de canne. La dame derrière le bar travaillait dans le service de chirurgie jusqu'à midi, heure à laquelle elle passait dans une atmosphère moins stérile. La plus grande commère du village, avec ses deux sources d'informations.

Aussi le sang battait-il aux tempes d'Edward et la lente digestion de ces terribles nouvelles trempait-elle de sueur la chemise que Joanna avait repassée avec tant de soin. Il en éprouvait des démangeaisons partout, comme s'il était couvert de vermine. Edward n'avait jamais été dans l'un de ces pays où l'on attrape la malaria : il n'avait jamais osé, n'en avait ni l'argent, ni le courage, ni l'énergie, préférant le mécontentement ricanant que lui inspi-

rait sa propre maison. Assis dans sa voiture, il rêva d'antipodes et d'incognito.

Plusieurs voitures étaient garées devant la maison, celle
de Jo, celle de Julian, celle de l'avocate, plus une autre ;
apparemment, une réunion avait lieu chez eux. La pluie
diminuait. Edward n'avait pas envie de les voir, surtout
Joanna. Sur l'herbe mouillée de la pelouse, un autre fantôme, celui de Sarah Fortune dans sa nudité, continuait
de faire la roue, pâle et extrêmement tentante, la seule
chose incontestablement belle qu'il avait vue depuis des
semaines. Allez, se dit-il, tandis qu'il bruinait doucement
sur le pare-brise de sa voiture, allez. Sois un homme. Un
homme devait savoir pêcher aussi bien que son père, un
homme n'avait pas honte d'être ce qu'il était, même s'il
n'était qu'un pseudo-artiste, oisif, nombriliste et inces-
tueux. Un homme devait être grand, et non petit, indécis
et peureux. Edward regarda ses mains soignées posées
sur le volant : elles tremblaient, plus fortement qu'hier
au soir, quand il avait perdu patience et frappé sa mère.
Un homme devait pouvoir se contrôler. Et aussi avoir
quelqu'un à qui se confier.

Le ciel était bas au-dessus des marais qu'il contemplait
en regrettant que la mer ne monte plus près, même si sa
proximité l'angoissait, comme la maison elle-même,
éclairée maintenant tel un affreux arbre de Noël. Il était
sûr d'une chose, à présent : il avait toujours détesté cet
endroit, toujours. Il pouvait distinguer deux choses à
travers le pare-brise : d'abord, la quatrième voiture
appartenait à PC Curl, l'unique représentant de la loi au
village ; ensuite, la lumière extérieure du cottage qu'occupait Sarah scintillait comme l'étoile du Berger.

Neuf heures et demie, à sa montre ; le commencement
d'une nuit d'été. Vue de plus près, l'ampoule allumée du

cottage signifiait davantage « accès interdit » que « bienvenue » ; elle brillait comme une défense contre cette obscurité précoce due à un orage narquois. Il était ironique, pensa-t-il, qu'il suive ainsi les pas de son frère dans l'herbe humide avec la même humilité. Il frappa fort à la porte, en rythme, toc-toc-toc, toc-toc-toc, histoire de prouver qu'il n'était qu'un petit con désœuvré qui passerait son chemin en sifflotant s'il n'obtenait pas de réponse, mais en espérant une.

Elle vint au bout d'un moment, en la personne même de Sarah, moins séduisante que la veille mais toujours belle. Elle se pencha à la fenêtre, le regard dur, puis l'invita à entrer d'un ton neutre.

— Que me vaut le plaisir ? s'enquit-elle froidement. J'ai reçu la visite de tous les membres de la famille. Vous donnez l'impression d'être plus à l'aise hors de votre maison qu'à l'intérieur. Asseyez-vous.

Le charme, la chaleur étaient à nouveau là avec, en plus, une note de moquerie.

— Etes-vous déjà passé chez vous ? demanda-t-elle d'un ton ferme, rassurant.

Edward, comme ses collègues après déjeuner, sentait légèrement le pub, où il avait passé une heure après avoir erré en vain autour du camping et dans les dunes à la recherche du fantôme. Son fiasco et la tombée de la nuit avaient mis un terme à ses recherches : Edward avait secrètement peur du noir. Il secoua la tête.

— Non, je me suis promené, murmura-t-il. Pourquoi ?

— Alors, vous ne connaissez pas la nouvelle. Le fantôme a pris forme humaine, cet après-midi. Il est venu ici et a agressé violemment votre mère. Tranquillisez-vous, elle va bien, ajouta-t-elle en l'observant attentivement, debout, les bras croisés.

Edward se laissa choir plus qu'il ne s'assit, et se frotta

les yeux d'un geste pathétique qui le fit ressembler à un enfant trop vite grandi.

— Ce n'est pas la première fois qu'il venait ici, n'est-ce pas ?

Si Edward ne répondit pas à la question, son silence le fit à sa place.

— Je me trouvais là, voyez-vous, quand cet homme est arrivé, poursuivit-elle. Votre mère lui a dit, je la cite : « Vous êtes un ami de mon fils Edward, je vous ai déjà vu. » Votre mère remarque beaucoup de choses. J'en ai donc déduit que c'était vous son agent de liaison. Difficile en effet d'imaginer qu'un homme, même aussi débrouillard que Charles Tysall, puisse survivre en secret alors que tout le monde le croit mort. A moins qu'on ne l'aide. Un minimum, en tout cas, car le bonhomme aime son indépendance.

— Comment cela ? lança Edward, soudain en colère. Charles Tysall ? Il s'est noyé, l'an passé. L'homme que... je connais m'a dit qu'il était envoyé par la famille, la famille de la morte, je veux dire. Par son frère je crois bien. Il m'a raconté qu'il prenait des vacances prolongées, et avait décidé de vivre un temps comme un vagabond, pour voir. Il cherchait aussi à savoir...

— Qui avait enterré Elisabeth Tysall dans le sable, acheva Sarah pour lui.

— Oui, dit Edward, confondu. Comment le savez-vous ?

— Edward, je commence à penser que vous êtes un idiot. Peut-être pas un authentique idiot, mais une très bonne imitation.

Elle décroisa les bras. Il la regarda comme un animal s'attendant à être fouetté. Elle sourit légèrement, mais cela atténua à peine l'impression qu'elle lui faisait.

— J'ai offert un verre à votre frère, alors je suppose que je peux en faire autant pour vous.

Mais elle le faisait à contrecœur. Paralysé, il la regarda sortir une bouteille de Glenfiddish et deux verres, conscient de sa propre faiblesse et du violent désir qu'il avait d'elle et qui allait, à n'en pas douter, lui délier la langue.

— Je connaissais Charles Tysall, disait-elle. Je sais aussi que la mort de sa femme l'obsédait. Il n'y a aucun doute sur son identité, mais quel est votre rôle dans cette histoire ?

— Il a frappé Stonewall Jones ce matin, dit soudain Edward, ignorant la question. Je n'arrive pas à croire qu'il ait pu faire une chose pareille. Pourquoi ? C'est un monstre. Le gamin est grièvement blessé. Dieu m'est témoin, je n'ai jamais voulu ça. Jamais, je le jure.

En entendant ça, Sarah poussa un petit cri et porta la main à son visage là où la douleur l'avait élancée sans relâche une grande partie de la journée. Les larmes lui vinrent aux yeux.

— Oh, le pauvre, pauvre enfant. Comme je regrette de ne pas savoir prier.

Edward but une gorgée de whisky, ne sachant quoi dire, vu qu'il ne ressentait aucune compassion pour Stonewall Jones et ne pouvait qu'imaginer leur face-à-face, un homme grand et dangereux contre un gamin frêle et sans défense. Nul doute que Julian aimerait bien être ici, à boire un excellent Glenfiddish, pensa-t-il distraitement et sans amertume, quoique avec une pointe de jalousie.

— Autant jouer franc jeu, n'est-ce pas ? Je suis tombé sur lui dans le cottage voisin du vôtre, dit-il avec un signe de tête vers sa droite. J'ai trouvé drôle de n'en rien dire. Je n'avais pas envie qu'il y ait des locataires cet été, je les déteste : des gosses, des seaux et des pelles à sable, des voitures, un tas d'horreurs qui gâchent le paysage. Alors Charles, si nous devons l'appeler comme ça, a mis un peu le feu pour moi. Oh, rien de terrible, un petit qui ne pouvait pas s'étendre.

Elle inclina la tête, comme si elle comprenait parfaitement.

— Je gardais à l'intérieur quelques-unes de mes peintures. Des nus de Joanna. Je ne tenais pas à ce qu'elle les voie en venant faire le ménage, mais je ne voyais pas non plus comment m'en débarrasser. Elles étaient un peu trop... suggestives. Des gouaches, faciles à brûler. Toutes sorties de mon imagination, bien sûr.

— Vous êtes amoureux d'elle ?

La question était dénuée de réprobation, et il lui en fut reconnaissant.

— Le suis-je ? Je ne sais plus.

— Jaloux des autres hommes, quand même ?

— Oui.

— Jaloux de Julian ?

— Oui ! Oh oui ! cria-t-il. Il est fiable, lui, tellement adulte, si responsable, mon père l'adorait. Il n'a même pas besoin d'apprendre à pêcher !

Il se calma aussi soudainement qu'il s'était emporté et s'enfonça dans le canapé avec mauvaise humeur : il venait de laisser libre cours à ses vieilles rancœurs pour se justifier, une fois de plus. Il leva les yeux vers elle pour les détourner aussitôt ; le regard qu'elle posait sur lui était impitoyable.

— En tout cas, je trouvais marrant de posséder un fantôme, reprit-il d'une voix bougonne. Je m'ennuie tellement la plupart du temps. Puis cet homme a commencé à m'interroger sur Julian ; il voulait savoir comment mon frère avait connu Elisabeth. Ça, je le savais très bien ; cette salope avait bien failli lui faire perdre la tête. Le fantôme voulait la preuve que Julian était responsable de la mort de cette femme. Je lui ai fait croire qu'il en existait une, ce qui était faux, bien sûr, Julian est incapable de faire du mal à qui que ce soit.

— Elisabeth était une victime, dit Sarah d'un ton dur. Je vous interdis de la traiter de salope. Vous ignorez tout d'elle.

— C'est vrai, bredouilla Edward.

Pris en flagrant délit de bassesse, il éprouva un sentiment de honte qui lui brûla la gorge, comme une arête de poisson.

— Donc, poursuivit Sarah, vous vous êtes imaginé que Charles était votre créature et que vous aviez un pouvoir sur lui. Où se trouve-t-il, Ed ?

— Je ne sais pas, répondit-il d'une petite voix. Je lui ai donné la clé d'une caravane, mais il n'y est pas. Peut-être se cache-t-il dans l'un des cabanons de la plage. Il aime bien la plage.

Elle était très forte, n'avait aucun mal à le faire parler, et lui se sentait ferré comme un poisson. Elle se tenait toujours devant lui et, soudain, elle remonta son chandail jusqu'au cou. Un beau lainage soyeux de couleur rouille, remarqua Edward tout en pensant, Dieu, elle est folle, qu'a-t-elle l'intention de faire ? Elle laissa le chandail en boule autour de son cou et lui tourna le dos. Le geste était choquant, bizarre ; il ne put réprimer un cri.

— Regardez mon dos, ordonna-t-elle. Regardez-le bien. Avec votre œil de peintre. Et dites-moi ce que vous voyez.

Il avait envie de détourner les yeux, d'échapper à cet acte confondant, mais il se leva pesamment et fit ce qu'elle lui demandait. Une jolie colonne vertébrale qui s'incurvait vers la taille fine, une peau satinée marquée de cicatrices — trois ou quatre longues, la plupart petites, blanches, laides sous le hâle. Elle se rhabilla brutalement, le laissant soulagé, tremblant, révolté, mais plein d'un désir brûlant.

Elle se retourna vers lui.

— Je voulais seulement attirer votre attention sur une chose, dit-elle sèchement. Ces coupures sont ce qu'on récolte quand on joue avec Charles Tysall. Il vous roule dans les éclats de verre — ceux d'un miroir, en l'occurrence — et puis quand vous semblez avoir fini de saigner, il vous abandonne avec la certitude que tout est de votre faute.

Edward avait bien regardé. Avec son sens de la couleur, il pouvait imaginer sans difficulté le sang jaillissant des blessures, la peau éclatant au cours d'une flagellation rituelle. Il se rappelait le sourire glacé de l'homme, ce matin, la précision de ses mouvements, l'impression d'efficacité qui émanait de lui.

— Il a fait ça ?

— Oh oui. Très lentement.

Edward s'en fut en titubant dans la cuisine et vomit dans l'évier. De la bile, c'était tout ce qu'il pouvait rendre après une journée où il ne s'était rempli l'estomac qu'avec deux pintes de bière, trois gorgées de whisky et une bonne dose d'angoisse. Il but un peu d'eau, regarda dehors par la fenêtre, se reprit et revint en marmonnant des excuses.

— N'en parlons plus, dit Sarah. J'avoue que d'habitude je n'ai pas droit à une réaction aussi flatteuse quand je me déshabille.

Edward rougit, plus détendu. Même ainsi, avec son air sérieux et un peu inquiétant, elle était capable de convaincre un homme qu'il n'avait pas à désespérer de lui-même.

— Qu'est-ce que je dois faire, Sarah ? Qu'est-ce que je dois faire ? demanda-t-il humblement.

Pas un mot de compassion pour le petit Stonewall, pas une seule question au sujet des cicatrices, remarqua Sarah : Edward ne se souciait que de lui-même. Bien des hommes étaient ainsi ; elle était accoutumée à la version adulte, et celle du jeune Pardoe n'en était que la forme infantile. Les hommes qui souffraient devaient lui inspirer du respect et de l'affection pour qu'elle les réconforte de la seule façon qu'elle connaissait, mais celui-là ne suscitait en elle ni l'un ni l'autre ; tout ce qu'il méritait était une chance de rédemption.

— Je ne sais pas, répondit-elle. Arrêtez de rêver de richesse et de vouloir transformer le paysage à votre goût. Vous haïssez cet endroit, quittez-le donc. Vous êtes le plus jeune fils, le mauvais élève, dit votre sœur. Vous n'aurez jamais de pouvoir, ici. Allez tenter votre chance ailleurs, avant que votre ami le fantôme ne cause votre ruine.

— Partir ? Avec rien ? demanda-t-il, incrédule, en jetant un coup d'œil à la table chargée de papiers, de notes écrites d'une main ferme, d'évaluations, de listes.

— Oui. Seulement de quoi tenir le coup un certain temps. Votre héritage ne sera pas lourd, de toute façon. Pas après que votre mère en aura disposé selon sa volonté.

Il la regarda, alors que ses joues s'empourpraient — signe de timidité chez Joanna, mais signe de fureur chez lui.

— Votre mère désire restituer vos biens aux gens du pays, dit-elle patiemment. C'est ce qu'elle a l'intention de faire.

Il se mit à rire. Un gloussement aigu qui se poursuivit jusqu'à ce que les larmes ruissellent sur son visage.

— Vous avez besoin de manger, mais aussi qu'on vous injecte un peu de bon sens, Edward Pardoe. Vous n'étiez pas ainsi avant de travailler dans cette agence immobilière et de découvrir ce que votre famille possédait, n'est-ce pas ? Vous pouvez vous évader en rêvant, en peignant, et même peut-être gagner votre vie en fabriquant des maisons de poupées. Mais vous ne vous en sortirez pas avec un meurtre.

238

Bouffer. Cette pensée avait cessé de l'obséder. Charles avançait dans l'étroite allée qui passait derrière le cottage de Mlle Gloomer et menait à la grand-rue par un chemin aussi sinueux que la silhouette de la vieille demoiselle. Le village était quadrillé de routes datant de l'époque où on livrait le charbon et le poisson dans des carrioles tirées par un cheval, et où des familles nombreuses s'entassaient dans des bicoques que Rick trouvait tout juste suffisantes pour un jeune homme seul.

S'alimenter n'était pas le problème de Charles : il avait son content pour la journée, avec les sandwiches qui avaient à peine effleuré ses dents pourries. Quelque chose dans la consistance coriace des scones, comme des cheveux chatouillant sa gorge, le fit tousser, s'arrêter et vomir, le laissant assoiffé même après la brique de lait qu'il avait engloutie pour les faire passer.

Il y avait des robinets d'eau potable dans le camping, faciles à trouver dans le noir quand personne ne regardait. Mais c'était trop tôt pour regagner la plage, et trop loin pour marcher sans une gorgée eau.

— Donnez-moi à boire, murmura-t-il, et il n'y a nulle part où je ne puisse aller, rien que je ne puisse faire, même si les femmes m'ont maltraité et rendu impuissant alors que j'aurais pu leur briser le cou comme à des poulets, juste comme ça.

Il n'avait pas de plan — à quoi bon ? —, seulement le sentiment qu'il allait manquer de temps pour sa vengeance. L'image de Sarah Fortune, montrant les crocs, prête à mordre et à griffer, se superposait au visage d'Elisabeth, mais ces deux images s'étaient toujours fondues en une seule : une rousse, une salope rousse. Son point faible. Ai-je toujours été ainsi ? Me suis-je toujours trompé ? Qui m'a aimé ?

Il y avait un robinet dans le cimetière. Il traversa le

village en clopinant comme un vieil homme, incapable de reprendre ce pas martial qui était encore le sien au matin, irrité par son manque subit de force, crachant de mépris par terre sans voir que sa salive laissait une empreinte rouge sur la route, près de la grille. Quand il fut devant la tombe d'Elisabeth, il crut presque qu'elle allait se relever pour l'accueillir ; il s'agenouilla, soudain humble, toucha à tâtons dans l'obscurité le manteau de terre qui la recouvrait.

Ses mains sentirent les pétales. Quelqu'un avait couvert la tombe de fleurs fraîches, humides de pluie, sentant le paradis. Offrande à une femme merveilleuse.

Quelqu'un, un homme, un voleur dans la nuit avait déposé cet hommage. Charles balaya les fleurs avec fureur, des mains, des pieds, ignorant la douleur irradiant son ventre quand il se courba pour mettre en charpie les roses et les pensées et les jeter au loin ; il écarta les pots à coups de pied sans se soucier du bruit qu'il faisait, piétinant les pétales dans une sorte de danse rituelle déchaînée, et finalement se coucha sur la terre nue. Une innocente parcelle de terre. Même au-delà de la mort, même maintenant, juste quand il lui pardonnait, quelqu'un d'autre avait fait valoir le premier ses droits. C'était la deuxième fois. Il avait fait tout ça pour rien.

Personne n'a de droits sur moi, pensait Mouse Pardoe, qui n'aimait pas l'indécision, mais alors pas du tout. Elle n'avait droit qu'à un allié à la fois, et les deux l'avaient quittée pour des raisons diplomatiques, le bedeau en premier, Sarah ensuite. Ils avaient un peu parlé du fantôme et de sa véritable identité, et pendant ce temps, Mouse avait gardé ses mains dans de l'eau glacée. Le bedeau, pêcheur-né, s'était occupé de ramasser les vers ; il régnait maintenant dans la cuisine une odeur écœurante de chair brûlée, surtout près de la cuisinière, qui dérivait trop lentement vers les ouvertures.

Le ciel restait couleur de plomb. Mouse se dit qu'elle se souviendrait toujours des couleurs de la pièce : l'habit noir du bedeau contrastant avec son teint brique, la pâleur de Sarah, ses taches de rousseur, ses cheveux, le rouille de son chandail ; puis la couleur du plus beau chapeau Pardoe, avec ses plumes anciennes sur la table, qui semblait luire d'un jaune sale. Alors, seulement, elle remarqua l'absence des scones trop dorés, coiffés chacun d'un raisin de Smyrne d'un ambre presque transparent. Qu'avait-elle fait ? Quelle folie s'était emparée d'elle ? Elle parla à Sarah avec effusion et de façon un peu désordonnée de sa vie, sans cesser de tourner son regard vers l'espace vide laissé sur la table par la disparition des scones. Personne ne l'avait vue les préparer, et pourtant elle les avait faits.

Mouse était glacée sous sa robe de soirée et son peignoir de laine, une tenue dans laquelle elle se sentait très bien d'ordinaire. Un peu seule aussi, mais pas au point d'accepter la suggestion, faite un peu plus tôt, d'appeler un médecin. « J'en ai déjà un à domicile, avait-elle dit à Sarah, et une fille également, bien que je déteste l'idée de devoir compter sur eux. » Mouse avait remarqué, sans en avoir l'air, que cette chère Mlle Fortune avait hésité un instant avant de composer le numéro de la police. Par-dessus le téléphone, elles avaient échangé un regard chargé d'une commune méfiance de la loi. La police pouvait mettre en question la qualité même de ses scones. Quant aux mobiles, elle n'arrivait plus à s'en souvenir.

Puis Joanna était rentrée à la maison. Après une demi-heure de questions, PC Curl avait entrepris de rédiger son rapport, un processus si long que Sarah Fortune avait fini par lui prendre le stylo des mains pour le rédiger à sa place. Puis Sarah était partie, juste avant que Julian n'arrive. Ils se retrouvaient en famille, avec toutes les complications que cela impliquait. Oh, mes enfants.

Mouse Pardoe avait en effet un dilemme : elle ne savait pas si elle devait continuer à jouer les fofolles ou non. Il lui avait été tellement agréable et réconfortant, même avec les mains pleines de cloques, de parler aux deux seules personnes au monde qui savaient qu'elle avait toute sa tête ! Cela lui manquait déjà. Que faire ? Si elle ne se rappelait pas très bien quand ni pourquoi ce jeu idiot avait commencé, elle voyait encore moins quelles explications elle pouvait bien leur fournir, après tous ces mois de tromperie. Julian l'observait avec une attention particulière. Elle avait remarqué avec quelle tendresse il lui avait enduit les mains de crème. Non, impossible, elle ne pouvait pas reprendre sa voix fluette et ses glousse-ments stupides, sachant ce que ce fantôme avait fait à Stonewall Jones, le garçon qui dansait pour elle dans le jardin chaque fois qu'il apportait des appâts pour Edward. Ses propres mains, sa fortune, n'étaient rien en comparaison, et puis voilà que ses enfants l'écoutaient, l'écoutaient vraiment, ne faisaient pas semblant.

— J'ai l'impression que le choc t'a éclairci les idées, Mère, disait Julian, sans lui parler fort comme si elle était sourde.

Elle lui jeta un regard de biais. Lui non plus ne jouait pas. Comme Joanna, il était sincère et inquiet pour elle, écoutant de ses deux oreilles. Jo s'activait dans la cuisine, apportant sur la table de quoi se sustenter, le remède à tous les maux. Julian servit le vin. A chaque fois qu'elle passait près d'elle, Jo étreignait sa mère. Comme ces étreintes avaient manqué à Mouse, car c'était une chose dont sa folie l'avait privée, non pas avec le bedeau, mais avec ses enfants certainement.

— Oui, chéri, répondit-elle à Julian, je pense aussi que ma tête va mieux. Et maintenant, que va faire PC Curl ?

242

— Envoyer une voiture de patrouille faire des rondes autour de la maison cette nuit, puis organiser des recherches demain matin. Curl n'est pas du genre rapide.

Le père de Curl l'était, rapide, pensa Mouse, souriant pour elle-même à ce souvenir. Un petit bonhomme bien net, à l'œil pétillant, oh oui. Tous les mardis après-midi pendant longtemps...

— Une chasse au fantôme, murmura-t-elle, oubliant de pouffer comme avant.

Devait-elle dire qu'elle savait qui était le fantôme ou dire qu'elle l'avait vu en compagnie d'Edward ? Non, elle garderait ça pour elle tant qu'elle ignorerait ce que les autres savaient.

— Il vaudrait mieux que Rick ne participe pas aux recherches, dit Jo. Il serait capable de tuer ce monstre. Julian, quelles sont les chances de Stonewall ? Rick l'adore.

Ils s'assirent à table, tranquillement, les uns près des autres.

— Je ne peux dire qu'une chose : l'affection de Rick ne sera pas de trop.

Elle posa un bref instant sa tête contre l'épaule de son frère, la première fois depuis si longtemps qu'elle en avait perdu le souvenir. Il ébouriffa tendrement ses cheveux blonds, et elle le laissa faire.

Mouse les regardait silencieusement. Mes enfants, aimez-vous, mais où est mon petit dénaturé, Edward ? Aimez-vous et écoutez-moi de temps en temps. C'est tout ce que je désire. Et elle gloussa en annonçant :

— Quand le petit Stonewall viendra ici dans la camionnette de Rick, je danserai comme la Reine de Saba.

Dans la cuisine régnait une extraordinaire sensation de bien-être. Julian remplit à nouveau les verres. Aucun d'eux ne pensait à Sarah Fortune, réunis dans l'oubli de tout ce qui était extérieur, même si chacun, à des degrés divers d'inquiétude, pensait à Edward.

— Il doit être à la pêche, dit Jo à brûle-pourpoint, entre deux rires.

Mouse regarda sur la table l'endroit où elle avait déposé sa fournée de scones, consciente que le rire n'était jamais loin du chagrin et que la folie n'était pas toujours feinte.

Le silence s'étirait. Sarah se rappelait l'odeur des vers.

— Est-ce qu'ils sauront ? demandait Edward. Je parle de Julian, de Jo, et de tous les autres, vont-ils savoir que je connaissais ce Charles le fantôme ?

— Oui, si votre mère le leur dit. Elle pourrait leur raconter que vous aviez déjà laissé Charles entrer dans la maison, et même s'installer dans l'un des cottages. Et si Stonewall se remet de son traumatisme et recouvre la mémoire, il témoignera vous avoir vu ailleurs avec Charles.

— Bon Dieu.

— Ils ne sauront pas pour autant ce que vous vous êtes dit, fit-elle d'un ton indifférent. Vous pourriez avoir eu pitié de lui, ou simplement eu envie de connaître cet homme étrange.

— Et vous, que leur direz-vous ?

— Rien qui contredise ce que vous direz vous-même. Je suis avocate : nous ne parlons que si cela est nécessaire. J'y ai été très bien entraînée.

Ernest Matthewson lui revint à l'esprit, tel un spectre malveillant.

— Mais il y a un prix à payer, Ed. Aidez-nous à retrouver Charles. Aidez-nous à sauver votre famille, et vous aussi.

— C'est tout ?

— Cela suffira. Vous avez encouragé Charles. Vous avez comploté avec lui pour vous débarrasser de votre mère et de votre frère, même si ce n'était qu'un rêve pervers. Car c'est bien ce que vous avez fait, n'est-ce pas ?

— Oui, répondit Edward, la gorge sèche.

— Eh bien, je pense que cela vaudrait mieux pour tout le monde que personne n'en sache jamais rien.

— Je crois que je vais partir d'ici, murmura-t-il. Essayer de vivre ailleurs.

— Quelle bonne idée ! dit-elle d'un ton d'approbation si sincère qu'Edward faillit croire un instant que l'idée venait de lui. Et je pense que, maintenant, vous feriez mieux de rentrer chez vous.

— Voulez-vous venir avec moi ? Je veux dire, ce n'est peut-être pas prudent que vous restiez seule ici.

La sincérité de son inquiétude fit à Sarah un effet aussi agréable qu'une gorgée de thé chaud. Elle parut considérer la proposition.

— Non, merci, dit-elle finalement. Chercher refuge quelque part n'est pas la meilleure façon pour se débarrasser de sa peur. Cela risquerait de devenir une habitude.

— Alors, je devrais peut-être rester ici ? Pour la même raison ?

Elle secoua la tête.

— Non.

— Comme une garantie de comportement honnête à l'avenir ?

— Ou pour mettre ses nerfs à l'épreuve ?

— Quelque chose comme ça.

Le vent s'était levé avec la marée, poussant les flots, accélérant leur mouvement. Pas ce vent d'hiver rugissant qui fouette les vagues en pleine mer, un vent par à-coups, charriant la pluie, effaçant la ligne du rivage tandis que le flot montait doucement, emplissait le port, lapait le quai, recouvrait le parking, ondulait jusqu'au bord de la route, rampait vers les portes de la galerie de jeux et des commerces du front de mer, soulevait les détritus de la soirée et les ramenait à lui, comme si la prudence avait dicté la retraite juste avant la destruction. Le corps gonflé d'eau d'un animal frotta un instant contre la coque d'un bateau oublié, et puis s'en fut, entraîné par le courant, vers une autre partie de la côte. De jeunes Hollandais en croisière avaient emprunté un des dinghies de leur voilier au mouillage, et ramaient vers le port, en quête de distractions.

Sur la plage, la mer grignotait du terrain, obéissant sans enthousiasme au vent. Les occupants des caravanes s'agitaient dans leur sommeil, leurs abris de tôle s'enfonçant un peu plus dans le sable attendri par la pluie. Les vagues venaient mourir jusqu'au pied des dunes, bien plus loin que la marée haute de l'après-midi qui n'avait pas dépassé une ligne de végétation rabougrie, laissant accroire aux imprudents que le flux ne montait jamais plus haut. Clémente malgré l'arrogance des hommes, la mer se contenta cette fois d'étriller les pilotis des deux cabanons les plus éloignés, déjà érodés par de semblables attaques. Celui qu'avait réquisitionné le fantôme s'effondra sur le côté dans un craquement de bois, tandis que l'eau emportait dans ses remous d'écume la couverture volée par Charles Tysall et d'autres souvenirs.

Un yacht souffrit de la vanité de ses propriétaires qui, ignorant le phare et la carte, s'échouèrent sur un banc de sable. Aux premières lueurs du jour, la sirène du bateau de sauvetage lança sa plainte surnaturelle, furieuse du dérangement.

Julian l'entendit dans les profondeurs de son sommeil agité, où ses rêves passaient du meurtre abject à sa famille, de la difficulté d'être médecin dans ce pays au corps de Sarah Fortune. Il entendit cette sirène comme un requiem pour les morts, plaqua ses mains sur ses oreilles, se fermant à tout message qui ne chanterait pas l'espoir.

12

Rick courait. Courait avec une grâce balourde en direction du poste de sauvetage. Le bras de mer était déjà à moitié vide, et au pied des digues s'étalaient les fonds vaseux et luisants. Par centaines, des oiseaux qu'il ne s'était jamais donné la peine d'identifier suivaient, sautilleurs et criards, l'eau qui se retirait, découvrant des trésors de vers, de mollusques et de crabes. Ils faisaient partie de son paysage, et lui ne les avait jamais remarqués. Stonewall s'agenouillait pour parler aux oiseaux à l'époque où il apprenait à aimer les criques, et Rick s'était moqué de lui ; pensez, un garçon qui cause aux oiseaux ! Combien de temps fallait-il pour vraiment connaître quelqu'un ?

Il courait, ses tennis chuintaient dans le sable gorgé d'eau ; il commençait à haleter mais ne trouvant pas d'excuse pour s'arrêter, il continua de courir.

Moins de deux kilomètres séparaient Rick du poste de sauvetage, situé à la pointe du bras de mer. Stoney était haut comme trois pommes qu'il connaissait déjà tout ça, les oiseaux, les insectes. Rick courait, remarquait pour la première fois les empreintes étoilées laissées par les pattes des courlis dans la vase, quelque chose qui n'échappait jamais à Stonewall.

Il courait pour oublier, pour que la douleur musculaire lui fasse oublier tous les bavardages à propos du fantôme avec son oncle, l'officier de police, et la douloureuse insistance de Jo : Ne va pas avec eux, Rick, je t'en supplie. Il aimait Jo, mais le désir de vengeance avait lui aussi des raisons que la raison ignorait.

Il ralentit l'allure, retrouva le sable sec ; la brise semblait siffler à ses oreilles ; la journée serait fraîche, ensoleillée, avec du vent, et seuls les mordus de grand air en profiteraient. Une journée idéale pour la chasse.

Il passa devant les cabanons, vit que deux d'entre eux s'étaient effondrés mais ignorait si c'était récent ou non. Il accéléra à nouveau le rythme, mais il commençait à fatiguer. La sueur lui coulait dans les yeux, il l'essuyait d'une main absente, clignait les paupières, trébuchait, clignait de nouveau.

Un chien courait vers lui ; un instant il crut que c'était Sal, le chien de Stonewall, et cette vision fut si frappante, l'impression que le gamin allait apparaître devant lui si forte qu'il s'arrêta, titubant et le souffle coupé.

Arrivé presque à sa hauteur, le chien stoppa net, puis se mit à gambader autour de lui en aboyant, prêt à jouer. Malgré sa gorge sèche et son cœur qui battait la chamade, Rick se surprit à sourire. Ce n'était pas ce corniaud de Sal, bien sûr, mais un magnifique épagneul à la robe de feu, qui n'avait rien de commun avec lui sinon ce tempérament joueur et turbulent qui plaisait tant à Stoney. Cela donna une idée à Rick, la première pensée positive parmi toutes celles, sombres et déroutantes, qui l'avaient agité ces dernières heures : acheter un chien au gamin. Sûr, ça lui remonterait le moral.

Un homme suivait le chien en courant, avec le soleil dans le dos. Il courait avec une aisance que Rick n'atteindrait jamais, même s'il parvenait à discipliner le balancement désordonné de ses bras et ses jambes, cause d'une formidable perte d'énergie et de souffle. Le style de l'inconnu, sobre, économique, ne semblait pas lui coûter le moindre effort, aussi Rick éprouva-t-il presque du soulagement en constatant que ce coureur ailé suait abondamment.

— Bonjour, dit l'homme d'une voix plaisante. Ne la laissez pas vous ennuyer. Son problème, c'est qu'elle aime tout le monde.

Rick n'avait jamais très bien compris la passion de Stonewall pour son chien, mais il la comprenait maintenant, en caressant les oreilles soyeuses et en sentant l'animal se frotter avec délice contre ses jambes nues et mouillées, et en toute confiance.

— Le chien de Stonewall aussi, dit-il. Il aimait les gens, il les aimait trop.

La chienne s'appuyait contre ses genoux tremblants. Après ces quelques mots, Rick devait continuer, sinon cette information laconique, délivrée à brûle-pourpoint à cet étranger, resterait une énigme. Il reprit, d'une voix plus dure pour que l'homme comprenne qu'il ne parlait pas en l'air :

— Faut être plus prudent que ça avec votre chien, m'sieur, dit-il. Y a un malade qui se promène dans le coin, qui bouffe les chiens et essaye de tuer les gosses.

— Vous plaisantez ?

L'homme appela son chien, qui vint immédiatement au pied. Rick fut piqué au vif.

— Non, j'plaisante pas. La police est en train d'organiser des recherches. On a surnommé ce type le fantôme, mais c'en est pas un. Alors, faites gaffe en vous promenant dans le coin. Même si vous courez comme une gazelle.

Il était jaloux et jacassait. Il avait besoin de parler, et parler à un étranger était plus facile que d'essayer de réfléchir tout seul. L'homme lui tendit soudain la main. Rick la regarda sans comprendre.

— Malcolm, dit l'homme avec un sourire qui ne souffrait aucun refus.

C'était si incongru et conformiste à la fois de se serrer la main et de se présenter au beau milieu d'une plage, que Rick accepta l'échange de civilités malgré son envie d'en rire, et se sentit nettement plus détendu ensuite. Ce doit être la course à pied qui fait ça, pensa-t-il, tandis qu'ils se mettaient en marche vers le poste de sauvetage d'où devait partir la chasse à l'homme.

— Je pourrais peut-être vous aider, dit Malcolm.

— Volontiers, dit Rick. C'est le club du troisième âge, là-bas. Et tout le monde est bienvenu, même avec un chien dingue comme le vôtre.

C'était vrai : lui et ce type, Malcolm, étaient les plus jeunes. Les autres, c'était le conseil des anciens, et il les regarda avec dépit. Mais ils étaient de ceux qui travaillent sans jamais rechigner, avec cette obstination réservée d'ordinaire à leurs jardins potagers.

Peut-être oncle Curl savait-il ce qu'il faisait en les choisissant, mais au terme d'une harassante journée de recherches, le salopard aux cheveux blancs courait toujours. Ils avaient arpenté les bois, visité un par un les caravanes et les cabanons de la plage, parcouru les criques alors à marée basse, regardé à l'intérieur des bateaux. Dans le village, ignorant le quai où personne ne pouvait se cacher, ils avaient fouillé les cottages de vacances qui n'avaient pas été loués, poussant jusqu'à l'église, puis aux granges à l'intérieur des terres. Sur le chemin du retour, passant par le cimetière, Rick et l'étranger de Londres, une fameuse recrue, remarquèrent les fleurs saccagées sur une tombe sans nom qu'un marbrier s'apprêtait à recouvrir d'une superbe dalle de marbre blanc, et s'arrêtèrent un instant pour l'admirer.

Rechercher un homme avec une canne et une crinière blanche, une forme sans besoins ni substance, ne promettait ni récompense ni gloire. Ils en vinrent à se dire qu'il s'agissait décidément d'un fantôme, reparti là d'où il venait, dans les profondeurs de la mer.

Rick et son copain Malcolm s'installèrent au bar du Crown, l'unique hôtel de Merton, où Rick n'avait mis les pieds que deux fois. C'est Malcolm qui l'avait invité là, ajoutant qu'il y séjournait. Un endroit très chic. Que p'pa s'occupe de la galerie tout seul, après tout.

Stonewall Jones rêvait de la mer, de la galerie de jeux, de son chien et, surtout, il se rappelait que quelqu'un l'aimait.

La nuit tomba, silencieuse. Sarah Fortune faisait ses valises, ressentant son départ imminent sans amertume aucune. Au village, où elle n'avait pas pu s'empêcher de faire une halte à la pâtisserie, elle avait appris ce qui se passait et ne voulait pas en savoir plus. Ils trouveraient Charles, pensait-elle ; son désespoir le rendrait imprudent. Cependant, elle ne voulait pas qu'il soit pris. A moins que ce ne soit elle qui le trouve ; cela mettrait un point final à toute une année de cauchemars dans lesquels elle le voyait attaché et impuissant et lui faisait éprouver ce sentiment d'être diminuée qu'elle avait connu à cause de lui. Le retrouver ainsi apaiserait cette brûlure qui la rongeait de l'intérieur, ce désir de le voir ramper, de lacérer son visage avec ses ongles et de le regarder la supplier. Nu, comme elle, hurlant et gémissant, comme elle dans la solitude de son appartement, souffrant comme elle voulait qu'il souffre, avec la conscience de perdre toute fierté.

251

Elle ressentait une douleur au ventre, qu'elle mit sur le compte des efforts surhumains qu'elle faisait chaque jour pour paraître charmante et bien élevée, au lieu d'afficher clairement sa nature frivole et je-m'en-foutiste. Une douleur qui accompagnait la peine éprouvée pour Elisabeth Tysall et pour elle-même. Une douleur, enfin, qui était le résultat de sa prière de mécréante, mais aussi les scories de toutes les pensées violentes et abjectes qu'elle avait nourries envers Charles. Elle continua d'empaqueter ses affaires, une partie d'elle-même dans l'attente, l'autre dans l'indifférence.

Mouse Pardoe s'arracha au giron familial, fit mine d'aller au lit et se glissa dehors par la porte de devant, ses mains bandées lui servant de guide dans l'obscurité. La prévenance de ses enfants tout au long de la journée, leur affection, leur inquiétude manifeste à son égard provoquaient en elle une étrange sensation de culpabilité, une espèce d'indigestion émotionnelle qui l'inquiétait. La mauvaise conscience n'était guère dans la nature de Mouse : elle traversa donc la pelouse sur la pointe des pieds, s'en voulant d'avoir besoin de Sarah Fortune qui en savait trop à leur sujet et qui, faute d'avoir quelqu'un d'autre à qui le dire, allait en savoir encore plus. Hettie la suivit, mais Mouse n'avait pas peur et c'était précisément cette absence de crainte, en tout cas du fantôme, qui lui faisait un peu honte.

— Qu'est-ce que vous faites ? cria-t-elle, en apercevant le living après que Sarah lui eut ouvert la porte. Je suis venue voir si vous alliez bien, ajouta Mouse avec moins de conviction.

Toutes deux savaient que ce n'était pas vrai. Sarah avait rempli sa tâche. Mouse avait mille raisons d'être reconnaissante envers la jeune femme, et toute nouvelle marque de bienveillance devenait inutile. Le châle qui avait masqué la laideur du canapé avait disparu, la lampe était de nouveau à sa place, et les fleurs qui avaient égayé la pièce étaient dans la poubelle ; le cottage avait retrouvé l'anonymat propre aux maisons à louer.

— Je range mon bordel, dit Sarah avec un sourire.

Il était si facile de l'aimer, pensa Mouse avec une certaine amertume. Sarah était tendue comme une peau de tambour mais, en même temps, incroyablement à l'aise et naturelle, agitée de pensées qui défilaient dans ses yeux, mais sans qu'on y lise jamais le moindre jugement critique.

— Vous partez ? Mais on a besoin de vous, ici, ma chère.

— Non, plus du tout, mon travail est terminé. (Elle tendit le doigt vers une pile de papiers posée par terre.) Les évaluations. Edward m'a aidée hier au soir, c'est pour cela que je l'ai retenu si longtemps.

Leurs regards se croisèrent et se détournèrent. Aucune des deux n'était dupe de ce mensonge. Mouse prit une bouteille de vin entamée sur la table de la cuisine, deux verres dans le buffet, et les remplit sans cérémonie. Elle était déjà un peu ivre, et comptait bien l'être davantage. Ainsi le voulait sa conscience. Pourquoi devrait-elle s'en faire ? Si un intrus entrait chez vous, mangeait vos sandwiches et vous brûlait les mains au passage, il méritait bien d'avoir quelques problèmes de digestion.

— Vous, les Pardoe, dit Sarah sans une trace de reproche tandis qu'elles s'asseyaient, vous avez tendance à forcer sur la dose. En tout cas, si vous lisez mes notes... — j'ai une écriture très lisible —, j'ai fait la liste des biens que vous pourriez vendre tout de suite, à des prix ridicules et avec toutes les facilités possibles, à ceux qui les gèrent déjà. Ce sont d'abord les commerces, à commencer par le pub et la galerie de jeux, puis les magasins. Rendre son âme au village, nous sommes d'accord ?

Mouse hocha la tête, goûtant le vin, du très bon.

— Vous ne serez pas sans ressources, poursuivit Sarah. Les études que vont faire Jo et Edward, un petit pécule pour tous les trois, vos petites fêtes arrosées de vins fins, tout cela pourra être financé par la vente des cottages que vous louez aux vacanciers. Même en les vendant à bas prix, à des gens du pays qui désireraient s'y installer avec leur famille, il vous restera assez, une fois cet argent bien placé, pour votre vieillesse, bien que je doute que vous soyez jamais vieille.

Mouse apprécia cette dernière remarque. Elle tendit son verre vide à Sarah.

— Nous n'avons pas besoin d'Ernest Matthewson pour régler tout ça ?

— Non, non. Ça ne lui plaira pas, mais vous pouvez vous passer de lui. Un comptable de la région, un agent immobilier honnête... le vôtre ne l'est pas, à ce propos.

— Nul au lit, Ernest, dit Mouse, pensive. Tellement pressé.

Sarah ne releva pas. Mouse poussa un soupir satisfait.

— Quel soulagement, dit-elle. Sincèrement. Nous en avons discuté ensemble, aujourd'hui, et ils désirent tous la même chose. Ils vivent ici, et ils veulent faire partie intégrante de la communauté. De bien gentils petits. Qui pensent juste et se comportent bien. Ils sont d'accord pour ne vouloir rien d'autre que le strict nécessaire. Assez est toujours assez, vous ne pensez pas ?

— Absolument, approuva Sarah avec suffisamment de conviction pour inciter Mouse à poursuivre.

Sa douleur au ventre se faisait de plus en plus forte, une douleur sur le sentier de la guerre, cherchant d'autres lieux à attaquer.

— Après tout, poursuivit Mouse, acceptant un autre

verre comme si elle était l'invitée d'honneur, cela n'aurait-il pas été horrible que j'aie à leur dire moi-même ce qu'ils devaient faire ?

— Horrible, confirma Sarah.

— Je veux dire, s'ils ne m'avaient pas écoutée ? Je ne pensais pas qu'ils m'écouteraient quand j'ai demandé à mon mari de rédiger son testament. C'était à l'époque où son cœur commençait de l'inquiéter sérieusement. On s'entendait si bien tous les deux, à ce moment-là, je savais qu'il ne remarquerait pas comment la chose était rédigée. Tous mes enfants...

Oh que si, pensa Sarah ; il ne pouvait pas ne pas l'avoir remarqué. Il avait sûrement vu Stonewall dans l'allée, quand il apportait les appâts. Le gosse deviendrait grand et fort, comme son vrai père, avec les mêmes yeux que Julian Pardoe, ce même teint, cette même couleur de cheveux et cet air costaud qui feraient de lui l'image crachée de son grand frère. Quand vous couchez avec un homme, vous remarquez la couleur de ses yeux, et vous vous rappelez alors avoir déjà vu des yeux semblables, en plus d'une certaine ressemblance dans les gestes, la façon de manger ou de boire. Vous savez...

— Mais je leur aurais dit, reprit Mouse, après une gorgée de vin. Je l'aurais fait s'ils n'avaient pas été d'accord pour rendre tous ces biens dès que nous le pourrions. (Elle soupira.) J'ai rejoué cent fois cette scène dans ma tête, avant de me décider à jouer les foldingues. Et maintenant, nous serions là, autour d'une table, avec Ernest Matthewson assis en bout, et personne n'écouterait la lecture du testament et de ce passage particulier, qui est de moi : « A ma femme, et à TOUS mes enfants. » Pas seulement ceux que nous avons eus ensemble. Julian est de lui, je crois. Joanna aussi, il y a des chances. Edward, non. Cela me paraît évident. Peut-être est-ce pour ça que M. Pardoe et lui ne se sont jamais entendus. Bref, ç'aurait été une chose terrible à dire à ses propres enfants, et voilà que ce n'est plus nécessaire.

— Non ? dit Sarah d'une voix triste.

— Non. Pas plus que vous n'avez besoin de dire à votre amant que vous avez couché la veille avec un autre homme. C'est une bonne chose pour vous, les jeunes, que vous ayez la pilule. La nature m'a aidée : j'aurais pu avoir une flopée d'autres bébés, mais non. Et c'est tout aussi bien, car je n'aurais jamais su qui était leur père exactement.

— J'ai préparé un codicille à votre testament, murmura Sarah. La moitié du reste de vos biens, incluant une maison confortable et un morceau de terrain le long de la côte, ira à Stonewall Jones, après votre mort.

Mouse acquiesça énergiquement de la tête.

— Je suis entièrement d'accord. J'y avais déjà pensé. Je suis peut-être égoïste, mais pas malhonnête.

— Alors, tout est bien qui finit bien, dit Sarah, versant le reste du vin dans le verre de Mouse.

— Pas tout à fait, dit Mouse. Ce n'était pas mon intention, en venant vous voir, de m'attarder sur ma famille, maintenant que tout est arrangé et que plus rien ne pèse sur ma conscience. Excepté ceci.

Elle fouilla dans la poche de sa robe de chambre, enfilée par-dessus une chemise de nuit à fanfreluches dont le col cheminée lui montait jusqu'au menton, et sortit une petite pochette en papier translucide. *Hameçons Taille 2*, lut Sarah. *Acier trempé, pointe acérée. Pour pêche en mer. Grande résistance.*

Sarah en fit tomber un dans sa paume. La pointe était fine comme une aiguille, pourvue d'un crochet incurvé. L'hameçon était noir ; elle éprouva sur sa peau la pointe de cette redoutable petite arme.

— Ce qui me tracasse, dit Mouse Pardoe, c'est que

j'en ai fourré un tas dans les sandwiches et dans les scones.

Elle pressa son nez contre son verre.

— Je l'ai fait pour rire. Edward laisse toujours son matériel de pêche traîner partout. Hier au soir, il y avait des hameçons plein la table de la cuisine, je m'en suis planté deux dans la main et ça m'a mise en colère. Hettie aurait pu en avaler. Personne ne mange jamais ce que je fais, et je ne cuisine que pour les embêter. De la cuisine, de la vraie, j'en ai fait pendant des années ; aujourd'hui, je m'amuse à confectionner des horreurs, comme ces sandwiches. Mais je leur aurais dit pour les hameçons, s'ils avaient fait mine de vouloir goûter. Je voulais marquer le coup vis-à-vis d'Edward pour qu'il ne laisse plus jamais rien traîner dans la cuisine, comme le faisait son père. Et qu'il cesse aussi de me frapper. A propos, que lui avez-vous fait, à Edward ? Il est devenu gentil comme tout.

Sarah revit Charles Tysall, sortant à reculons de la cuisine en fourrant les scones dans ses poches.

— Mais voilà, cet homme, ce Charles, continuait Mouse, il a mangé tous les sandwiches. Je ne sais pas comment il a pu faire une chose pareille, mais il l'a faite, ajouta-t-elle avec une trace de satisfaction. Il a tout avalé.

Sarah regarda l'hameçon dans sa main, se souvint du bruit de la nourriture engloutie voracement. L'hameçon était fin, même pas trois centimètres de long, assez petit pour être avalé par un homme affamé. Elle pressa la pointe entre son pouce et son index, la sentit pénétrer dans la peau.

— Pointus, hein ? fit observer Mouse.

La douleur au ventre de Sarah monta encore d'un cran.

— Mais je n'en ferai pas une maladie, dit Mouse. Après tout, il n'a eu que ce qu'il méritait.

Rick ne supportait pas la boisson et, prudent, faisait durer son verre ; il n'était pas soûl, seulement un peu plus bavard que d'habitude. Quelle tristesse, dans son propre village, de n'avoir eu, un pareil soir, qu'un étranger pour toute compagnie. Et rien de nouveau au sujet de Stonewall : il avait appelé l'hôpital, avec le docteur et Joanna. Autant passer ce temps avec cet homme sympathique ; crottés comme ils l'étaient, il avaient fait le vide autour d'eux au bar huppé de l'hôtel. Deux pintes de bière faisaient remonter les émotions à la surface. Rick ne désirait rien d'autre que de serrer Jo dans ses bras, mais il restait là, sur son tabouret, donnant à Malcolm toutes les informations qu'il tenait d'oncle Curl et des autres. Les techniques de contre-interrogatoire de Malcolm, tout en douceur, fonctionnaient aussi bien dans un bar que dans un tribunal, surtout quand le sujet était aussi émotif, malléable et bouleversé. Malcolm connaissait le nom, l'identité et les faits et gestes récents de l'homme qu'ils recherchaient. Un sale revenant, bien vivant, hélas.

— Votre cousin, Stonewall, croyait que cette Sarah Fortune était Mme Tysall, n'est-ce pas ? demanda Malcolm.

— Au début, seulement. Ma cousine, au salon de coiffure, le croyait aussi. D'après vous, qu'est-ce que le fantôme pouvait bien vouloir aux Pardoe ? A part que leur maison est isolée, avec une malheureuse brebis pour monter la garde et un garde-manger bien garni ?

Avec un temps de retard, la mention de Sarah Fortune fit rougir Rick. Il pensa à elle avec une tendresse coupable, sentit une légère excitation sexuelle. Involontairement, il rentra le ventre.

— Vous pensez qu'il est allé là-bas pour Sarah ? Allez,

ça tient pas debout. Comment aurait-il pu savoir qu'elle y était ?

— Ecoutez, dit Malcolm. Dans sa vie précédente, Charles Tysall était complètement obsédé par Sarah Fortune.

— Ça, j'le comprends, fit Rick avec un ricanement.

Il y eut un silence qu'ils occupèrent à boire. Non, pas ce garçon, pensait Malcolm. Sûrement pas lui, même connaissant Sarah comme je la connais.

— Alors, peut-être qu'il essaiera de retourner là-bas, remarqua Rick. Mais elle ne craint rien, ils ont mis quelqu'un pour surveiller la maison, c'est Jo qui me l'a dit quand je l'ai appelée. Et il y a tout de même deux hommes à demeure, enfin, un et demi si on compte Edward. Mais ce type, il a vécu des mois absolument seul. Pourquoi il aurait besoin de quelqu'un, maintenant ?

— Oh, je ne pense pas que Charles cherche à retrouver Sarah, mais plutôt le contraire.

— Qu'est-ce que ça veut dire ?

— Que c'est Sarah qui peut nous mener à Charles. Sarah le retrouvera.

Rick ne comprenait pas.

— Ecoutez, on s'voit demain, d'accord ? suggéra-t-il. Devant la galerie, à sept heures s'il fait soleil, à huit s'il pleut. Ça vous va ?

Malcolm se contenta de hocher la tête. Son excellent whisky n'avait plus aussi bon goût.

La pièce dans laquelle il se trouvait était devenue terrifiante. Il répétait, comme un mantra : « Mon nom est Charles et je n'ai pas de nom. » Il se dirigea vers le miroir craquelé suspendu au-dessus de l'évier en pierre, et découvrit alors son visage jauni, ses dents presque noires, ses yeux rouges et secs. Il ne s'était pas vu depuis long-temps, et cela lui fit un choc. Mais, même si cela lui était arrivé au cours de l'année passée, il aurait immédiate-ment compris que plus jamais il ne rentrerait chez lui. Il commençait à empester. Le sang, la crasse, le froid, la sueur et la putréfaction. Quelque chose à l'intérieur de lui le blessait mortellement. Fais un pas de côté et regarde-moi, chérie : je suis en train de crever. Ouvrant la bouche, il avait à plusieurs reprises essuyé l'écume qui se formait autour de ses lèvres crispées par la douleur, le visage grimaçant d'impuissance, son long corps tout courbé. Il se rappelait les portraits sur le mur, dans la maison où il avait grandi : des femmes rousses, avec ce teint blanc inquiétant, propre à ses aïeux, et dont il était le rejeton taciturne et adultérin.

Pour finir, il avait hurlé de rage et de frustration, comme un enfant hystérique, et avait entendu ses cris se muer en pleurs. Il se rapprocha de l'ouverture, sachant que la nuit était tombée. Les lumières de la rue éclairè-rent son visage et ses cheveux blancs collés par la trans-piration ; trois mètres plus loin se trouvaient des gens qui auraient pu l'aider, mais personne ne le voyait, personne ne l'entendait, car le bruit était trop intense : crépitement d'armes automatiques, chansons vomies à plein volume par des haut-parleurs, cliquetis de pièces de monnaie, cris d'enfants, cris de triomphe et, dans les accalmies, voix qui annonçait les chiffres d'un loto.

Ses cris, vains et épuisants, s'achevèrent par une crise de fou rire inextinguible et silencieux, qui pouvait justifier ses larmes. Quelle ironie pour cet homme cultivé de se trouver là, à subir ce déferlement de bruits vulgaires, sous les clignotements de néons multicolores. Il s'assit par terre, ses longues jambes ramenées contre son ventre comme pour en contenir le feu.

Quelqu'un, à la recherche de toilettes qui n'existaient

pas, trébucha contre ses jambes qui dépassaient de l'entrée de la pièce, jura et repartit. Plus tard, un autre ignora ses gémissements, le prenant pour un ivrogne et non pour un homme mourant. A l'idée de boire, sa gorge se serra ; il avait soif, n'était venu que pour de l'eau, et ne pouvait pas l'atteindre.

Charles s'assoupit ; quand il rouvrit les yeux, tout bruit avait cessé et les lieux étaient plongés dans le noir ; il avait perdu, en dormant, sa seule chance d'être secouru. Alors, il paniqua ; du sang se mêlait à l'urine qui trempait son pantalon, sa propre odeur l'écœurait. Incapable de se relever, il se mit à ramper.

Il s'éloigna des machines mortes, rangées comme des cercueils dans cette arrière-salle, et gagna la porte vitrée de la galerie qui donnait sur la rue. Agrippant la poignée, il sentit trembler le chambranle, se hissa sur les genoux et regarda dans la nuit à travers les carreaux dans une attitude de supplication, cherchant la lune et la rédemption.

Il vit une silhouette battre la semelle, s'arrêter, allumer une cigarette qui éclaira un uniforme, répondre au salut de quelqu'un qui disait : Bonsoir, sergent. Une femme, traitant un sergent de police avec respect, tandis que son chien menaçait de mordre l'homme aux chevilles. Mieux valait crever comme un chien plutôt que de vivre comme un chien.

Il s'écarta de la porte, et s'adossa contre Omen III. Soif, soif, soif.

« Pièce après pièce, murmura-t-il,

Je la cherche...

Elle ! Pas le chagrin qu'elle laisse. »

Browning... Bribes de poème, ressemblant à la litanie d'un vieil homme qui ne se souviendrait de rien, sauf d'obscénités, comme les vrais clochards. Une fois revenu dans la remise, il fit sous lui. La honte et la douleur furent si insupportables qu'il en pleura.

Stonewall se réveilla avec un violent besoin d'aller aux toilettes et un vague sentiment de honte. Malgré son esprit encore un peu embrouillé, il savait parfaitement ce qu'il voulait : du Coca, et non du lait ; les bras de sa mère, pas l'infirmière.

Sarah n'avait jamais su voyager léger, ni vérifier si elle n'oubliait rien derrière elle. Dans la faible lueur de l'aube, elle remarqua tout de même que sa valise semblait moins pleine. Il manquait le chemisier rouge, le pantalon de toile et les tennis qu'elle avait abandonnés à la mer, ainsi que la chemise noire et les caleçons qu'elle avait donnés à Joanna. La jeune fille n'était pas revenue la voir, ce qui n'étonnait pas Sarah, car elle savait qu'il émanait d'elle un sentiment de malaise que ressentaient encore plus les gens timides.

Elle se plia soudain de douleur. Charles avait occupé ses rêves, et le sentiment de sa présence avait été écrasant. Savoir qu'il avait des hameçons fichés dans le corps la minait. Elle s'était réveillée au chant des oiseaux, un chant aigu et joyeux. Peut-être était-ce le signe qu'ils l'avaient retrouvé ?

La brume de mer était encore dense, l'air doux et humide, la lumière du jour avait du mal à percer.

N'était-ce pas lâche de partir ainsi aux aurores, dans ce brouillard, et de rentrer chez elle même si elle ne considérait plus son appartement comme « chez elle » depuis que Charles avait interrompu le cours tranquille et clandestin de sa vie et l'avait traitée de putain ? N'était-ce pas lâche de s'en aller avant qu'on ne le retrouve et qu'on ne lui demande de l'identifier ? Comme de s'en retourner avec la même peur, la même honte, et de reprendre la même vie, irrémédiablement gâchée, sans rien avoir résolu ?

Elle referma la portière de la voiture, laissant ses affaires à l'intérieur. Hettie la brebis bêla de plaisir. Après tout, pourquoi tant de hâte ?

Elle s'en fut à pied au village, accompagnée par le murmure des vagues invisibles. Le toit rouge du poste de sauvetage était à peine visible ; après avoir hurlé pour avertir du brouillard, la sirène s'était tue. Sarah s'arrêta en arrivant en vue du quai. Les portes de la galerie étaient entrouvertes et un homme nettoyait les vitres sans grand enthousiasme. Puis un rayon de soleil troua le brouillard, illumina les carreaux propres et disparut aussi brusquement qu'il était apparu, tel un signe venu du ciel. Contre toute logique, Sarah sut alors avec certitude où se cachait Charles Tysall. Elle se remit en marche, la douleur au ventre, la tête bourdonnant des messages de haine que lui envoyait son cœur.

13

Quelques instants, la silhouette de la jeune femme fut masquée par des voitures qui semblaient être des éléments fixes du parking, puis par la camionnette du mareyeur suivie d'un vieux camion chargé de fourrage, qui avançait lentement en déchirant le silence matinal avec le grondement de son moteur. Quand Malcolm arriva pour son rendez-vous avec Rick, à sept heures tapantes, Sarah avait disparu. Le garçon n'était pas là mais un homme âgé, visiblement en colère sous sa casquette rabattue sur un œil, tourna le coin, finissant de mastiquer quelque chose.

— Excusez-moi, vous n'auriez pas vu un jeune gars nommé Rick ? Est-ce qu'il travaille ici ?

Le père de Rick entendit ça comme une accusation.

— Non.

— J'ai rendez-vous avec lui, ici, à sept heures, précisa Malcolm.

Le vieil homme partit à rire.

— Le Rick, c'est pas un lève-tôt. M'a demandé de nettoyer les vitres à sa place, le salaud. J'croyais pourtant qu'y s'était trouvé une femme pour le ménage. J'viens de la voir, la bougresse. Une beauté.

264

— Vous venez de la voir ? Elle allait dans quelle direction ?

— Probable qu'elle allait chez Rick. C'est ce qu'elles font toutes.

Le père de Rick rit de nouveau, pas peu fier de sa réponse. En tout cas, les conquêtes de son fils semblaient le faire marrer.

— Elle allait dans quelle direction ? répéta calmement Malcolm.

Le père de Rick avait du mal à coordonner ses pensées de bon matin, mais il se souvint vaguement de ce que lui avait dit son fils : ils devaient retrouver le fantôme. Peut-être que la question de ce bonhomme avait un rapport avec cette chasse à l'homme.

— J'crois bien qu'elle a pris la grand-rue, là-derrière.

Ce fut d'abord l'odeur que Sarah perçut, une puanteur de bête dans sa tanière, d'excréments et de peur. Il gisait appuyé sur un coude, le dos contre l'une des machines au rebut, silhouette pathétique dont les détails se précisaient à mesure que Sarah s'accoutumait à la pénombre de la pièce. Le pantalon de survêtement avait glissé à force que Charles rampait sur le sol, ses mains osseuses étaient plaquées sur son ventre et son sexe pendait entre ses jambes, à la fois superbe et pathétique. Monté comme un âne. Un rictus déformait son visage sale, sillonné de larmes.

Elle essaya de durcir sa voix, de faire appel à toute sa haine.

— Quelque chose que vous auriez mangé ? dit-elle, se tenant au-dessus de lui, désirant qu'il lève les yeux vers elle. Honte à toi, Charles Tysall. Tu me voulais en rut comme une truie, mais regarde-toi, tu es vautré comme un porc dans sa fange.

Et quelle lamentable insulte ! Soudain, elle fondit en larmes. Il avait été bel homme jadis, agile comme un tigre, les membres longs, les épaules larges, un prédateur plein d'élégance, un homme fier, pervers mais beau. Pas un homme à ramper, et il était là comme un éléphant solitaire blessé à mort. Elle pensa aux hameçons : peut-être n'auraient-ils pas aussi gravement affecté un homme dans la force de l'âge, mais là, ils déchiraient sans effort les tissus usés de ce fugitif amaigri, affamé, dont toute l'énergie semblait maintenant s'être réfugiée dans les yeux bleus perçants. Il leva une main vers elle et, malgré le tremblement de ses longs doigts élégants, tenta de mettre dans son geste un vieux reste d'arrogance.

— Imparfaitement pure et bonne, murmura-t-il. Regarde-moi, Elisabeth. Es-tu satisfaite ?

Elle se souvint de ces mains racées, manucurées, caressant son corps, encerclant sa nuque, la boucle de son ceinturon mordant dans la chair de son dos, la douceur de ses couilles comme un coussin contre ses fesses, juste avant que le miroir ne se brise et avec lui, toutes les entraves à sa sauvagerie calculée. Au souvenir des tortures subies, une formidable rage gronda en elle, gronda et retomba. Elle s'efforça de la ranimer, de faire renaître ce désir de vengeance qui la rongeait depuis un an, mais en vain : la compassion absurde, traîtresse, triomphait. Ce corps à ses pieds n'était plus celui d'un homme, mais une pauvre chose grimaçante de douleur, qui essayait de remonter son pantalon dans un pitoyable sursaut de pudeur. Elle se pencha et, malgré la puanteur, l'aida. Il était chaud et moite ; il hurla quand elle le toucha, mais elle ne ressentit même pas de satisfaction à l'entendre crier.

Il lui fallait de l'eau pour effacer cette bave séchée autour de sa bouche : elle ne voulait pas qu'on le voie dans cet état, partageant pendant un bref instant la fierté qui l'avait fait se cacher pour mourir ; quand elle se redressa pour aller dans la pièce voisine où se trouvait l'évier, il poussa une plainte de désespoir. L'eau qui fuyait du robinet tombait sur un chiffon ; quand elle s'agenouilla de nouveau près de lui et appliqua le linge trempé sur son visage, il gémit de plaisir et se mit à le sucer comme un bébé affamé le sein maternel.

Elle resta ainsi, à lui soutenir la tête d'une main et à tamponner ses joues et son cou de l'autre, ne disant rien, se demandant ce qu'elle ferait ensuite, le visage ruisselant de larmes qui s'écrasaient sur le corps de Charles.

— Me pardonnes-tu, Porphyria ? lui demanda-t-il dans un râle.

Elle ne pouvait dire non, elle ne pouvait articuler le moindre mot. Elle ne voulait pas lui pardonner, que ce soit en son propre nom ou au nom d'Elisabeth, mais ne supportait pas non plus de le voir souffrir.

La porte de derrière s'ouvrit en grinçant et il y eut un léger bruit de pas — quelqu'un en tennis, sans doute —, de la lumière, et puis une grande ombre au-dessus d'eux. Charles lui avait pris la main, et elle avait passé son bras autour des épaules de l'agonisant ; elle resserra son étreinte, sentit sa peau desséchée. Derrière elle, elle entendit un suffoquement de colère, perçut la tension dans le corps de l'intrus, la profonde inspiration qui précède l'effort, l'odeur de la rage qui n'émanerait plus jamais de Charles. Elle resserra encore son étreinte et se retourna, prête à mordre. Malcolm se tenait là, les poings serrés, les jambes fléchies, prêt à frapper. Il lâcha entre ses dents serrées :

— Sarah ? C'est Charles ? Qu'est-ce qu'il a ? Bon Dieu, il a vieilli de dix ans. Il est blessé, ce salaud ? Mais que fais-tu ? Lâche-le, nom de Dieu !

Elle le regarda sans le voir, et parvint à dire avec lenteur :

— Si tu le frappes, je te tue.

La voix de Malcolm, nouée par une émotion amère comme le fiel, se fit murmure. Il avait couché avec cette femme, l'avait tenue contre lui. Elle lui avait rendu ses caresses. Et maintenant, regardez qui elle tenait dans ses bras avec le même abandon !

— Sarah, ma douce, comment peux-tu ? Il n'y a donc rien que tes mains ne puissent toucher ? Personne que tu ne puisses mépriser ? Comment peux-tu ?

Elle était incapable de lui exprimer son mépris. Incapable de lui dire : Tu ne vois donc pas que cet homme est en train de mourir, et que cela me suffit ? Incapable, même dans son dédain pour la rage puérile de Malcolm, d'exprimer ce qu'elle ressentait.

La douleur semblait relâcher ses serres dans le ventre de Charles, mais elle continua de le soutenir, de le protéger, sachant qu'il avait été jadis le beau et fier Charles Tysall qui serrait sa main comme un talisman. Sachant qu'elle ne pouvait rien faire d'autre que de le tenir ainsi pour lui communiquer sa chaleur. Personne ne devrait mourir seul.

Après que la pièce fut envahie de monde et que Charles eut cessé de râler, elle le laissa aller doucement, observa son visage prendre une couleur de cire pâle, ses rides et son rictus de douleur s'effacer dans la mort. Elle sortit de la galerie et passa devant le groupe silencieux des hommes qui avaient participé aux recherches et lui lançaient des regards accusateurs. La tête haute, l'humidité de la brume faisant friser ses cheveux, les mains et les vêtements tachés de sang et de boue, elle laissa derrière elle la foule bruissante des badauds, les chenaux qui se remplissaient avec la marée, les cygnes gracieux qui s'ébattaient, puis, se sentant hors de vue, elle se mit à

268

courir. La brume humidifiait son visage, les oiseaux de mer ne criaient pas, ce coin du monde était tranquille, sa foulée ponctuée uniquement par la violence de ses sanglots.

Hettie la brebis l'attendait toujours devant le cottage, la tête surmontée de ses cornes inégales, la gentillesse sur pattes. Sarah cueillit les roses près de la porte — ils lui devaient bien ça —, et les déposa avec soin sur la banquette arrière. Puis elle fourragea dans sa valise à la recherche d'une tenue propre, se déshabilla sur place, s'essuya les mains à la robe qu'elle venait de quitter et en enfila une autre qu'elle boutonna d'une main tremblante mais efficace. Elle repoussa du pied la robe sale, ne prenant pas la peine de l'emporter. Les habits n'avaient jamais compté pour elle et ce n'était pas près de changer. Hettie entreprit de déguster son second vêtement de la semaine.

Petit déjeuner tardif chez les Pardoe, dans une cuisine débarrassée de tout matériel de pêche. Edward abandonnait la pêche, il s'en allait. Quelque part, disait-il. Joanna avait fini par se convaincre que son frère avait certainement cru agir « pour le mieux » en faisant ce qu'il avait fait, sauf que maintenant, elle ne partageait plus du tout sa notion de « mieux ». Sans doute était-il très difficile de renoncer à un objet d'adoration, mais tout finirait par s'arranger.

Julian et Edward étaient en pleine discussion, rien de changé de ce côté-là, sauf le ton, la teneur, et l'issue.

Je vais devoir leur dire au revoir, se dit Sarah, et regarder Edward dans les yeux pour lui faire comprendre que ma menace de chantage tient toujours. Julian argumentait d'une voix mesurée. Joanna était au fourneau, sereine et tendue à la fois, comme elle le serait toujours. Mouse était assise, au bout de la table. Elle grignotait des noix et portait un maillot de bain sous sa robe de chambre. Elle avait des choses à faire plus tard ; elle ne ferait jamais de concessions en matière de vêtements, pas plus qu'elle n'en achèterait de nouveaux. Peut-être un jour, mais à contrecœur, abandonnerait-elle les chapeaux.

L'apparition de Sarah, fraîche et pâle, ensoleillée et propre, les saisit et fit naître sur leurs visages une légère rougeur de honte. Ce fut Joanna qui rougit le moins, elle qui n'avait fait que délaisser un peu leur invitée quand il lui avait fallu faire face à de vrais drames personnels, les premiers ; mais, très vite, elle ressentit un sentiment de culpabilité envers celle qu'elle avait osé traiter de vache et qui était devenue sa confidente, son alliée et un modèle, et sa figure s'empourpra.

Julian rougit modérément : lui aussi se rappelait son manque d'hospitalité à l'égard de celle qui l'avait sauvé de lui-même. Quant à Edward, sa légère coloration était seulement due à sa soudaine inquiétude que leur invitée ne soit venue révéler le pot aux roses, sentiment de panique qui se dissipa bien vite. Le sourire de Sarah, son attitude chaleureuse leur firent se rappeler la fille épatante du cottage voisin et oublier l'avocate aux grands airs, confortablement payée à la journée, et ils se sentirent soudain tous à l'aise. Elle s'assit comme quelqu'un incapable de s'offenser de quoi que ce soit, et Joanna poussa une tasse de café vers elle, qu'elle accepta avec des remerciements exagérés. Ils se détendirent encore plus. Sauf Mère, qui gardait le nez plongé dans le journal.

— Tout est pour le mieux dans le meilleur des mondes, dit Sarah d'un ton badin, ne regardant personne en particulier et ignorant la petite boule dans sa gorge. Ils ont retrouvé le fantôme. Il est mort dans le débarras de la galerie de jeux. Le pauvre. Il a avalé un truc qui ne lui a pas réussi.

De tous les côtés de la table s'élevèrent des soupirs de soulagement. Julian sourit à Sarah, et il y avait dans son regard tout l'éclat de la vie retrouvée.

Et je vais rentrer chez moi, maintenant, s'apprêtait-elle à annoncer, quand le carillon de la camionnette de Rick tinta, d'abord faiblement, puis de plus en plus fort, non pas devant la maison, mais derrière, près du jardin potager, le véhicule et son conducteur établissant des liens plus intimes avec ce terrain. Les Pardoe ne resteraient pas longtemps « les propriétaires ». Tout le monde serait le bienvenu.

— Ernest vous enverra la note, cria Sarah à Julian par-dessus le bruit de chaises et la ruée générale vers la porte, Mère en tête, tous désireux d'une diversion.

— Bien sûr. Merci pour tout, dit-il.

Quand la voiture rouge à l'aile éraflée dépassa lentement la façade de la maison, le carillon de la camionnette résonnait toujours, comme des cloches d'église pour un mariage, carillon annonciateur de bonnes nouvelles et si insistant que personne ne prêta attention au bruit de moteur qui s'éloignait. Les nouvelles qu'apportait Rick seraient répétées cent fois : Stonewall de retour à la vie et à l'amour, réclamant une vidéo ; pourrait-il emprunter Hettie pour une promenade ? Et quel genre de chien devaient-ils prendre ? Et Rick, qui savait exactement quelle race. Et le sale type, ce fantôme, eh bien cette fois, il était bien mort.

Une demi-heure plus tard, dans le sillage de la camionnette, une petite voiture bleue, bien entretenue, s'arrêta en hésitant devant la maison. Malcolm Cook déplia ses longues jambes et prit la direction du joyeux carillon que personne n'avait songé à arrêter. Rick, très excité par le café et le vin, ne se pressa pas de faire les présentations.

Pour le moment, ce grand brun qui courait comme un dieu n'était qu'un étranger comme un autre.

— Je viens chercher Mlle Fortune, dit l'homme avec l'humilité agressive d'un chauffeur de taxi.

— Elle est déjà partie, répondit quelqu'un, il ne savait pas qui. Vous arrivez trop tard.

Rick le regarda de biais, se demandant pour la première fois qui était cet homme.

— Trop tard, chantonna-t-il, exactement comme Stonewall.

Bien après le village, sur la route de la côte, elle roula vite jusqu'à ce qu'elle trouve le tournant et prenne en bringuebalant le chemin de pierraille qu'elle avait découvert la première fois. Elle le suivit jusqu'à la côte sableuse. La brume semblait être l'apanage de Merton car, quinze kilomètres plus loin, le ciel était dégagé. Elle regarda la mer qui se retirait, l'étendue de sable chaud, sans sortir de sa voiture, avec tout son bordel empilé à l'arrière — le châle pour la décoration, le carton à alcools, le pouvoir d'embellir une vie, quelques restes de peur empaquetés avec ses vêtements —, et ne se sentit plus du tout attirée par l'eau. Elle pensa à Elisabeth Tysall, à la pierre tombale qui recouvrait enfin sa tombe. Qui t'aime, ma belle ? Moi.

Elle se revit, un an plus tôt, suppliant Charles qui la tenait nue devant le miroir dans son appartement, et la couvrait d'insultes. Tu n'as donc aucune vertu ? lui avait-il lancé, rejetant ce corps qu'elle lui offrait en échange de la vie sauve. Tu n'es rien : une femme sans vertu n'est rien. Regardant la mer, Sarah se souvint de ce qu'elle lui avait répondu et pensa à ce qu'elle dirait, maintenant. Elle avait dit alors : Mais je suis vertueuse. Je ne tourmente jamais personne. Je pars quand je ne suis plus la bienvenue. Je ne prends jamais rien à quiconque, excepté ma rétribution qui n'est pas nécessairement de l'argent. Je garde tous les secrets qui me sont confiés. La notion du mal m'est étrangère. J'aime à vivre sans règles, c'est tout, et c'est une forme de vertu que peu de gens apprécient.

Mais une vertu tout de même. Refusant de faire resurgir ses vieux démons et leur cortège de tentations, elle s'éloigna de la côte et s'enfonça dans un autre chemin désert, tellement envahi par les reines-des-prés que la voiture n'y était même pas visible de la grand-route. Elle sortit une bouteille de champagne du carton, prit un gobelet dans la boîte à gants, abaissa la vitre, passa ses jambes par l'ouverture, alluma une cigarette et se demanda : Et maintenant, où vais-je aller ? Que vais-je faire maintenant que je suis libre ?

Après tout, rien ne l'empêchait de continuer à vivre comme avant.

CET OUVRAGE
A ÉTÉ ACHEVÉ D'IMPRIMER
SUR ROTO-PAGE
PAR L'IMPRIMERIE FLOCH À MAYENNE
POUR LE COMPTE DE FRANCE LOISIRS
EN AVRIL 1997

*Cet ouvrage est imprimé
sur du papier sans bois et sans acide.*

N° d'éd. : 27082. N° d'impr. : 41282.
D.L. : mai 1997.
(Imprimé en France)